JANUS

ARTHUR KOESTLER

JANUS

Esquisse d'un système

Traduit de l'anglais par
GEORGES FRADIER

CALMANN-LÉVY

Titre original de l'ouvrage
JANUS
A Summing Up

© ARTHUR KOESTLER 1978
© CALMANN-LÉVY 1979
Imprimé en France

A PIERRE DEBRAY-RITZEN
bien amicalement

Remerciements

Je remercie les éditeurs de l'*Encyclopaedia Britannica* (15ᵉ édition, 1974) qui m'ont autorisé à reproduire de larges extraits de mon article *Humour and Wit* paru dans cette édition. De même les éditeurs de *Mind in Nature : Essays on the Interface of Science and Philosophy,* J.-B. Cobb Jr. et D. R. Griffin (University Press of America, Washington, 1977) ont bien voulu me permettre de citer des passages de mon étude « Free Will in a Hierarchic Context », publiée dans leur ouvrage.

Les auteurs suivants, que je tiens à remercier également, m'ont permis de citer des extraits de leurs publications : Charles H. Gibbs-Smith, du Smithsonian Institute, Washington, conservateur honoraire du Victoria and Albert Museum de Londres, dans *Flying Saucer Review* (juillet-août 1970); Holger Hyden, professeur à l'université de Göteborg, dans *Control of the Mind* (McGraw-Hill, New York, 1961); Stanley Milgram, *Soumission à l'autorité* (Calmann-Lévy, 1974) et dans *Dialogue* (Washington, 1975); et Lewis Thomas, *The Lives of a Cell* (Viking Press, New York, 1974).

Enfin j'exprime ma reconnaissance à Mᵐᵉ Joan Saint-George Saunders (Writer's and Speaker's Research) qui m'a apporté une aide précieuse dans la préparation de ce *Janus* comme elle l'avait fait auparavant pour d'autres ouvrages.

Note de l'auteur

Le présent ouvrage est le résumé — et aussi la suite — de plusieurs livres que j'ai publiés au cours des vingt-cinq dernières années, depuis que j'ai cessé d'écrire des romans et des essais politiques pour me tourner vers les sciences de la vie, plus précisément vers l'évolution, la créativité et la pathologie de l'esprit humain.

Ce genre de résumé ne va pas sans difficulté. L'auteur qui place un sommaire à la fin d'un chapitre ou d'un article scientifique peut imaginer que les lecteurs se souviennent des pages qui précèdent. Ce n'est pas mon cas puisque j'ai essayé ici de tirer la substance d'un certain nombre de livres qu'on a eu le temps d'oublier, à supposer qu'on les ait lus. Incapable, par conséquent, de savoir avec certitude ce que je pouvais considérer comme acquis, j'ai dû dans une certaine mesure me répéter. Le lecteur aura peut-être çà et là une impression de déjà vu, ou déjà lu, devant des passages que j'ai empruntés à mes ouvrages précédents.

Mais j'espère montrer que ces approches successives aboutissent à un système d'ensemble, qui refuse le matérialisme et projette quelque lumière sur la condition humaine. Au cas où ce propos paraîtrait trop ambitieux on me permettra de citer ce que j'écrivais déjà dans la préface du Cri d'Archimède :

Je n'ai guère d'illusions sur l'avenir de cette théorie; inévitable-

ment elle sera démentie sur de nombreux points par les progrès futurs de la science. Ce que j'espère, c'est qu'alors on y trouvera néanmoins l'esquisse d'une vérité.

Londres, septembre 1977.

PROLOGUE

Le nouveau calendrier

1

Si l'on me demandait quelle est la date la plus importante de l'histoire et de la préhistoire du genre humain je répondrais sans hésitation : 6 août 1945. La raison est simple. Depuis l'apparition de la conscience jusqu'au 6 août 1945 chaque homme a dû vivre en ayant pour horizon sa mort en tant qu'*individu;* depuis le jour où la première bombe atomique a éclipsé le soleil au-dessus d'Hiroshima c'est l'humanité, globalement, qui doit vivre dans la perspective de sa disparition en tant qu'*espèce.*

Que l'existence individuelle soit un bref passage, nous avons appris à l'accepter, tout en tablant sur l'immortalité virtuelle du genre humain. Cette dernière croyance n'est plus fondée. Il faut réviser les axiomes.

Ce n'est pas une tâche facile. Pour qu'une idée neuve s'installe dans les esprits il faut une longue période d'incubation. La doctrine de Copernic, dégradation radicale de la place de l'homme dans l'univers, a mis près de cent ans à pénétrer la conscience européenne. La nouvelle dégradation de l'espèce, ramenée à la mortalité, est encore plus difficile à digérer.

En fait, on dirait que cette idée a perdu l'éclat de la nouveauté

avant même d'avoir été comprise. Le nom d'Hiroshima est déjà
devenu un cliché historique comme la bataille de Marignan ou la
dépêche d'Ems. Nous sommes revenus à un stade de pseudo-
normalité. Il n'y a qu'une infime minorité à avoir conscience du fait
que, depuis le moment où nous avons ouvert la boîte de Pandore
nucléaire, l'espèce est condamnée, et vit en sursis.

Chaque époque a ses Cassandre, et l'humanité s'est toujours
arrangée pour survivre à leurs sinistres prophéties. Seulement cette
considération consolante ne vaut plus rien, car jamais, en aucun
temps, une tribu ou une nation n'a possédé l'équipement nécessaire
pour rendre notre planète impropre à la vie. Des hommes ne pouvaient infliger à leurs adversaires que des dommages limités, et ils
ne s'en sont jamais privés quand ils en ont eu l'occasion. Aujourd'hui
des nations peuvent tenir la biosphère tout entière en otage. Un
Hitler, s'il était né vingt ans plus tard, l'aurait probablement fait, en
ménageant à l'univers une *Götterdämmerung* nucléaire.

L'ennui est qu'une invention, une fois faite, ne peut pas se désin-
venter. L'arme nucléaire est installée à demeure, elle fait désormais
partie de la condition humaine. L'homme devra vivre avec elle en
permanence : non seulement au cours du prochain conflit, et de celui
d'après; non seulement durant la prochaine décennie ou le siècle
prochain, mais toujours — ou du moins aussi longtemps que l'humanité subsistera. Il semble bien, d'ailleurs, que ce ne sera pas très
longtemps.

Il y a deux grandes raisons de tendre à cette conclusion. La première est technique : les dispositifs de l'armement nucléaire devenant à la fois plus puissants et plus faciles à fabriquer, leur diffusion
dans des pays manquant de maturité comme dans les vieilles nations
arrogantes sera inévitable, et le contrôle global de leur production sera de plus en plus difficile. Dans un avenir prévisible ces
armes seront fabriquées et stockées sur toute la planète dans des
pays de toute couleur et de toute idéologie, et la probabilité que
l'étincelle qui doit déclencher la réaction en chaîne soit allumée tôt
ou tard, délibérément ou par accident, augmentera à la même
cadence, jusqu'à friser pour finir la certitude. La situation est assez
comparable à celle d'un groupe de jeunes délinquants enfermés dans
un local plein de produits inflammables, et auxquels on donnerait
une boîte d'allumettes en leur recommandant bien de ne pas s'en
servir.

La seconde raison de prédire une très faible espérance de vie à
l'*homo sapiens* dans l'ère qui commence à Hiroshima, c'est la tendance paranoïaque que révèle son histoire antérieure. Un observa-

teur impartial venu d'une planète plus évoluée, et qui d'un coup d'œil considérerait cette histoire de Cro-Magnon à Auschwitz, conclurait sans nul doute que notre espèce est un produit biologique admirable à certains égards, mais dans l'ensemble profondément morbide, et que les conséquences de sa maladie mentale l'emportent de beaucoup sur ses réussites culturelles s'il s'agit d'évaluer ses chances de survie. Le bruit le plus persistant qui résonne d'un bout à l'autre de l'histoire est celui des tambours de guerre. Guerres tribales, guerres de religion, guerres civiles, guerres dynastiques, guerres nationales, guerres révolutionnaires, guerres coloniales, guerres de conquête et de libération, guerres pour prévenir ou pour finir toutes les guerres, elles se suivent presque sans interruption avec une monotonie maniaque depuis les temps les plus reculés, et il y a toute raison de croire que la série se prolongera dans l'avenir. Au cours des vingt années qui ont suivi Hiroshima, autrement dit entre les années 0 et 20 ap. H (ou 1946-1966 selon notre calendrier démodé), le Pentagone compte quarante guerres utilisant les armes « conventionnelles [1] »; et à deux occasions au moins nous avons été au bord de la guerre atomique : Berlin, 1950 et Cuba, 1962. Si nous refusons l'optimisme béat nous devons nous attendre logiquement à voir les foyers de conflits virtuels se déplacer autour du globe comme des zones de haute pression sur une carte météorologique. Et la seule protection, bien précaire, contre l'escalade du conflit local à la guerre totale, l'équilibre de la terreur, dépendra toujours de par sa nature même, du sang-froid ou de l'affolement de dirigeants faillibles et de régimes fanatiques. La roulette russe n'est pas un jeu de longue haleine.

Le symptôme le plus frappant de la pathologie de notre espèce est le contraste entre ses extraordinaires progrès technologiques et son incompétence également extraordinaire en matière de rapports sociaux. Nous dirigeons les mouvements de satellites que nous mettons en orbite autour des planètes lointaines, mais nous sommes incapables de maîtriser les problèmes de l'Irlande du Nord. L'homme quitte la Terre, il marche sur la Lune, mais il ne peut pas passer de Berlin-Est à Berlin-Ouest. Prométhée avance vers les astres, la face tordue par un rictus dément, en brandissant un mât-totem.

2

Je n'ai rien dit des terreurs supplémentaires de la guerre biochimique; ni de l'explosion démographique, ni de la pollution, ni d'autres dangers qui, si menaçants qu'ils soient en eux-mêmes, ne devraient pas détourner l'attention de ce fait essentiel, qui domine tout : depuis l'an 1945 l'espèce a acquis le pouvoir diabolique de s'anéantir, et à en juger sur son passé il y a de fortes probabilités pour qu'elle utilise ce pouvoir lors d'une de ses crises chroniques, dans un avenir qui ne saurait être très éloigné. Le résultat serait la transformation de la planète Terre en un vaisseau fantôme voguant à la dérive parmi les étoiles avec son équipage de cadavres.

Si telle est la perspective probable, à quoi bon poursuivre nos petits efforts ponctuels pour sauver le panda et pour dépolluer nos rivières? A quoi bon préparer l'héritage de nos petits-enfants? Et tout bonnement pourquoi continuerais-je à écrire ce livre? Ce ne sont pas des questions oratoires, le désenchantement général de la jeunesse le montre assez. Mais on peut donner au moins deux réponses.

La première est contenue dans les mots « comme si », sur lesquels Hans Vaihinger a édifié un système qui a eu son heure d'influence : « La philosophie du Comme Si[2]. » En gros : l'homme n'a pas le choix, il doit vivre de « fictions »; il doit faire *comme si* le monde illusoire des sens représentait la réalité ultime; *comme si* sa volonté était libre et le rendait responsable de ses actes; *comme s*'il y avait un Dieu pour récompenser la vertu, etc. De même l'individu doit vivre *comme s*'il n'était pas condamné à mort, et l'humanité doit préparer son avenir *comme si* ses jours n'étaient pas comptés. C'est uniquement grâce à ces fictions que l'esprit humain a été capable de construire un univers habitable et de lui donner un sens *.

La seconde réponse tient tout simplement au fait que même s'il faut admettre que l'humanité vit maintenant en sursis en repoussant l'échéance, pour ainsi dire, de dix en dix ans, même si tout indique qu'elle va à la catastrophe, il s'agit cependant de probabilités et non pas de certitudes. Il y a toujours l'espoir de l'inattendu, de l'im-

* La philosophie de Vaihinger (1852-1933) est aussi distincte du phénoménalisme que du pragmatisme américain, bien qu'elle ait des affinités avec ces deux doctrines.

prévu. Depuis l'année zéro du nouveau calendrier, l'homme porte au cou une bombe à retardement et il faudra qu'il écoute le tic-tac, plus fort, moins fort, encore plus fort, jusqu'à ce qu'elle explose ou qu'il apprenne à la désamorcer. Le temps presse, l'histoire s'accélère en courbes exponentielles vertigineuses, et la raison nous dit que les chances de réussir une opération de désamorçage avant qu'il soit trop tard sont vraiment minimes. Tout ce que nous pouvons faire c'est d'agir *comme si* nous avions le temps de tenter cette opération.

Mais il faudra alors des démarches plus radicales que des résolutions de l'O.N.U., des conférences du désarmement et de nobles appels à la raison. Ces appels sont toujours tombés dans l'oreille des sourds depuis le temps des prophètes hébreux et cela tout simplement parce que *l'homo sapiens* n'est pas un être qui entende raison, comme le prouve la suite chaotique de carnages qu'il nomme son Histoire; et rien n'indique qu'il soit en train de changer.

3

Le premier pas en direction d'une éventuelle thérapie consisterait à diagnostiquer correctement ce qui est arrivé à l'espèce. On a essayé un grand nombre de diagnostics en évoquant la chute et le péché originel, ou la pulsion de mort de Freud ou l'impératif territorial des éthologues contemporains. Aucun n'a paru bien convaincant parce qu'aucun ne partait de l'hypothèse que l'espèce *homo sapiens* pourrait bien être biologiquement aberrante, une inadaptée de l'évolution, affligée d'une tare endémique qui la mettrait à part des autres espèces animales, comme le langage, les sciences, les arts la mettent à part en un sens positif. Or c'est précisément cette désagréable hypothèse qui sert de point de départ au présent ouvrage.

L'évolution a fait beaucoup d'erreurs. Julian Huxley la comparait à un labyrinthe dans lequel un nombre énorme d'impasses aboutissent à la stagnation ou à l'extinction. Des centaines d'espèces ont péri pour une qui subsiste; les fossiles s'entassent, modèles abandonnés dans la poubelle du Grand Architecte. L'histoire humaine d'une part, les recherches actuelles sur le cerveau d'autre part, font irrésistiblement penser qu'à un moment des derniers stades décisifs de l'évolution biologique de *l'homo sapiens* une erreur a dû se produire, et qu'il y a une faille, un défaut de construction virtuellement fatal dans notre équipement héréditaire — plus précisément dans les circuits de notre système nerveux — qui expliquerait le courant paranoïaque qui se manifeste dans toute notre histoire. Telle est l'hypothèse horrible mais plausible que doit affronter toute recherche sérieuse sur la condition humaine. Les diagnosticiens les plus intuitifs, les poètes, n'ont jamais cessé de nous dire que l'Homme est fou, qu'il l'a toujours été; mais les anthropologues, les psychiatres, les biologistes ne prennent pas les poètes au sérieux, ils se voilent la face devant l'évidence qui leur crève les yeux. Ce refus de voir la réalité est déjà en soi un phénomène bien inquiétant. On dira qu'on ne peut pas demander à un fou d'être conscient de sa folie. Mais c'est faux, il peut en prendre conscience car il n'est pas fou constamment. En période de rémission les schizophrènes quelquefois décrivent leur maladie avec une étonnante lucidité.

Je vais maintenant me risquer à proposer une liste sommaire de quelques-uns des grands symptômes pathologiques qui apparaissent dans la désastreuse histoire de notre espèce, et à passer ensuite des symptômes à l'examen de leurs causes possibles. Je borne cette liste à quatre points principaux *.

1. Il y a dans les premiers chapitres de la Genèse un épisode qui a inspiré plus d'un grand peintre. C'est la scène où l'on voit Abraham ligoter son fils à des fagots et s'apprêter à lui trancher la gorge avant de le brûler pour l'amour de Dieu. Depuis l'aube de l'histoire on assiste à ce phénomène étonnant auquel les anthropologues accordent trop peu d'attention : le sacrifice humain, le meurtre rituel d'enfants, de vierges, de rois et de héros, destiné à flatter ou apaiser des dieux de cauchemar. C'est un phénomène universel qui a duré de la préhistoire jusqu'à l'apogée des civilisations pré-colombiennes et s'est prolongé çà et là dans le monde presque jusqu'à nos jours. Des îles des mers du sud aux tourbières scandinaves, des Étrusques aux Aztèques, ces pratiques ont été inventées séparément par les cultures les plus diverses, pour manifester des tendances hallucinatoires de la psyché humaine qui affectent apparemment la totalité de l'espèce. Il est de mode d'écarter le sujet comme une bizarrerie sinistre du passé, mais c'est oublier l'universalité du phénomène, c'est aussi négliger l'indication qu'il nous fournit sur l'élément paranoïaque de la structure mentale de l'homme, et sa signification quant à nos problèmes essentiels.

2. *L'homo sapiens* est pratiquement le seul animal qui soit

* D'après *Le Cheval dans la locomotive*, troisième partie, pages résumées dans une contribution au 14ᵉ Colloque Nobel (« La pulsion de l'autodestruction »), réimprimée dans *Le Talon d'Achille*.

dépourvu de sauvegardes instinctives contre le meurtre de ses congénères. La « loi de la jungle » ne connaît qu'une seule et unique raison légitime de tuer : le besoin de manger, et encore faut-il que le prédateur et la proie appartiennent à des espèces différentes. A l'intérieur de l'espèce la compétition et les conflits entre individus ou entre groupes se règlent par des comportements symboliques de menaces ou par des combats rituels qui se terminent par la fuite ou la soumission de l'un des adversaires, et d'où les blessures mortelles sont généralement exclues. Les forces inhibitrices, tabous instinctifs, qui empêchent de tuer ou de blesser gravement des congénères sont aussi puissantes chez la plupart des animaux, y compris les primates, que les pulsions de la faim, du sexe et de la peur. L'homme est seul (mis à part certains phénomènes controversés chez les rats et chez les fourmis) à pratiquer le meurtre intra-spécifique à l'échelle individuelle et collective, de manière spontanée ou organisée, pour des motifs qui vont de la jalousie sexuelle aux querelles sur des points de doctrine métaphysique. La guerre intra-spécifique permanente est une caractéristique cruciale de la condition humaine. Elle est encore embellie par l'administration de la torture sous ses multiples formes, de la crucifixion aux chocs électriques *.

3. Le troisième symptôme est étroitement lié aux deux précédents; il se manifeste dans la rupture chronique, quasi schizophrénique entre la raison et l'affectivité, entre les facultés rationnelles de l'homme et ses croyances émotives irrationnelles.

4. Enfin, nous avons déjà noté l'éclatante disparité entre le progrès des sciences et des techniques d'une part, et de la morale de l'autre; ou, en d'autres termes, entre les ressources de l'intelligence humaine appliquée à maîtriser l'environnement et son incapacité à établir des relations harmonieuses à l'intérieur de la famille, de la nation et de l'espèce en général. Il y a à peu près deux millénaires et demi, au vi^e siècle avant notre ère, les Grecs s'embarquèrent dans l'aventure scientifique qui devait nous emporter dans la lune : voilà certainement une impressionnante courbe de croissance. Mais

* « La torture est aujourd'hui un instrument de répression politique si répandu que l'on peut parler de l'existence d' « États tortionnaires » comme d'une réalité politique de notre époque. Le mal est devenu épidémique, il ne connaît pas de frontières idéologiques, raciales ni économiques. Dans plus de trente pays la torture est systématiquement administrée pour arracher des aveux, obtenir des renseignements, punir la dissension et étouffer l'opposition à la politique répressive du gouvernement. La torture a été institutionnalisée... » (Victor Jokel, directeur de la branche britannique d'Amnesty International : *Epidemic : Torture,* Amnesty International, Londres, s.d. 1975?)

le vᵉ siècle avant J.-C. a vu aussi l'essor du taoïsme, du confucia-
nisme et du bouddhisme — et notre xxᵉ siècle celui de l'hitlérisme,
du stalinisme et du maoïsme : cette fois on ne discerne pas la
moindre courbe de croissance.

Ce qu'on appelle progrès est une affaire purement intellectuelle, écrit
von Bertalanffy... Mais on ne voit guère de progrès du côté de la morale.
Il est douteux que les méthodes de la guerre moderne soient préférables
aux grosses pierres dont l'homme de Neanderthal se servait pour casser
le crâne de son voisin. Il est assez évident que les normes éthiques du
Bouddha et de Lao-tseu n'étaient pas inférieures aux nôtres. Le cortex
humain contient quelque dix milliards de neurones qui ont permis de
progresser de la hache aux bombes atomiques, et de la mythologie
primitive à la théorie des quanta. Il n'y a dans le domaine de l'instinct
aucun développement correspondant qui pousse l'homme à changer de
conduite. C'est pourquoi les exhortations morales proférées tout au
long des siècles par les fondateurs de religions et les grands guides de
l'humanité se sont révélées tristement inefficaces[3].

On pourrait allonger la liste des symptômes. Mais à mon avis
ceux que je viens de citer signalent l'essentiel de la misère humaine.
Il est clair qu'ils sont interdépendants; on peut regarder le sacrifice
humain, par exemple, comme une sous-catégorie de la rupture
schizophrénique entre raison et affectivité, et le contraste entre les
courbes de croissance du progrès technique et du progrès éthique
comme une autre conséquence de cette même rupture.

4

Jusqu'ici nous sommes restés dans le domaine des faits bien
attestés par les documents historiques et par les recherches des
spécialistes de la préhistoire. Si nous passons des *symptômes* aux
causes il nous faut recourir à des hypothèses plus ou moins conjec-
turales, liées entre elles également, mais appartenant à des disciplines
diverses : neurophysiologie, anthropologie, psychologie.

L'hypothèse neurophysiologique provient de la théorie des émotions dite de Papez-MacLean, théorie appuyée sur une trentaine
d'années de recherche expérimentale*. Je l'ai exposée dans *Le*

* Le professeur Paul D. MacLean dirige le laboratoire d'évolution et comportement du cerveau, à l'Institut national de santé mentale de Bethesda (Maryland).

Cheval dans la locomotive et me contenterai ici d'en donner un résumé, sans entrer dans les détails physiologiques.

La théorie s'appuie sur les différences fondamentales d'anatomie et de fonctions qui existent entre les structures archaïques du cerveau que l'homme possède en commun avec les reptiles et les mammifères inférieurs, et le néocortex spécifiquement humain que l'évolution y a superposé, sans assurer, malheureusement, de coordination adéquate. Le résultat de cette négligence de l'évolution est une coexistence difficile, qui éclate souvent en conflits aigus, entre les profondes structures ancestrales du cerveau, intéressées principalement aux comportements instinctifs et émotionnels, et le néocortex qui a doté l'homme du langage, de la logique et de la pensée symbolique. Le résultat est une situation dont MacLean a brossé un tableau d'un pittoresque assez insolite dans un article scientifique :

> L'homme se trouve dans la situation embarrassante d'avoir reçu essentiellement de la nature trois cerveaux qui, malgré de grandes différences de structure, doivent communiquer et fonctionner ensemble. Le plus ancien de ces cerveaux est fondamentalement reptilien. Le second est hérité des mammifères inférieurs, le troisième s'étant développé récemment chez les mammifères... a rendu l'homme singulièrement homme. Pour parler allégoriquement de ces trois cerveaux dans le cerveau on peut imaginer que le psychiatre qui fait étendre son patient lui demande de partager le divan avec un cheval et un crocodile [4].

Si à ce patient nous substituons l'humanité globalement, et au divan de l'analyste la scène de l'Histoire, nous aurons une image grotesque, mais véridique pour l'essentiel, de la condition humaine.

Dans un cours de neurophysiologie plus récent, MacLean propose une autre métaphore :

> Dans le langage courant d'aujourd'hui on pourrait considérer ces trois cerveaux comme des ordinateurs biologiques dont chacun aurait sa forme personnelle de subjectivité, sa propre intelligence, son sens de l'espace et du temps, sa mémoire, ses fonctions motrices et autres [5]...

Les cerveaux de reptiles et de mammifères inférieurs constituent ensemble ce qu'on nomme le système limbique et qu'on peut appeler simplement le « cerveau ancien » par opposition au néocortex et à ses « méninges » spécifiquement humaines. Mais tandis que les structures antédiluviennes au centre même du cerveau, qui gouvernent les instincts, les passions, les pulsions biologiques, ont été à peine touchées par l'évolution, le néocortex des hominiens a grossi en cinq cent mille ans à une vitesse fantastique, ce qui est sans précédent dans l'histoire de l'évolution — à tel point que certains anatomistes ont comparé cette croissance à celle d'une tumeur.

Cette explosion cérébrale de la seconde moitié du pléistocène a suivi apparemment le mode de courbe exponentielle que nous connaissons bien depuis quelque temps (explosion démographique, explosion des techniques d'informations, etc.), et peut-être y a-t-il là davantage qu'une analogie superficielle puisque toutes ces courbes reflètent le phénomène de l'accélération de l'histoire dans divers domaines. Mais les explosions ne produisent pas de résultats harmonieux. Dans le cas qui nous occupe le résultat semble avoir été qu'en se développant avec cette rapidité le cerveau pensant qui donnait à l'homme sa faculté de raisonner n'a pas été intégré ni bien relié aux anciennes structures attachées à l'affectivité auxquelles il s'est trouvé superposé à une vitesse sans précédent. Les voies neurales qui relient le néocortex aux structures archaïques du cerveau moyen sont apparemment inadéquates.

Ainsi l'explosion cérébrale a donné naissance à une espèce déséquilibrée mentalement, dont le vieux cerveau et le cerveau neuf, l'affectivité et l'intellect, la foi et la raison, sont en désaccord permanent. D'un côté la pâleur anémique de la pensée rationnelle, de la logique suspendue à un fil toujours prêt à rompre; de l'autre la furie apoplectique des croyances irrationnelles et passionnées, sans cesse à l'œuvre dans les holocaustes de l'histoire ancienne et moderne.

Si la neurophysiologie ne nous avait pas apporté les preuves du contraire nous nous serions attendus à découvrir un processus d'évolution transformant graduellement le cerveau primitif en appareil mieux élaboré — de même que les branchies se sont transformées en poumons, ou le membre antérieur du reptile en aile de mouette, en nageoire de baleine, en main humaine. Mais au lieu de modifier le vieux cerveau l'évolution lui a superposé une structure supérieure dont les fonctions font partiellement double emploi, et qui n'a pas de moyens bien définis de dominer la structure ancienne.

Pour parler familièrement, l'évolution n'a pas serré tous les écrous entre le néocortex et l'hypothalamus. MacLean a donné le nom de *schizophysiologie* à cette défectuosité endémique du système nerveux humain, qu'il définit comme suit :

...une dichotomie dans le fonctionnement des cortex ancien et nouveau au point de vue phylogénétique qui pourrait expliquer les différences entre comportements affectif et intellectuel. Alors que nos fonctions intellectuelles s'accomplissent dans la partie la plus récente et la mieux développée du cerveau, notre comportement affectif est toujours dominé par un système relativement grossier et primitif, par des structures archaïques du cerveau dont le schéma fondamental a subi très peu de changements durant toute l'évolution qui va de la souris à l'homme [6].

L'hypothèse selon laquelle ce type de schizophysiologie fait partie de notre patrimoine génétique, qu'il est pour ainsi dire incorporé à l'espèce, expliquerait pour une bonne part certains des symptômes pathologiques énumérés ci-dessus. Le conflit chronique entre pensée rationnelle et croyances irrationnelles, le courant paranoïde qui en résulte dans l'histoire, le contraste de la croissance scientifique et du progrès moral, deviendraient enfin compréhensibles et exprimables en termes physiologiques. Et des troubles que l'on peut décrire en termes physiologiques devraient pouvoir, à la longue, être soignés, ce dont nous parlerons plus loin. Notons pour le moment que l'origine de la bévue de l'évolution qui a donné lieu aux dispositions schizophysiologiques de l'homme semble avoir été la *superposition* rapide et presque brutale (sans *transformation*) du néocortex aux structures ancestrales, et par conséquent une *coordination insuffisante* entre cerveau récent et cerveau ancien, et une *maîtrise inadéquate* du premier sur le second.

Pour conclure ces lignes, on doit souligner qu'aux yeux des spécialistes de l'évolution il n'y a rien d'improbable à admettre que l'équipement héréditaire de l'homme, bien que supérieur à celui de toute autre espèce, peut contenir néanmoins de graves défectuosités dans le montage de son instrument le plus précieux et le plus délicat, le système nerveux. Quand le biologiste parle de « bévues » de l'évolution, il ne reproche pas à cette dernière de n'avoir pas su atteindre on ne sait quel idéal théorique, il fait allusion à quelque chose de très simple et de très précis : une évidente déviation par rapport aux normes d'efficacité de la nature, qui ôte à un organe tout ou partie de son utilité : par exemple les bois monstrueux de l'élan d'Irlande, aujourd'hui disparu. Les tortues et les coléoptères ont de solides armures si mal équilibrées que s'ils tombent sur le dos par hasard ou en se battant ils ne peuvent pas se relever et sont condamnés à périr de faim : vice de construction grotesque dont Kafka a fait un symbole de l'infirmité humaine.

Mais c'est dans l'évolution des différents types de cerveaux que se sont produites les plus grosses erreurs. Chez les invertébrés le « cerveau » s'est développé autour des canaux alimentaires, de sorte que les masses ganglionnaires ne pouvaient grossir et évoluer qu'en comprimant le tube alimentaire (ce qui est arrivé aux araignées et aux scorpions qui, ne pouvant absorber que des liquides, sont devenus suceurs de sang).

Au moment où les vertébrés firent leur apparition, écrit Gaskell *(The Origin of Vertebrates)* le sens et le progrès des variations chez les arthropodes conduisaient à un terrible dilemme : ou bien la capacité d'absorber la nourriture sans assez d'intelligence pour la capturer, ou bien une intelligence suffisante pour s'emparer de la nourriture et aucune possibilité de la consommer [7].

Un autre zoologiste, Wood Jones, ajoute à ce propos :

> Voilà la fin de l'évolution cérébrale chez les invertébrés... Les invertébrés commirent une erreur fatale quand ils commencèrent à se bâtir un cerveau autour de l'œsophage. Leur tentative fut un échec... Il fallait un nouveau départ [8].

Le nouveau départ fut pris par les vertébrés. Mais l'une des grandes divisions des vertébrés, les marsupiaux d'Australie (qui à la différence des placentaires terminent le développement de leurs embryons dans des poches ventrales) a abouti elle aussi à un cul-de-sac. Il manque au cerveau des marsupiaux un constituant important, que l'on appelle corps calleux, conduit nerveux qui, chez les placentaires, relie les hémisphères cérébraux droit et gauche*. Or, on a découvert récemment une division fondamentale des fonctions de ces deux hémisphères, qui se complémentent dirait-on, à la façon du *yin* et du *yang*. Il est évident que les deux hémisphères doivent travailler ensemble pour que l'animal (ou l'homme) tire tout le bénéfice de leurs potentialités. L'absence de corps calleux signifie qu'il n'y a pas de *coordination adéquate* entre les deux moitiés du cerveau — et cette phrase a déjà pour nous une résonance inquiétante. C'est là peut-être la principale raison qui explique que l'évolution des marsupiaux — qui pourtant a produit plusieurs espèces ressemblant étonnamment à leurs cousins placentaires — s'est finalement bloquée sur l'échelle de l'évolution au niveau du koala.

Je reviendrai à la question passionnante et trop négligée des marsupiaux. Dans le présent contexte ils peuvent servir d'exemples, comme les arthropodes, pour permettre d'accepter plus facilement la possibilité que l'*homo sapiens* soit lui aussi victime d'une erreur de construction du cerveau. Dieu merci nous avons un bon corps calleux qui intègre les deux hémisphères horizontalement; mais dans le sens vertical, du siège de la pensée conceptuelle aux profondeurs

---

* Plus précisément les zones fonctionnelles supérieures, non olfactives.

marécageuses de l'instinct et de la passion, les choses vont moins bien. Les données de la recherche physiologique, le tragique gâchis de l'Histoire et les anomalies triviales de notre comportement quotidien, tout suggère la même conclusion.

5

Une autre manière d'aborder l'infirmité humaine part du fait que l'enfant doit endurer une plus longue période d'impotence et de dépendance totale à l'égard de ses parents que les jeunes de toute autre espèce. Le berceau est une prison plus étroite que la poche ventrale du kangourou; on peut se demander si cette expérience initiale de dépendance ne marque pas toute la vie, si elle n'est pas au moins partiellement responsable de l'empressement à se soumettre à l'autorité de groupes ou d'individus, de la docilité aux doctrines et aux impératifs moraux. Le lavage de cerveau commence au berceau.

La première suggestion de l'hypnotiseur est pour demander au sujet de s'ouvrir aux suggestions. Le sujet est conditionné à devenir susceptible au conditionnement. L'enfant sans défense est soumis à un processus analogue. On fait de lui un récepteur docile de croyances toutes faites *. A toutes les époques les hommes dans leur immense majorité apprennent à vivre et à mourir pour des systèmes de croyance qu'ils ne choisissent même pas : ils en sont gavés par les hasards de leur naissance. *Pro patria mori dulce et decorum est* quelle que soit la *patria* dans laquelle la cigogne vous a fortuitement parachuté. Le raisonnement critique n'a jamais joué un bien grand rôle quand il s'agit d'adopter une foi, un code moral, une *Weltanschauung* — de devenir croisé de la chrétienté ou musulman combattant de la guerre sainte, armagnac ou bourguignon. Les désastres continuels de l'histoire sont dus principalement à l'aptitude excessive de l'homme, à son véritable besoin de s'identifier à une tribu, une nation, une Église, une cause, à en épouser les croyances sans réflexion et avec enthousiasme, même si les dogmes en sont déraisonnables, dénués d'intérêt pour l'individu et même contraires aux exigences de l'instinct de préservation.

---

* Konrad Lorenz parle d' « empreinte » et place l'âge critique de la réceptivité immédiatement après la puberté [9]. Il ne semble pas voir que l'homme, à la différence de ses oies, est réceptif à l'empreinte du berceau à la tombe.

On est amené ainsi à la conclusion peu conformiste que le malheur de notre espèce n'est pas un accès d'*agressivité* mais une aptitude excessive au *dévouement* fanatique. Il suffit d'un coup d'œil sur l'histoire pour nous convaincre que les crimes individuels commis par égoïsme jouent un rôle insignifiant par rapport aux massacres perpétrés au nom du loyalisme le plus altruiste à l'égard de la tribu, de la nation, de la religion ou de l'idéologie politique, *ad majorem Dei gloriam*. Je dis bien altruiste. Sauf une infime minorité de mercenaires et de sadiques, les gens ne font pas la guerre par cupidité, mais par dévouement à un roi, à un pays, à une cause. L'homicide commis pour raisons personnelles est statistiquement exceptionnel dans toutes les cultures, y compris la nôtre. L'homicide sans raison égoïste, commis au péril de la vie du meurtrier, est le phénomène dominant de l'histoire.

J'aimerais insérer ici deux brèves remarques polémiques.

Lorsque Freud a décrété *ex cathedra* que les guerres sont provoquées par des instincts d'agression refoulés qui ont besoin d'une issue, les gens ont incliné à le croire parce que l'explication flattait leur sens de la culpabilité, bien qu'il n'ait jamais donné l'ombre d'une preuve psychologique ou historique à l'appui de cette théorie. Tous les hommes qui ont servi dans l'armée peuvent témoigner que les sentiments agressifs contre l'ennemi ne tiennent guère de place dans l'affreuse routine de la guerre. Les soldats ne haïssent pas. Ils ont peur, ils s'ennuient, ils souffrent de misère sexuelle et de mal du pays. Ils combattent avec résignation, parce qu'ils n'ont pas le choix, ou quelquefois avec enthousiasme pour la patrie, la vraie religion, la juste cause — ce n'est pas la haine qui les pousse, c'est le *loyalisme*. Répétons-le : la tragédie de l'homme ne vient pas d'un excès d'agressivité, mais d'un excès de dévouement.

Ma seconde remarque concerne une autre théorie, à la mode depuis quelque temps chez les anthropologues, d'après laquelle l'origine de la guerre se trouverait dans la pulsion instinctive qu'ont certaines espèces animales de défendre à tout prix leur portion de terre ou d'eau : c'est l'impératif territorial. Cette théorie ne me paraît pas plus convaincante que l'hypothèse de Freud. A de rares exceptions près, les guerres humaines ne visent pas l'appropriation individuelle de parcelles d'espace. En fait l'homme qui part pour la guerre *quitte* le foyer qu'il est censé défendre, et il fera le coup de feu bien loin de son village; et s'il le fait ce n'est pas à cause de la pulsion biologique de défendre des hectares ou des mètres carrés de propriété personnelle, mais en raison de son dévouement à des symboles tirés de l'amour de la patrie, des commandements de

Dieu ou des slogans politiques. On ne fait pas la guerre pour des terres, mais pour des mots.

6

Cela nous amène à l'article suivant de notre inventaire des causes possibles de l'infirmité humaine. L'homme n'a pas d'arme plus terrible que le *langage*. Il est aussi susceptible à l'hypnose des slogans qu'aux maladies infectieuses. Et quand l'épidémie se déclare il laisse les rênes à l'esprit-de-groupe, lequel obéit à des règles particulières, qui ne sont pas celles qui gouvernent la conduite des individus. Quand une personne s'identifie à un groupe ses facultés de raisonnement s'affaiblissent tandis que ses passions se renforcent par une sorte de résonance émotive ou de rétroaction positive. L'individu n'est pas assassin, c'est le groupe qui l'est, et en s'identifiant à lui l'individu devient tueur. C'est la dialectique infernale qui se reflète dans l'histoire de la guerre, de la persécution et du génocide, et le principal catalyseur de cette transformation est le pouvoir hypnotique de la parole. Les paroles de Hitler ont été les plus puissants agents de destruction de son époque. Bien avant l'invention de l'imprimerie les paroles du Prophète d'Allah déclenchèrent une réaction émotive en chaîne qui ébranla le monde de l'Asie centrale à l'Atlantique. Sans paroles il n'y aurait pas de poésie — et pas de guerre. Le langage est le facteur principal de notre supériorité sur nos frères animaux, et compte tenu de son terrible potentiel émotif, une menace constante à notre survie.

Si l'on pense qu'il y a là un paradoxe je prendrai pour exemple des observations récentes faites sur des sociétés de singes au Japon, qui montrent que différents groupes d'une même espèce peuvent acquérir des habitudes étonnamment différentes, on dirait presque des cultures différentes. Certains groupes de ces singes se sont mis à laver les pommes de terre dans les rivières avant de manger, d'autres non. Il arrive qu'en cours de migration des groupes de laveurs rencontrent des non-laveurs, chaque groupe observant alors les comportements de l'autre avec toutes les marques de la stupéfaction. Mais à la différence des habitants de Lilliput qui se faisaient la guerre à cause du petit bout ou du gros bout de l'œuf à casser, les singes laveurs de pommes de terre ne déclarent pas la guerre aux autres, parce que ces pauvres bêtes n'ont pas de langage qui leur permettrait d'assimiler le lavage à un commandement de Dieu et l'absorption de patates non lavées à une hérésie abominable.

Il est clair que le meilleur moyen d'abolir la guerre serait d'abolir le langage, et c'est apparemment ce que pensait Jésus en disant : « Que votre discours soit Oui, c'est Oui, Non, c'est Non, car tout le reste vient du Malin. » Et en un sens l'humanité a effectivement renoncé au langage il y a longtemps, si par langage nous entendons moyen de communication de l'espèce entière. La Tour de Babel est un symbole toujours valable. D'autres espèces possèdent certainement des moyens de communiquer — par signes, sons ou odeurs — qui sont compris par tous les membres d'une même espèce. Un saint-bernard et un caniche, malgré leurs différences d'aspect, se comprennent sans avoir besoin d'interprète. Mais l'*homo sapiens,* lui, est éclaté en quelque 3 000 groupes linguistiques. Chaque langue et chaque dialecte servent de force de cohésion à l'intérieur du groupe et de force de division entre les groupes. C'est une des raisons pour lesquelles, dans notre histoire, les forces de rupture sont tellement plus puissantes que les forces de cohésion. Les hommes manifestent dans l'aspect physique et dans le comportement une variété beaucoup plus grande que toute autre espèce (les produits de croisements artificiels exceptés), et le don du langage au lieu d'aplanir ces différences ne fait qu'élever de nouvelles barrières et accuser les contrastes. Nous avons des satellites de communication capables d'envoyer des messages à la totalité de la population du globe, mais nous n'avons pas de *lingua franca* qui rendrait ces messages compréhensibles universellement. Il semble bizarre que, sauf une poignée de vaillants espérantistes, personne dans les institutions internationales comme l'Unesco n'ait encore découvert que le moyen le plus simple de promouvoir la compréhension serait de promouvoir une langue comprise par tout le monde.

7

Dans ses *Unpopular Essays,* Bertrand Russell rapporte une anecdote significative :

F. W. H. Myers que le spiritualisme avait converti à la croyance en la vie future, interrogeait une femme qui venait de perdre sa fille. Il lui demanda ce qu'était devenue, à son avis, l'âme de cette jeune personne. « Ma foi, répondit la mère, je crois qu'elle est au ciel, qu'elle est heureuse, mais je vous en prie, ne me parlez pas de ça, c'est trop désagréable... [10]. »

Le dernier article de ma liste de facteurs pouvant expliquer la pathologie de notre espèce est la découverte de la mort, ou plutôt cette découverte faite par l'intelligence et refusée par l'instinct et l'affectivité. C'est une nouvelle manifestation de la scission mentale de l'homme, qui perpétue la division de la foi et de la raison. La foi est le partenaire le plus ancien et le plus puissant, et quand il y a conflit, la moitié raisonnante de l'esprit est obligée de fournir des rationalisations compliquées pour pallier la terreur du vide de son aînée. Or non seulement le concept naïf de « bonheur éternel » (ou de « tourments éternels » pour les damnés), mais aussi les théories parapsychologiques plus raffinées qui concernent la survie posent des problèmes qui apparemment dépassent les facultés de raisonnement de notre espèce. Il y a peut-être des millions de civilisations sur des planètes qui ont des millions d'années de plus que la nôtre, pour lesquelles la mort n'est plus un problème; il reste que, comme on dit en jargon électronique, nous ne sommes pas « programmés » pour résoudre ce problème. Or confronté à une tâche pour laquelle il n'est pas programmé un ordinateur est ou bien réduit au silence ou bien forcé de se détraquer. Apparemment c'est ce deuxième choix qui a été fait, avec une monotonie affligeante dans les civilisations les plus diverses. Face à l'implacable paradoxe d'une conscience qui émerge du vide pré-natal pour plonger dans les ténèbres *post mortem,* les esprits se sont détraqués et se sont mis à peupler les airs de fantômes, de dieux, d'anges et de démons jusqu'à saturer l'atmosphère de présences invisibles pour le moins capricieuses, généralement malveillantes et vindicatives. Il fallut leur offrir un culte; les cajoler, les apaiser au moyen de rites raffinés, comme les sacrifices humains, les guerres saintes et les bûchers d'hérétiques.

Pendant près de deux mille ans des millions de gens normalement intelligents ont été convaincus que l'immense majorité de l'humanité, qui ne partageait pas leurs croyances ou n'accomplissait pas leurs rites, serait condamnée au feu éternel sur l'ordre d'un dieu très bon. Et d'autres civilisations ont communié dans des chimères tout aussi horribles, pour témoigner de l'universalité de la tendance paranoïaque dans notre espèce.

Mais ce tableau serait trop simple; là aussi il y a une autre manière de le voir. C'est le refus de croire à la mort définitive qui

sur le désert a dressé les pyramides; c'est lui qui a fondé les
valeurs éthiques, et qui a fourni à la création artistique sa principale aspiration. Si le mot « mort » n'existait pas dans nos voca-
bulaires, les grandes œuvres littéraires n'auraient pas été écrites.
La créativité et la pathologie humaines sont les deux faces d'une
médaille, elles ont été gravées dans le même atelier de l'évolution.

8

Pour résumer, la désastreuse histoire de l'espèce montre la futilité
de tout essai de diagnostic qui ne tiendrait pas compte de la possibilité que l'*homo sapiens* soit victime d'une des innombrables erreurs
de l'évolution. L'exemple des arthropodes et des marsupiaux, entre
autres, indique qu'il se produit effectivement des erreurs qui peuvent
être nuisibles au développement du cerveau.

J'ai énuméré quelques symptômes trop évidents du désordre
mental qui paraît endémique dans notre espèce : *a)* les rites universels du sacrifice humain dans la préhistoire; *b)* la poursuite
constante de la guerre intra-spécifique, qui naguère ne pouvait
causer que des dommages limités et maintenant menace toute la
planète de destruction; *c)* la scission paranoïaque entre la pensée
rationnelle et les croyances affectives irrationnelles; *d)* le contraste
entre le génie de l'humanité dans la conquête de la nature, et son
ineptie dans la conduite de ses affaires — le symbole en étant l'exploration de la Lune d'un côté et les champs de mines sur les frontières européennes de l'autre.

Il importe de souligner une fois de plus que ces phénomènes
pathologiques sont spécifiquement, uniquement humains, et qu'on
ne les trouve chez aucune autre espèce. Il semblerait donc logique
qu'en cherchant des explications on se concentre avant tout sur
les attributs de l'*homo sapiens* qui sont uniquement humains et
que le reste du règne animal ne connaît pas. Mais si évidente qu'elle
puisse paraître, cette conclusion va à l'encontre de la tendance
réductionniste qui prévaut aujourd'hui. Le « réductionnisme » est
cette doctrine philosophique selon laquelle toutes les activités
humaines peuvent « se réduire » aux réactions comportementales de
certains animaux (autrement dit s'expliquer par elles) : chiens de
Pavlov, rats et pigeons de Skinner, oies cendrées de Lorenz, singes

nus de Morris, et ces réactions à leur tour peuvent se réduire aux lois physiques qui régissent la matière. Sans aucun doute Pavlov et Lorenz nous ont procuré des vues nouvelles sur la nature humaine — mais seulement sur les aspects assez élémentaires et non spécifiques de cette nature que nous avons en commun avec les chiens, les rats et les oies, tandis que les aspects spécifiquement humains qui définissent l'unicité de notre espèce sont laissés de côté. Et puisque ces caractéristiques singulières se manifestent à la fois dans la créativité et dans la morbidité humaine, les scientifiques de confession réductionniste ne sont pas plus qualifiés pour le diagnostic que pour la critique d'art. C'est bien pourquoi la science officielle échoue si lamentablement quand il s'agit de définir l'infirmité de l'homme. Si ce dernier est un automate, il est inutile de lui mettre un stéthoscope sur la poitrine.

Répétons-le : si les symptômes de notre pathologie sont spécifiques, uniquement humains, c'est à ce niveau de spécificité qu'il faut chercher les explications. Cette conclusion ne s'inspire d'aucun orgueil démesuré, mais simplement des données de l'histoire. Les indications diagnostiques que j'ai brièvement esquissées sont : *a)* la croissance explosive du néocortex et l'insuffisance de sa domination sur le cerveau ancien; *b)* la longue impotence du nouveau-né et en conséquence sa soumission irraisonnée à l'autorité; *c)* la double malédiction du langage, fauteur d'émeutes et constructeur de barrières ethniques; *d)* enfin la découverte de la mort, et la scission mentale que provoque l'effroi qu'elle inspire. Chacun de ces facteurs sera examiné plus loin en détail.

Neutraliser ces facteurs pathogènes, la tâche ne paraît pas impossible. La médecine a trouvé des remèdes à certains types de psychoses schizophréniques et maniaco-dépressives; il n'est plus chimérique de penser qu'elle découvrira une combinaison d'enzymes favorables qui donnerait au néocortex un droit de veto sur les folies du cerveau archaïque, corrigerait une bévue manifeste de l'évolution, réconcilierait l'affectivité et la raison, et servirait de catalyseur pour la transformation du maniaque en homme. Il reste d'autres voies à explorer qui pourraient mener au salut à la dernière minute à condition que l'urgence soit ressentie parce que l'on aura compris le message du nouveau calendrier, et que l'on ait établi un diagnostic juste de la condition humaine en se fondant sur une nouvelle conception des sciences de la vie.

Les pages qui suivent porteront sur plusieurs aspects de ces innovations qui ont commencé à quitter, au cours des dernières années, les terres stériles de la philosophie réductionniste. Nous laisserons donc la pathologie de l'homme et la contemplation du désordre pour considérer d'un œil neuf l'ordre biologique et la créativité mentale. Certaines questions évoquées ci-dessus seront reprises au passage, et pourront prendre place, je l'espère, dans un schéma cohérent.

PREMIÈRE PARTIE

ESQUISSE D'UN SYSTÈME

CHAPITRE PREMIER

La holarchie

1

« Au-delà du réductionnisme, nouvelles perspectives dans les sciences de la vie », c'est le titre d'un colloque que j'ai eu l'honneur et le plaisir d'organiser en 1968, et qui a provoqué ensuite beaucoup de controverses *. L'un des participants, le professeur Viktor Frankl, devait animer les débats en donnant un joli choix de propos de psychanalyse réductionniste, tirés d'ouvrages et de périodiques récents. Par exemple :

> Bien des artistes sont sortis de chez le psychanalyste furieux des interprétations qui indiquent que s'ils peignent en jetant les couleurs sur la toile c'est pour surmonter un apprentissage trop rigoureux du pot de chambre quand ils étaient enfants...
> ... On est amené à penser que l'œuvre de Goethe n'est que le résultat de fixations pré-génitales. Les efforts de Goethe ne visent pas en réalité

---

* Colloque dit « Alpbach Symposium », du nom de la localité autrichienne où il s'est tenu. Les participants étaient les suivants : Ludwig von Bertalanffy (université de l'État de New York, Buffalo), Jérome S. Bruner (université Harvard), Blanche Bruner (université Harvard), Viktor E. Frankl (université de Vienne), F. A. Hayek (université de Freiberg), Holger Hyden (université de Göteborg), Bärbel Inhelder (université de Genève), Seymour S. Kety (université Harvard), Arthur Koestler, Paul D. MacLean (université Bethesda), David McNeill (université de Chicago), Jean Piaget (université de Genève), J. R. Smythies (université d'Edimbourg), W. H. Thorpe (université de Cambridge), C. H. Waddington (université d'Edimbourg), Paul A. Weiss (université Rockefeller, New York).

un idéal, la beauté, les valeurs, ils cherchent à surmonter un problème gênant d'éjaculation prématurée [1]...

Il est parfaitement possible que des motivations sexuelles (ou même scatologiques) interviennent dans le travail d'un artiste; mais il est absurde de proclamer que l'art « n'est pas autre chose » qu'une question de sexualité, puisqu'il reste à expliquer pourquoi l'œuvre de Goethe est géniale, à la différence de celle de tous les hommes qui ont pu souffrir des mêmes ennuis. En voulant expliquer la création artistique par l'action des hormones sexuelles le réductionnisme fait une tentative parfaitement futile parce que cette action, si importante qu'elle soit biologiquement, ne nous fait rien pressentir des critères esthétiques qui s'appliquent à une œuvre d'art. Ces critères appartiennent aux processus intellectuels conscients qui ne peuvent se ramener au niveau des processus biologiques sans perdre en route leurs attributs mentaux spécifiques. La psychologie réductionniste est un lit de Procuste.

Il est aisé de ridiculiser ces derniers freudiens orthodoxes qui font une caricature de la doctrine de leur maître. Mais dans d'autres domaines le sophisme réductionniste est plus discret, et par conséquent plus insidieux. Les chiens de Pavlov, les rats de Skinner, les oies de Lorenz ont été conviés tour à tour à expliquer la condition humaine. Le livre à succès de Desmond Morris, *Le Singe Nu,* commence par affirmer que l'homme est un singe sans poils « qui se donne le nom d'*homo sapiens*... Je suis zoologiste, le singe nu est un animal, c'est donc pour ma plume un gibier autorisé ». Jusqu'où peut aller pareille conception zoomorphique c'est ce que montre la citation suivante :

> L'intérieur des maisons ou des appartements peut être décoré et rempli à profusion d'ornements, de bric-à-brac et de possessions personnelles. On explique habituellement qu'on fait cela pour embellir les lieux. En fait, c'est l'équivalent exact de ce que fait une autre espèce territoriale en déposant son odeur personnelle sur un point de repère près de sa tanière. Quand vous placez un nom sur une porte ou quand vous accrochez un tableau à un mur, tout ce que vous faites, en termes de loup ou de chien par exemple, c'est de lever la patte et de laisser votre marque [2].

A un niveau moins frivole (encore que le passage ci-dessus ait été évidemment écrit pour qu'on le prenne au sérieux), on rencontre deux impressionnantes forteresses de l'orthodoxie réductionniste. L'une est la théorie néo-darwiniste (ou « synthétique ») qui prétend que l'évolution « n'est pas autre chose » que l'aboutissement de mutations fortuites retenues par la sélection naturelle, doctrine de plus en plus critiquée depuis quelque temps et qui n'en reste pas moins enseignée comme vérité d'évangile *. L'autre est la psychologie béhavioriste de l'école Watson-Skinner pour laquelle le comportement humain peut être tout entier « expliqué, prédit et contrôlé » grâce aux méthodes employées pour conditionner des rats et des pigeons. « Valeurs et significations ne sont pas autre chose que des mécanismes de défense et des formations de réactions » : autre citation prise par Frankl dans un manuel béhavioriste.

En écartant obstinément toute valeur, tout sens, toute finalité du jeu de ce qui ne serait que forces aveugles, l'attitude réductionniste exerce son influence bien au-delà des sciences, elle affecte tout le climat culturel et même politique. Sa philosophie peut se résumer dans une dernière citation tirée d'un manuel universitaire récent qui définit l'homme comme « pas autre chose qu'un mécanisme biochimique complexe, alimenté par un système de combustion qui active des ordinateurs dotés de moyens prodigieux d'emmagasinage pour conserver des informations codées[3] ».

Notons que le sophisme réductionniste ne consiste pas à comparer l'homme à « un mécanisme alimenté par un système de combustion » mais à déclarer qu'il « n'est pas autre chose » que ce mécanisme et que ses activités ne sont « pas autre chose » qu'une série de réponses conditionnées que l'on trouve aussi chez les rats. Pour l'homme de science il est parfaitement légitime, indispensable en fait, d'essayer d'analyser des phénomènes complexes en éléments constituants — à condition de bien se rendre compte qu'on perd toujours quelque chose d'essentiel au cours des analyses, parce que le tout est plus que la somme des parties et que ses attributs en tant que totalité sont plus complexes que ceux de ses parties. Ainsi l'analyse de phénomènes complexes n'élucide-t-elle qu'un segment ou qu'un aspect de l'ensemble, elle ne nous autorise pas à dire que ce dernier n'est « pas autre chose » que ceci ou cela. Or ce *pas-autre-chosisme* demeure, explicitement ou implicitement, la philosophie de l'orthodoxie réductionniste. S'il fallait la prendre au mot on pourrait juger pour finir que l'homme n'est pas autre chose que 90 % d'eau et 10 % de minéraux — définition juste sans aucun doute, mais pas très utile.

2

Cependant, dans la mesure limitée où il est applicable, le réductionnisme en tant que méthode a remporté de grands succès dans les
sciences exactes, alors que son antithèse, le holisme, n'est jamais
allé loin. Le holisme, qu'on peut définir en disant que le tout est
davantage que la somme de ses parties, est un terme forgé
vers 1920 par Jan Smuts dans un livre remarquable[4] qui fut très
populaire pendant un certain temps. Mais le holisme n'a pu pénétrer
la science officielle*, en partie parce qu'il allait à l'encontre du
Zeitgeist, en partie peut-être parce qu'il représentait une méthode
plus philosophique qu'empirique, et ne se prêtait pas aux expériences
de laboratoire.

En réalité réductionnisme et holisme, si l'on ne prend qu'eux pour
guides, conduisent l'un et l'autre à un cul-de-sac. « Une rose est une
rose est une rose » peut passer pour une proposition holiste, mais qui
ne nous dit rien de plus sur la rose que les formules de ses composants chimiques. Pour notre enquête nous avons besoin d'une autre
approche qui dépasse le réductionnisme et le holisme et intègre les
aspects valables de ces deux méthodes. Elle devra partir du problème apparemment abstrait, mais fondamental, des rapports entre
le tout et les parties — quel que soit le « tout », univers ou société
humaine, quelle que soit la « partie », un atome ou un être humain.
On peut trouver que c'est une manière bizarre, pour ne pas dire
alambiquée, de parvenir à un diagnostic de la condition humaine,
mais le lecteur verra, j'espère, que ce détour par les considérations
théoriques du présent chapitre est probablement le plus court
chemin pour sortir du labyrinthe.

3

Commençons par une question qui paraît simple et qui ne l'est
pas : qu'entendons-nous exactement par ces mots de tous les jours,

---

* Sauf indirectement par le biais de la philosophie de la *Gestalt.*

la « partie » et le « tout »? « Partie » évoque quelque chose de fragmentaire, d'incomplet, ne pouvant de soi-même prétendre à une existence autonome. En revanche, un « tout » est considéré comme quelque chose de complet en soi, n'ayant pas besoin d'autre explication. Mais contrairement à ces habitudes de pensée bien ancrées et à leur reflet dans certaines écoles philosophiques, il n'existe nulle part de « parties » ni de « touts » au sens absolu, ni dans le domaine des organismes vivants, ni dans les sociétés, ni dans l'univers en général.

Un organisme vivant n'est pas un agrégat de parties élémentaires, ses activités ne sont pas réductibles à des « atomes de comportement » élémentaires formant une série de réponses conditionnées. Dans ses aspects corporels l'organisme est une totalité consistant en « sous-totalités » comme le système circulatoire, le système digestif, etc., qui à leur tour se ramifient en sous-totalités d'ordre inférieur, comme les organes et les tissus, et ainsi de suite jusqu'aux cellules et aux organites à l'intérieur des cellules. En d'autres termes la structure et le comportement d'un organisme ne peuvent pas s'expliquer par des processus physico-chimiques élémentaires, ni s'y « réduire »; c'est une hiérarchie stratifiée, à plusieurs niveaux, de sous-ensembles, que l'on peut représenter graphiquement par une pyramide ou un arbre renversé dont les sous-ensembles forment les nœuds, les lignes de ramification symbolisant les canaux de communication et de commande. (Voir le graphique page suivante.)

Le premier point à souligner est que chaque membre de cette hiérarchie, à quelque niveau que ce soit, est un sous-ensemble, un *holon* de plein droit — une structure intégrée et stable, équipée de dispositifs autorégulateurs et jouissant d'un degré considérable d'*autonomie*. Les cellules, les muscles, les nerfs, les organes ont tous leurs modes et leurs rythmes intrinsèques d'activité qui souvent se manifestent spontanément sans stimulation externe; en tant que *parties* ils sont subordonnés à des centres placés plus haut dans la hiérarchie, mais en même temps ils fonctionnent en tant que *touts* quasi autonomes. Comme Janus ils ont deux faces : l'une regarde en haut, vers les niveaux supérieurs, c'est celle d'une partie dépendante; l'autre regarde en bas, vers ses constituants, c'est celle d'un tout d'une auto-suffisance remarquable.

Le cœur, par exemple, possède plusieurs régulateurs, qui peuvent se relayer en cas de besoin. Les autres organes principaux sont équipés de divers types de dispositifs de coordination et de rétroaction dont l'autonomie est bien démontrée par les greffes chirurgicales. Dès le début du siècle, Alexis Carrel faisait battre pendant

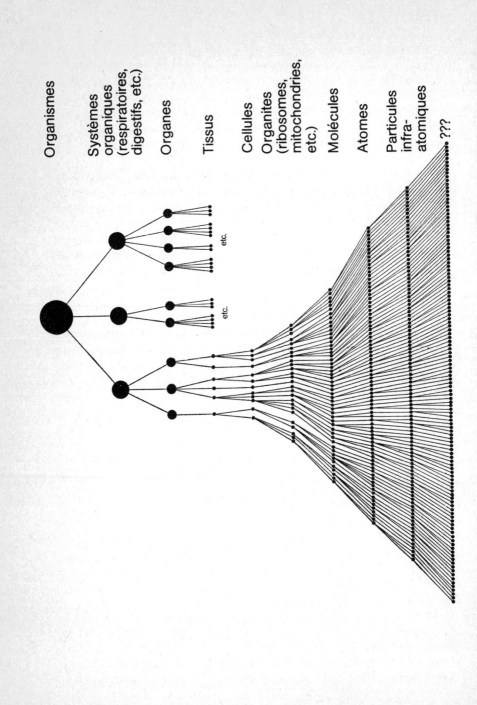

Organismes

Systèmes organiques (respiratoires, digestifs, etc.)

Organes

Tissus

Cellules

Organites (ribosomes, mitochondries, etc.)

Molécules

Atomes

Particules infra-atomiques

???

etc.

etc.

des années des fragments de tissu prélevés sur des cœurs d'embryons de poulet placés dans une solution nutritive. Depuis on a vu que des organes entiers peuvent fonctionner en tant que totalités quasi indépendantes alors qu'ils sont séparés du corps, conservés *in vitro* ou transplantés sur un autre corps. Et en descendant la hiérarchie jusqu'au dernier échelon observable au microscope électronique, on arrive à des structures infra-cellulaires, les organites, qui ne sont ni « simples » ni « élémentaires », mais bien au contraire des systèmes d'une extrême complexité. Chacune des parties minuscules de la cellule fonctionne comme ensemble autonome de plein droit, en obéissant apparemment à un code de règles incorporé. Un type ou un groupe d'organites s'occupe de la croissance de la cellule, d'autres de l'approvisionnement d'énergie, de la reproduction, de la communication, etc. Les mitochondries par exemple sont des centrales qui extraient l'énergie des aliments au moyen de réactions chimiques qui comportent une quinzaine d'étapes; et une seule cellule peut posséder jusqu'à cinq mille de ces centrales d'énergie. La mitochondrie peut être branchée ou débranchée par des commandes situées à des niveaux supérieurs; mais une fois mise en action elle suit son code. Elle coopère au bien-être de la cellule avec les autres organites, mais en même temps elle fait sa loi, c'est une unité autonome qui affirmera son individualité même si la cellule qui l'enveloppe est en train de mourir.

4

La science ne fait que commencer à se débarrasser des préjugés mécanistes du xixᵉ siècle pour qui le monde était un billard couvert d'atomes en collision, et à comprendre que l'organisation hiérarchique est un principe fondamental de la nature vivante; que c'est « la caractéristique particulière et essentielle de la vie» (Pattee [5]), « un phénomène réel que nous présente l'objet biologique, et non une fiction ni une hypothèse» (P. Weiss [6]). C'est aussi un outil conceptuel qui en certaines occasions aide à pénétrer plus d'un problème. *Tous les processus et structures complexes à caractère relativement stable manifestent une organisation hiérarchique,* qu'il s'agisse de systèmes galaxiques, d'organismes vivants et de leurs activités, ou de groupes sociaux. Le graphique en arbre généalogique à séries de niveaux peut servir à représenter l'embranchement d'une espèce dans l'évolution biologique, ou la différenciation graduelle des tissus et l'intégration des fonctions dans le développement de l'embryon. Les anatomistes utilisent ce graphique pour démontrer la hiérarchie locomotrice des membres, des jointures, des muscles, en descendant jusqu'aux fibres, aux fibrilles et aux filaments de protéines contractiles. Les éthologistes s'en servent pour représenter toutes les pratiques et tous les schémas d'activité que comportent des travaux aussi complexes que la construction du nid chez les oiseaux; mais c'est aussi un outil indispensable à l'école de psycholinguistique de Chomsky, et il n'est pas moins nécessaire à la compréhension des processus grâce auxquels les stimuli chaotiques qui frappent nos organes sensoriels sont filtrés et classés en gravissant le système nerveux pour parvenir à la conscience. Enfin le graphique arborescent représente l'ordonnance hiérarchique du savoir dans les catalogues par matières des bibliothèques, comme dans les réservoirs de souvenirs que contiennent nos cerveaux.

S'il est applicable aussi universellement, le modèle hiérarchique ne serait-il pas creux? C'est une inquiétude que l'on peut avoir. J'espère montrer qu'il n'en est rien, et qu'en recherchant les propriétés ou les lois fondamentales que toutes ces hiérarchies ont en commun, on ne se contente pas de jouer sur des analogies superficielles, ni de s'adonner à une manie innocente. Il s'agit plutôt d'un exercice relevant de la théorie générale des systèmes, dans l'esprit de la méthode interdisciplinaire de von Bertalanffy qui se propose de construire des modèles théoriques et de découvrir des principes généraux applicables aux systèmes biologiques, sociaux et symboliques de toute sorte — autrement dit de rechercher dans le flux des phénomènes des dénominateurs communs, l'unité dans la diversité.

Joseph Needham écrivait en 1936 :

> La hiérarchie des relations, depuis la structure moléculaire des composés du carbone jusqu'à l'équilibre des espèces et des ensembles écologiques, sera peut-être l'idée directrice de l'avenir [7].

Déjà Lloyd Morgan, C. D. Broad, J. Woodger et d'autres, avaient souligné l'importance des « niveaux d'organisations » ordonnés hiérarchiquement, et à chaque niveau à mesure qu'on s'élève dans cette hiérarchie l'apparition de nouvelles « relations organisatrices » entre (sous)-ensembles de complexité croissante, dont les propriétés sont *irréductibles au niveau inférieur, à partir duquel elles sont imprévisibles*. Citons encore Needham :

> Si d'une manière générale nous concevons l'univers comme une série de niveaux d'organisation et de complexité, chaque niveau ayant des

propriétés singulières de structure et de comportement qui, bien que dépendant des propriétés des éléments constituants, n'apparaissent que lorsque ces dernières sont combinées dans l'ensemble supérieur, on voit qu'il existe des lois qualitativement différentes en vigueur à chaque niveau [8].

Mais cette conception allait à l'encontre du *Zeitgeist* matérialiste puisqu'elle supposait que les lois biologiques qui régissent la vie sont qualitativement différentes des lois de la physique qui gouvernent la matière, et qu'en conséquence la vie ne peut pas se « réduire » à la danse aveugle des atomes; et de même, que la mentalité de l'homme est qualitativement différente des réponses conditionnées des chiens de Pavlov ou des rats de Skinner que la psychologie en vogue considérait comme les paradigmes du comportement humain. Le mot « hiérarchie » paraît bien innocent, on le trouva pourtant subversif, et la plupart des ouvrages modernes de psychologie et de biologie l'ont soigneusement écarté.

Il y a eu cependant des prophètes dans le désert pour affirmer que le concept d'organisation hiérarchique est une condition absolue si l'on veut essayer méthodiquement d'introduire l'unité dans la diversité des sciences, et qu'il pourrait conduire éventuellement à une philosophie cohérente de la nature qui, pour le moment, brille par son absence.

A ce chœur minoritaire s'est ajoutée la faible voix de l'auteur de ces lignes, dont plusieurs livres ont donné un rôle considérable, souvent dominant, à la « hiérarchie omniprésente [9] ». Rassemblés, les passages pertinents formeraient un manuel assez compréhensif sur l'ordre hiérarchique (peut-être le ferai-je un jour). Mais ce n'est pas le propos du présent volume. Je l'ai déjà dit : la méthode hiérarchique est un outil conceptuel, et non une fin en soi; c'est une clef capable d'ouvrir certaines serrures à combinaison de la nature qui résistent obstinément aux autres méthodes *.

Mais avant d'essayer la clef il faut voir comment elle fonctionne. On rappellera dans ce chapitre les principes de base de la pensée hiérarchique afin de procurer une piste d'envol aux hypothèses qui suivront.

---

* Voir aussi Jevons : « La hiérarchie organisationnelle, établissant un pont entre les parties et le tout, est un concept central réellement essentiel de la biologie [11]. »

5

Répétons-le : que l'on considère une forme quelconque d'organisation sociale stable, qu'il s'agisse d'une société d'insectes ou d'un état-major, on verra qu'elle est structurée hiérarchiquement; il en va de même de l'organisme individuel et, ce qui est moins évident, de ses techniques innées ou acquises. Cependant pour prouver la validité et l'importance du modèle, il faut montrer qu'il existe des principes et des lois spécifiques qui s'appliquent *a)* à tous les niveaux d'une hiérarchie donnée, et *b)* aux hiérarchies dans des domaines différents — autrement dit qui définissent le terme « ordre hiérarchique ». Certains de ces principes peuvent paraître évidents, d'autres plutôt abstraits; rassemblés, ils constituent les degrés d'une voie nouvelle pour aborder de vieux problèmes.

On dit que la partie est à moitié gagnée quand on dispose d'une bonne terminologie. Pour éviter d'employer à tort et à travers les mots « tout » et « partie » on est obligé de recourir à des expressions encombrantes comme « sous-totalité », « partie-totalité », « sous-structures », « sous-techniques », « sous-ensembles », etc. A la place de cette pénible collection j'ai proposé il y a quelques années [10] un terme désignant les entités à faces de Janus aux niveaux intermédiaires de toute hiérarchie que l'on peut décrire soit comme des totalités soit comme des parties, selon qu'on les regarde « d'en bas » ou « d'en haut ». C'est le mot *holon,* du grec *holos,* tout, avec le suffixe *on* désignant une particule, une partie, comme dans proton ou neutron.

Il semble que le mot répondait vraiment à un besoin, car on le voit entrer peu à peu dans le vocabulaire de plusieurs disciplines, de la biologie à la théorie des communications. Il m'a été particulièrement agréable de découvrir qu'il s'est faufilé dans le français : dans un ouvrage très discuté du professeur Raymond Ruyer, *La Gnose de Princeton* [12], un chapitre s'intitule : « Les accolades domaniales et les holons », une note indiquant en bas de page : « Si je ne me trompe le mot vient de Koestler ». Les mots nouveaux sont comme les parvenus : quand on oublie leur origine, c'est qu'ils ont réussi.

Malheureusement le mot « hiérarchie » lui-même a quelque chose de déplaisant, il provoque souvent de fortes réactions de rejet.

Chargé d'associations militaires ou ecclésiastiques, ou évoquant les échelons des poulaillers, il donne l'impression d'une structure autoritaire rigide, alors que dans notre théorie la hiérarchie est faite de holons autonomes dotés de divers degrés de souplesse et de liberté. Puisqu'on a bien voulu accepter « holon », je me permettrai d'employer « holarchique » et « holarchie », mais sans trop insister.

6

Nous avons vu que les holons biologiques, depuis les organismes jusqu'aux organites, sont des entités autorégulatrices qui manifestent à la fois des propriétés indépendantes de totalités, et des propriétés dépendantes de parties. Cette caractéristique générale de tous les types de holarchies est la première à retenir; on peut l'appeler *principe de Janus*. Il est évident dans les hiérarchies sociales : tout holon social — individu, famille, clan, tribu, nation, etc. — est un tout cohérent par rapport à ses parties constituantes, mais en même temps fait partie d'une entité sociale plus large. Une société sans structuration holarchique serait aussi chaotique que les mouvements fortuits des molécules d'un gaz qui se heurtent et rebondissent dans tous les sens *.

On trouve un peu moins évidente au premier coup d'œil l'organisation hiérarchique de nos activités. La conduite d'une automobile est une technique qui ne consiste pas en une activation consciente des muscles par le cerveau, mais en un déclenchement de sous-techniques (accélérer, freiner, tourner le volant, changer de vitesse, etc.) dont chacune représente un schéma d'activité quasi autonome : un holon de comportement tellement sûr de soi que lorsqu'on a appris à conduire une voiture en particulier on sait conduire n'importe quelle voiture.

Ou considérons la technique de la communication des idées par la parole. La séquence des opérations commence au sommet de la hiérarchie avec l'*intention* d'exprimer l'idée ou le message. Mais bien souvent cette idée n'est pas de nature pré-verbale; ce peut être une image visuelle, un sentiment, une impression vague. Nous avons tous eu la pénible expérience de savoir ce que nous voulons dire sans savoir comment l'exprimer; et cela ne concerne pas seulement

---

* La situation est compliquée du fait que les sociétés complexes sont structurées par *plusieurs* hiérarchies imbriquées; cf. ci-dessous, sect. 12.

la recherche du mot juste, mais en amont la structuration du message, son arrangement en ordre linéaire, sa présentation conforme aux lois de la grammaire, et enfin l'activation de schémas coordonnés de contractions musculaires dans la langue et les cordes vocales. La parole suppose donc degré par degré la concrétisation, l'élaboration et la formulation de contenus mentaux d'abord informulés. Bien que ces opérations se suivent très vite et, dans une grande mesure, automatiquement, de sorte que nous n'en avons pas conscience, elles requièrent une succession d'activités différentes à des niveaux différents de la hiérarchie mentale. Et chacun de ces niveaux a ses lois : lois de l'énonciation, règles de syntaxe, canons de la sémantique, etc.

Pour l'auditeur la séquence des opérations est inversée. Elle part du plus bas niveau, des techniques perceptuelles de reconnaissance des phonèmes dans les vibrations de l'air qui atteignent les tympans, de leur composition en morphèmes (syllabes, préfixes, etc.) et ainsi de suite en passant par les mots et les phrases jusqu'à la reconstitution du message au sommet de la hiérarchie.

Remarquons qu'en montant ou en descendant les degrés de la holarchie linguistique nous ne rencontrons à aucun moment d' « atomes de langage » solides et indivisibles. Chacune des entités aux divers niveaux — phonèmes, morphèmes, mots, phrases — est un tout relativement à ses parties et une partie subordonnée d'une entité plus complexe à l'échelon immédiatement supérieur. Par exemple un morphème comme /men/ est un holon linguistique qui peut servir à plusieurs usages : menace, mental, mention, menteur, etc.; et le sens qu'il prendra va dépendre du contexte du niveau supérieur.

Les psycholinguistes font du graphique arborescent, ou dendrogramme, un modèle commode pour décrire ce processus gradué de l'énoncé d'une pensée implicite en termes explicites, qui consiste à convertir les virtualités d'une idée amorphe en mouvements effectifs des cordes vocales. On a comparé ce remarquable processus à l'ontogénèse : le développement de l'embryon commence à l'œuf fécondé, qui contient toutes les virtualités qui définissent le produit fini, « l'idée », pour ainsi dire, du futur individu; ces virtualités sont ensuite « exprimées » aux stades successifs de différenciation. On peut le comparer aussi au processus d'exécution d'une action militaire : l'ordre « la VIIIe armée fera mouvement en direction de Tobrouk » donné au sommet de la hiérarchie par le général en chef est ensuite concrétisé, énoncé, épelé en détail en descendant les échelons un à un.

Généralement parlant, l'exécution de toute conduite ordonnée, qu'elle soit instinctive comme la construction du nid chez l'oiseau, ou apprise comme la plupart du temps chez l'homme, suit le même schéma de l'énoncé d'une intention générale par activation ou déclenchement graduels de holons fonctionnels aux niveaux successifs descendants de la hiérarchie. C'est une règle universellement applicable à tous les types de hiérarchie d'émission *(output)*, que l'émission soit un bébé, une phrase dans une langue quelconque, une sonate jouée au piano ou l'action de nouer des lacets. (Pour les hiérarchies d'admission ou d'information *(input)*, nous le verrons, la séquence est inversée.)

7

Un autre point à souligner est que chaque niveau d'une hiérarchie est régi par un ensemble de *règles invariables* qui assurent la cohésion, la stabilité ainsi que la structure spécifique et le fonctionnement de ses holons constituants. Ainsi dans la hiérarchie du *langage* on trouve aux niveaux successifs les règles qui régissent les activités des cordes vocales, les lois grammaticales, et au-dessus toute la hiérarchie sémantique intéressée par la signification. Les codes qui régissent le comportement des holons *sociaux* et les rendent cohérents sont les lois écrites et non écrites, les traditions, les systèmes de croyance, les modes. Le développement de l'*embryon* est régi par le « code génétique ». Dans les *activités instinctives* la toile que tisse l'araignée, le nid que construit la mésange, la parade de l'oie cendrée se conforment à des schémas spécifiques fixes exécutés d'après certaines « règles du jeu ». Dans les *opérations symboliques* les holons sont des structures cognitives réglées, diversement nommées « cadres de référence », « contextes associatifs », « univers du discours », « algorithmes », etc., dont chacun suit une « grammaire » spécifique, un canon. On arrive ainsi à une définition provisoire : le mot « holon » peut s'appliquer à tout sous-système structurel ou fonctionnel dans une hiérarchie biologique, sociale ou cognitive, qui manifeste un comportement régi par des règles et/ou une *constante de Gestalt* structurelle *. Les organites et les organes

---

* Le « ou » est nécessaire pour inclure les configurations dans les hiérarchies symboliques — qui n'ont pas de « comportement » au sens usuel.

homologues sont des holons évolutionnaires; les champs morphogénétiques sont des holons ontogénétiques; les structures d'action
fixes en éthologie et les sous-schémas de techniques acquises sont
des holons de comportement; les phonèmes, les morphèmes, les
mots, les phrases sont des holons linguistiques; les individus, les
familles, les tribus, les nations sont des holons sociaux *.

8

Nous donnerons le nom de *code* ou de *canon* à l'ensemble de
règles fixes qui régit la structure ou le fonctionnement d'un holon.
Mais remarquons tout de suite que si le canon impose des
contraintes ** et des contrôles aux activités du holon, il n'étouffe pas
totalement sa liberté : il laisse une place à des stratégies plus ou
moins souples, guidées par les contingences du milieu. Cette
distinction entre *codes fixes (invariables)* et *stratégies souples
(variables)* peut paraître un peu abstraite au premier abord, mais
elle est fondamentale pour tout comportement orienté; quelques
exemples le montreront.
    Les activités de l'araignée qui tisse sa toile sont régies par un
canon hérité et fixe (qui prescrit que les fils radiaux doivent couper
les latéraux à angles égaux, pour former un polygone régulier), mais
l'araignée est libre de suspendre sa toile à trois ou quatre points
d'attache ou davantage, donc de choisir sa stratégie d'après le ter-

---

* Divers auteurs ont signalé des affinités entre le concept de holon et l'« org »
de Ralph Gerard. Ainsi D. Wilson, dans *Hierarchical Structures* : « Koestler
(1967) choisit de désigner ces entités à tête de Janus, du terme de *holon*... Notons
que Gerard emploie le terme *org* pour désigner le même concept (Gerard 1957). »
C'est presque une accusation polie de plagiat. Les deux citations suivantes de
Gerard indiquent les ressemblances et les différences entre son org et le holon :
« Ces entités ou systèmes matériels qui sont individuels à un niveau donné mais
sont composés d'unités subordonnées, orgs de niveau inférieur [13]. » La limitation
aux « systèmes matériels » est encore plus explicite dans la seconde citation ou
l'*org* est défini comme « la sous-classe de systèmes composés de systèmes matériels, dans lesquels la matière entre en cause; ceci exclut les systèmes formels, par
exemple [14] ». Le mot « org » ne peut donc pas s'appliquer aux hiérarchies
comportementales, linguistiques ou cognitives dans lesquelles le concept de holon
se montre particulièrement utile. L'org, tel que le définit Gerard, représente une
sous-catégorie de holons bornés aux systèmes matériels.
** Terme peu scientifique (on pense à une camisole de force) qui fait référence
aux règles gouvernant une activité organisée.

rain. Les activités instinctives (construction des nids et des ruches, tissage des cocons, etc.) ont toutes la double caractéristique de se conformer à un *code invariable* qui contient le plan du produit fini, et d'utiliser des *stratégies* étonnamment *variées* pour y parvenir.

Si l'on passe des activités instinctives de l'humble araignée à des techniques humaines raffinées comme le jeu d'échecs, on trouve aussi un code de règles fixes qui définit les mouvements *permis,* mais le choix du mouvement *effectif* est laissé au joueur, dont la stratégie est guidée par l'environnement : la répartition des pièces sur l'échiquier. La *parole,* nous l'avons vu, est régie par divers canons à divers niveaux, depuis la sémantique jusqu'à la grammaire et la phonologie, mais à chacun de ces niveaux le locuteur a une quantité de choix stratégiques : depuis la sélection et la mise en ordre des idées à exprimer, jusqu'à la formulation de paragraphes et de phrases, au choix des métaphores et des adjectifs, jusqu'à l'énonciation et à l'accentuation de telle ou telle syllabe. Des considérations analogues valent pour le pianiste qui improvise des variations sur un thème : il obéit à une règle de jeu, une structure mélodique donnée, mais il dispose d'un champ presque infini de choix stratégiques pour le phrasé, le rythme, le tempo, les transpositions, etc*. Les activités d'un juriste sont fort différentes, pourtant s'il opère lui aussi dans les limites des règles fixes établies par les lois et la jurisprudence, il dispose de toute une gamme de stratégies dans l'interprétation et l'application du droit.

9

Dans l'*ontogénèse* — le développement de l'embryon — la distinction entre « règles » et « stratégies », moins évidente immédiatement, requiert une explication un peu plus longue.

En ce cas le sommet de la hiérarchie est l'œuf fécondé; l'axe de l'arbre renversé représente le temps; les holons aux niveaux successifs en ordre descendant représentent les stades successifs de la différenciation des tissus devenant organes. On a comparé la croissance de l'embryon d'abord masse amorphe, puis forme dégrossie, puis de mieux en mieux articulée, à l'évolution d'une statue à partir

---

* Remarquons qu'au piano la transposition modifiant complètement le doigté réfute la théorie béhavioriste des réponses en série.

d'un morceau de bois; nous l'avons comparée aussi à « l'énoncé » progressif en phonèmes articulés, d'une idée d'abord amorphe.

L' « idée » à énoncer en ontogénèse est contenue dans le code génétique, inscrit dans l'hélice double de chaînes d'acide nucléique, dans les chromosomes. Il faut cinquante-six générations de cellules pour produire un être humain à partir de l'unique cellule qu'est l'œuf fécondé. Les cellules de l'embryon en voie de croissance sont toutes de même origine, et portent les *mêmes* séries de chromosomes, autrement dit les mêmes dispositions héréditaires. Or elles se développent pour devenir des produits étonnamment variés : cellules musculaires, cellules rénales, cellules cérébrales, ongles des orteils, etc. Comment est-ce possible si elles sont toutes régies par les mêmes lois, par le même canon héréditaire?

C'est une question « à laquelle nous ne prévoyons pas encore comment nous saurons répondre », selon le mot de W. H. Thorpe[15]. Du moins peut-on l'aborder au moyen d'une vague analogie. Représentons les chromosomes par le clavier d'un immense piano : des milliers de touches dont chacune sera un gène, une disposition héréditaire. Toutes les cellules du corps portent dans leurs noyaux un clavier complet. Mais chaque cellule spécialisée n'a le droit de frapper qu'*une seule* corde, de ne jouer qu'*un seul* air, selon sa spécialité, le reste du clavier se trouvant inactivé par du sparadrap*.

Mais cette analogie pose immédiatement un autre problème : *quis custodiet ipsos custodes :* qui dira quelles touches la cellule doit activer à tel ou tel stade, et lesquelles doivent être bloquées? C'est ici que revient la distinction fondamentale entre codes fixes et stratégies adaptables.

Le code génétique qui définit les « règles du jeu » de l'ontogénèse est situé dans le noyau de chaque cellule. Le noyau est délimité par une membrane perméable qui le sépare de la cellule environnante, laquelle consiste en un fluide visqueux, le cytoplasme, et en diverses tribus d'organites. La cellule est enfermée dans une autre membrane perméable entourée par des fluides et par d'autres cellules, formant un tissu, lequel est à son tour en contact avec d'autres tissus. Autrement dit le code génétique dans le noyau opère à l'intérieur d'une *hiérarchie d'environnements* comme une série de poupées russes emboîtées les unes dans les autres.

Les différents types de cellules (cérébrales, rénales, etc.) diffèrent

---

* Ce processus de blocage procède aussi par degrés, à mesure que l'arbre hiérarchique se ramifie en tissus de plus en plus spécialisés. *Cf. Le Cheval dans la locomotive,* chapitre IX, et ci-dessous, troisième partie.

par leur structure et leur composition chimique. Ces différences sont dues aux interactions complexes entre le clavier génétique des chromosomes, la cellule elle-même, et son environnement, qui recèle des facteurs physico-chimiques d'une extrême complexité, et auquel Waddington a donné le nom de « paysage épigénétique ». La cellule en évolution se meut dans ce paysage comme un explorateur en territoire inconnu. Un autre généticien, James Bonner, montre comment chaque cellule embryonnaire doit « tester » ses voisines pour en reconnaître « l'étrangeté ou la ressemblance [16] ».

L'information ainsi recueillie est communiquée aux chromosomes par l'intermédiaire du cytoplasme, et détermine quelles touches doivent être frappées, quelles touches doivent être immobilisées temporairement ou définitivement — autrement dit, quelles règles du jeu sont à appliquer pour obtenir les meilleurs résultats. C'est ce qui explique le titre du grand livre de biologie théorique de Waddington : *The Strategy of Genes* [17].

Pour finir, l'avenir de la cellule dépend donc de sa position dans l'embryon en croissance, position qui détermine la stratégie du génôme. L'embryologie expérimentale en a donné d'éclatantes confirmations : en modifiant la structure spatiale d'un embryon aux premiers stades de son développement on peut changer la destinée de toute une population de cellules. Si l'on greffe la future queue d'un embryon de triton à l'endroit où doit pousser une patte, elle devient patte : exemple parfait de stratégie souple à l'intérieur des règles du code génétique. A un stade ultérieur de différenciation les tissus qui forment les rudiments des futurs organes adultes — « bourgeons » ou « champs morphogénétiques » — se comportent comme des holons de plein droit, autorégulateurs et autonomes. Si à ce stade on enlève la moitié du tissu de ce champ, le reste ne formera pas une moitié d'organe, mais un organe complet. Si une cupule optique est découpée en plusieurs parties chaque fragment formera un œil plus petit, mais normal.

Il existe une analogie significative entre le comportement de l'embryon à ce stade avancé et celui qu'il manifeste au début de sa vie, au stade blastulaire, quand il ressemble à une balle de cellules. Si l'on ampute de moitié une blastule de grenouille, le reste fera toute une petite grenouille; si une blastule humaine se scinde accidentellement elle formera des jumeaux (ou des triplés, etc.). Ainsi les holons qui à ce premier stade agissent en tant que parties d'un *organisme entier* encore virtuel, manifestent les mêmes caractéristiques autorégulatrices que les holons qui, à un niveau inférieur (ultérieur) de la hiérarchie de développement sont des parties d'un

organe virtuel. Dans les deux cas (et tout au long des stades intermédiaires) les holons suivent les règles établies dans leur code
génétique, mais conservent assez de liberté pour prendre telle ou
telle voie de développement selon les contingences de leur environnement.

Ces propriétés autorégulatrices des holons à l'intérieur de l'embryon en croissance assurent que, quels que soient les accidents
qui se produisent au cours du développement, le produit fini sera
conforme à la norme. Étant donné les millions et millions de cellules
qui se divisent, se différencient et se déplacent, on peut penser qu'il
n'y a pas deux embryons, même de jumeaux identiques, qui se
forment exactement de la même manière. On a comparé les mécanismes autorégulateurs qui corrigent les déviations par rapport à
la norme et garantissent, pour ainsi dire, le résultat final, aux dispositifs de rétroaction homéostatique dans l'organisme adulte : les
biologistes parlent alors d' « homéostase du développement ». Le
futur individu est prédéterminé potentiellement dans les chromosomes de l'œuf fécondé; mais pour que le produit fini sorte de ce
plan il faut que des milliards de cellules spécialisées soient fabriquées
et moulées en une structure intégrée. Il serait absurde de supposer
que les gènes de cet œuf contiennent des garanties incorporées pour
chacune des aventures singulières que chacune des cinquante-six
générations de cellules-filles pourra rencontrer au cours du processus. Mais le problème est un peu moins ardu si l'on remplace
le concept de « plan génétique », qui fait penser à un tracé à copier
servilement, par celui de *canon* génétique à règles fixes mais laissant
la place à des choix, c'est-à-dire à des stratégies adaptables guidées
par les rétroactions et les indicateurs de l'environnement.

Needham a parlé du travail de la blastule qui « s'efforce de devenir poulet ». Dans le même esprit on dirait que les stratégies grâce
auxquelles elle y parvient sont les « techniques prénatales » de
l'organisme. Après tout, le développement de l'embryon et plus
tard la maturation du nouveau-né sont des processus continus; et
on peut s'attendre que les techniques prénatales et post-natales
aient des principes de base en commun, et qu'elles les partagent
avec d'autres types de processus hiérarchique.

Les pages qui précèdent n'avaient pas pour but de décrire le
développement embryonnaire, mais seulement un aspect de ce
développement : la combinaison de *règles fixes et de stratégies
variables,* que nous trouvons aussi dans les techniques instinctives
(construction du nid, etc.) et dans les comportements appris (le
langage par exemple). *Il semble* que la vie dans toutes ses mani-

festations, de la morphogénèse à la pensée symbolique, est gouvernée par des règles du jeu qui assurent l'ordre et la stabilité, mais autorisent aussi la souplesse; et que ces règles, innées ou acquises, sont représentées en code aux divers niveaux de la hiérarchie, depuis le code génétique jusqu'aux structures du système nerveux associées à la pensée symbolique.

10

L'ontogénèse et la phylogénèse, le développement de l'individu et l'évolution des espèces, forment les deux grandes *hiérarchies du devenir*. Avant d'aborder plus loin la phylogénèse, dans la troisième partie, une remarque s'impose ici à propos des « règles et stratégies ».

Les industriels de l'automobile savent évidemment qu'il serait absurde de partir de zéro pour construire un nouveau modèle : ils se servent de sous-ensembles existants — moteurs, batteries, boîtes de vitesses, etc. — fabriqués depuis longtemps sur la base d'une longue expérience, et procèdent ensuite à de légères modifications de telles ou telles pièces. L'évolution suit une stratégie analogue. Que l'on compare les roues d'une voiture récente à celles d'un vieux modèle, ou à celles d'une charrette : elles sont construites d'après les mêmes principes. Que l'on compare l'anatomie des membres antérieurs des reptiles, des oiseaux, des baleines, de l'homme : c'est toujours le même plan structurel d'os, de muscles, de nerfs et de vaisseaux sanguins. Il s'agit d'organes « homologues ».

Des pattes, des ailes, des nageoires, des bras ont des fonctions si différentes qu'ils devraient avoir — on s'y attendrait — des plans tout à fait différents. Or ce ne sont que des modifications, des adaptations stratégiques d'une structure pré-existante : le membre antérieur du reptilien, ancêtre commun des animaux en question. Lorsque la nature a pris un brevet sur un élément ou un processus essentiel, elle s'y attache avec une ténacité surprenante : l'organe ou le dispositif devient un *holon évolutionnaire* stable. C'est comme si la nature se sentait obligée d'instaurer l'unité dans la diversité. Un pionnier de la biologie moderne, Geoffroy Saint-Hilaire, écrivait en 1818 : « Les vertébrés sont construits sur un plan uniforme et par exemple le membre antérieur peut se modifier pour courir, grimper, nager ou voler, alors que l'arrangement des os demeure le même [18]. » Cet arrangement fondamental fait partie du *canon évolutionnaire* invariable. Son utilisation pour la nage ou pour le vol est un problème de *stratégie évolutionnaire*.

Ce principe reste valable à tous les niveaux de la hiérarchie de l'évolution, jusqu'aux organites à l'intérieur de la cellule, jusqu'aux chaînes d'A.D.N. dans les chromosomes. Les mêmes modèles standard d'organites fonctionnent dans les cellules des souris et des hommes; le même encliquetage utilisant une protéine contractile sert aux pseudopodes de l'amibe et aux doigts du pianiste; les quatre mêmes molécules chimiques constituent l'alphabet qui sert à coder l'hérédité dans la totalité du règne végétal et du règne animal — mais les mots et les phrases qu'elles forment sont différents pour chaque être.

Si l'évolution ne pouvait innover qu'en recommençant chaque fois à zéro à partir de la bouillie primordiale, les quatre milliards d'années de l'histoire du globe n'auraient pas suffi à produire même une amibe. Dans un texte bien connu sur les structures hiérarchiques, H. A. Simons conclut : « Des systèmes complexes évolueront beaucoup plus rapidement à partir de systèmes simples s'il y a des formes intermédiaires stables. Les formes complexes qui en résulteront alors seront hiérarchiques. Il suffit de retourner le raisonnement pour expliquer la prédominance des hiérarchies dans les systèmes complexes que la nature nous présente. Parmi les formes complexes possibles, ce sont les hiérarchies qui ont le temps d'évoluer [19]. »

Nous ignorons quelles formes de vie il peut y avoir sur d'autres planètes, mais nous pouvons être sûrs que s'il existe une vie elle est organisée hiérarchiquement.

11

En négligeant le concept de hiérarchie et en ne faisant pas de distinction catégorique entre *règles* et *stratégies* du comportement la psychologie universitaire s'est condamnée à beaucoup de confusion *. Comme depuis cinquante ans elle s'intéresse surtout à l'étude

---

* Il est intéressant de noter l'extrême répugnance des psychologues officiels — même quand ils ont dépassé les formes les plus grossières du béhaviorisme « stimulus-réponse » — à affronter la réalité. Le professeur G. Miller écrit dans un article sur la psycholinguistique : « A mesure que les psychologues découvrent les

des rats enfermés (dans les « boîtes de Skinner ») ce n'est guère étonnant. Pourtant tout spectateur d'une partie de football ou d'échecs voit immédiatement que les joueurs obéissent à des règles qui déterminent ce qu'ils *peuvent faire,* et emploient des moyens stratégiques pour décider de ce qu'ils *font effectivement.* En d'autres termes, *le code définit les règles du jeu, la stratégie décide du jeu.* Les exemples cités plus haut indiquent que cette distinction catégorique entre règles et stratégies s'applique universellement aux techniques innées ou acquises, aux hiérarchies qui assurent la cohésion sociale, de même qu'aux hiérarchies du devenir.

La nature du code qui règle le comportement varie évidemment selon la nature et le niveau de la hiérarchie concernée. Certains codes sont innés, par exemple le code génétique, ou ceux qui régissent les activités instinctives; d'autres sont appris, par exemple, dans les circuits de mon système nerveux, le code cinétique qui me permet de rouler à bicyclette sans tomber, ou encore le code cognitif qui définit les règles du jeu d'échecs.

Passons maintenant aux stratégies. Le code définit les mouvements permis, la stratégie opère le choix du mouvement à effectuer. Vient alors la question : comment se font ces choix? On pourrait dire que le choix du joueur d'échecs est « libre », en ce sens qu'il n'est pas déterminé par les règles. En fait, le nombre de choix qui se présentent à un joueur au cours d'une partie en quarante mouvements (si l'on calcule les variantes potentielles que chaque coup peut entraîner deux coups d'avance) est astronomique. Mais si le choix est « libre » au sens que l'on vient de préciser, il n'est certainement pas *fortuit.* Le joueur essaye de choisir un coup « bon », qui peut le mettre en meilleure situation de gagner, et d'en éviter un « mauvais ». Mais les règles ne s'intéressent absolument pas au « bon » et au « mauvais »; elles sont, pour ainsi dire, moralement neutres. Ce qui chez le joueur guide le choix d'un coup qu'il espère « bon », ce sont des préceptes stratégiques beaucoup plus complexes

complexités du langage, les perspectives de le réduire aux lois du comportement si bien étudiées chez les animaux inférieurs s'éloignent de plus en plus. Nous sommes de plus en plus forcés de considérer, ce qui probablement va de soi pour les non-psychologues, que le langage est un comportement soumis à des règles et caractérisé par une énorme souplesse et liberté de choix. Si évidente qu'elle puisse paraître, cette conclusion a d'importantes conséquences pour toute théorie scientifique du langage. Si les règles supposent les concepts de juste et faux elles introduisent un aspect normatif qui a toujours été évité dans les sciences naturelles... Admettre que le langage suit des règles semble le placer en dehors des phénomènes accessibles à la recherche scientifique [20]. » Curieuse conception des buts et des méthodes de la « recherche scientifique »...

— à un niveau supérieur de la hiérarchie cognitive — que les simples règles du jeu. Les règles, un enfant peut les apprendre en une demi-heure; alors que la *stratégie* résulte de l'expérience, de l'étude des parties magistrales et des ouvrages spécialisés. En général en s'élevant dans la hiérarchie on rencontre des structures d'activité de plus en plus complexes, plus souples, moins prévisibles, dotées d'une liberté croissante (une plus grande variété de choix straté-giques); tandis qu'inversement toute activité complexe, la rédaction d'une lettre par exemple, se ramifie en sous-techniques qui, en des-cendant les degrés de la hiérarchie, deviennent de plus en plus méca-niques, stéréotypées et prévisibles *. Il y a d'abord le choix des sujets à aborder qui est très vaste; ensuite le style offre encore un grand nombre d'alternatives, mais il doit déjà obéir aux règles de gram-maire; plus bas, les règles d'orthographe ne laissent aucun jeu aux stratégies souples, et pour finir les contractions musculaires qui abaissent les touches de la machine à écrire sont complètement auto-matisées.

Si l'on descend jusqu'au fond de la hiérarchie on arrive aux pro-cessus viscéraux dont l'autorégulation est assurée par des dispositifs de rétroaction homéostatique. Ceux-ci laissent naturellement peu de place aux choix stratégiques; néanmoins mon moi conscient peut interférer dans une certaine mesure avec le fonctionnement norma-lement inconscient et automatique de mon appareil respiratoire si je retiens mon souffle ou si j'applique quelque procédé de yoga. La distinction entre règles et stratégies demeure donc valable en principe même à ce niveau physiologique fondamental. Mais le sens de cette distinction n'apparaîtra pleinement qu'aux chapitres sui-vants quand nous aborderons des problèmes essentiels comme la théorie de l'évolution, le libre arbitre et le déterminisme, la patho-logie et la création intellectuelle.

12

Encore une fois nous ne nous proposons pas ici d'écrire un traité des hiérarchies, mais seulement de donner une idée du cadre conceptuel de la présente étude, et en général de la pensée hiérar-chique par opposition aux tendances réductionnistes et mécanistes

* Cf. Les « structures d'action fixes » en éthologie.

actuelles. Pour conclure ce survol je dois cependant mentionner, si brièvement que ce soit, quelques autres principes que tous les systèmes hiérarchiques ont en commun.

D'abord il est évident que les hiérarchies n'opèrent pas dans le vide, elles entrent en interaction avec d'autres hiérarchies. Ce fait élémentaire a provoqué beaucoup de confusion. Si vous regardez une haie bien taillée entourant un jardin comme une muraille vivante, le feuillage épais des branches emmêlées peut vous faire oublier que ces branches viennent d'arbustes distincts. Les arbustes sont des structures verticales *arborescentes*. Les branches emmêlées forment horizontalement des *réseaux* à de nombreux niveaux. Sans plantes individuelles il n'y aurait pas d'entrelacs, et pas de réseau. Sans ce réseau chaque plante serait isolée, il n'y aurait ni haie, ni intégration de fonctions. L'*arborisation* et la *réticulation* (formation en filet) sont des principes complémentaires dans l'architecture des organismes et des sociétés. L'appareil circulatoire commandé par le cœur et l'appareil respiratoire commandé par les poumons fonctionnent comme hiérarchies quasi autonomes, mais entrent en interaction à divers niveaux. Dans les catalogues par matières des bibliothèques les branches s'entrelacent dans les références croisées. Dans les hiérarchies cognitives — les univers du discours — l'arborisation se manifeste dans la dénotation, ou classification « verticale » des concepts, la réticulation dans leurs connotations « horizontales » en réseaux d'associations.

La complémentarité de l'arborisation et de la réticulation fournit d'utiles éléments à la solution du problème complexe du fonctionnement de la mémoire *.

13

« J'ai une très bonne mémoire pour oublier, David », remarque Alan Breck dans *Kidnapped,* le roman de Stevenson. Nous pourrions tous en dire autant sans être affligés d'aphasie ni de sénilité. Si triste que ce soit, nous devons bien admettre qu'une grande part de nos souvenirs sont comme la lie au fond du verre, les sédiments desséchés de perceptions dont la saveur a disparu — ou, pour chan-

---

* Les pages qui suivent résument *Le Cri d'Archimède,* livre II, chapitre x, *Le Cheval dans la locomotive,* chapitres v et vi, et une contribution présentée au colloque de l'école de médecine Harvard sur « la pathologie de la mémoire [21] ».

ger de métaphore, comme les résumés poussiéreux d'événements historiques enfouis sous des piles d'archives. Heureusement cela ne s'applique qu'à une catégorie de souvenirs, ceux de la mémoire que nous appellerons *abstractive*. Il y en a une autre qui tient à notre capacité de faire revivre des épisodes, des scènes, des détails avec une précision presque hallucinante. C'est ce que je nommerai souvenirs « projecteurs », en soutenant que la « mémoire abstractive » et la « mémoire projecteur » appartiennent à des classes différentes de phénomènes, qui relèvent de mécanismes nerveux différents.

Commençons par la mémoire abstractive. La majorité des souvenirs que nous avons de notre existence et des connaissances que nous avons accumulées relève de ce type de mémoire.

En anglais le mot *abstract* a deux sens principaux : de même que le français « abstrait », il s'oppose à « concret », et se réfère à un concept général par contraste avec un cas particulier; d'autre part un *abstract* est un résumé qui condense l'essentiel d'un article ou d'un document. La mémoire est abstractive dans les deux sens. Si je regarde un film à la télévision j'oublie en quelques secondes les paroles exactes des acteurs : il n'en reste que la signification résumée. Le lendemain je me souviens seulement du déroulement de l'histoire racontée. Au bout d'un mois tout ce que je pourrai me rappeler est qu'il s'agissait d'un gangster en fuite. C'est à peu près ce qui arrive pour les résidus de mémoire des livres que nous avons lus et de chapitres entiers de nos biographies. L'expérience originale a été dépouillée de ses détails, réduite à l'état de squelette, de résumé incolore, avant d'aller se ranger dans le magasin de la mémoire. La nature de ce magasin est toujours une énigme dans les recherches sur le cerveau, mais il est évident que si le savoir et l'expérience emmagasinés sont récupérables (sinon ils seraient inutiles) il faut qu'ils soient mis en ordre selon le principe hiérarchique — comme un *thesaurus* ou un catalogue par matières, avec titres et sous-titres, et aussi avec une foule de références croisées pour faciliter le processus de récupération (les titres représentant l'arborisation, les références, la réticulation de la structure hiérarchique). Si l'on prolonge un peu cette métaphore de la bibliothèque on arrive à des conclusions assez déprimantes. A part les innombrables volumes abandonnés qui tombent en poussière, on voit travailler toute une hiérarchie de bibliothécaires occupés à condenser impitoyablement de longs textes en brefs résumés, puis à résumer les résumés.

En fait ce processus de triage et de condensation commence bien avant qu'une expérience vécue soit rangée dans le magasin aux souvenirs. A chaque relais de la hiérarchie perceptuelle par laquelle l'admission sensorielle doit passer pour se faire accueillir dans la conscience, elle est analysée, classée, dépouillée de tout détail non pertinent *. C'est ce qui nous permet de reconnaître la lettre *R* dans un gribouillis presque illisible, et de dire que c'est « la même lettre » qu'un énorme *R* imprimé sur une affiche, grâce à un processus d'exploration très élaborée qui écarte tous les détails et ne retient que le dessin géométrique essentiel — la « Rité » du *R* — jugé digne d'être signalé aux échelons supérieurs. Ce signal peut alors être transmis dans un code simple, comme un message en morse, contenant toute l'information pertinente (« C'est un R ») sous une forme condensée et squelettique; mais naturellement des trésors de détails calligraphiques se perdent sans recours, comme les inflexions d'une voix dans le message en morse. Quand on se plaint d'avoir une mémoire « comme une passoire » on a peut-être l'intuition de ces dispositifs de filtrage qui opèrent tout le long des canaux d'admission et des canaux d'emmagasinage du système nerveux.

Or, dans la multitude des stimuli virtuels qui bombardent sans cesse nos organes récepteurs, même les privilégiés qui réussissent à franchir tous ces filtres de sélection et accèdent au statut d'événements consciemment perçus, doivent se soumettre, comme nous l'avons vu, à de nouvelles procédures de décapage avant de se faire admettre dans les magasins permanents de la mémoire; et à mesure que le temps passera, ils vont se rétrécir et se détériorer. La mémoire est un magnifique exemple de la loi des revenus décroissants.

Cet appauvrissement rétrospectif de l'expérience vécue est inévitable; la mémoire « abstractive » suppose le sacrifice des particularités. Si, au lieu d'abstraire des concepts généralisés, comme « R », « arbre » ou « chien », nos souvenirs consistaient en une collection de toutes nos expériences singulières des *R*, des arbres et des chiens que nous avons rencontrés dans le passé — tout un entrepôt de diapositives et de bandes magnétiques — ils donneraient un fatras absolument inapte à l'orientation mentale : nous serions incapables d'identifier un *R* ou de comprendre une phrase parlée. Sans ordre hiérarchique, sans classement, la mémoire serait un chaos (ou la mécanique de séquences apprises par cœur et renforcées par conditionnement qui est le modèle — ou la caricature — béhavioriste du souvenir).

---

* Les psychologues distinguent aux échelons inférieurs de la hiérarchie l'inhibition latérale, l'habituation et le contrôle efférent des récepteurs; aux niveaux plus élevés les mécanismes responsables des phénomènes de constance visuelle et auditive, et les dispositifs d'exploration et de filtrage qui expliquent la reconnaissance des structures et nous permettent de dégager les universaux.

Répétons-le : la perte des particularités dans la mémoire abstractive est inévitable. Heureusement l'histoire ne s'arrête pas là : il existe plusieurs facteurs d'équilibre qui, en partie du moins, compensent cette perte.

En premier lieu le processus d'abstraction peut se raffiner par l'apprentissage et l'expérience. Pour le novice tous les vins rouges ont le même goût, tous les Japonais se ressemblent. Mais on peut apprendre à superposer aux écrans grossiers des filtres perceptuels plus délicats, à la manière de Constable qui s'était entraîné à distinguer entre divers types de nuages et à les classer en sous-catégories. Nous apprenons ainsi à abstraire des nuances de plus en plus fines — à faire pousser des rejets, pour ainsi dire, au pied des arbres des hiérarchies de perception.

De plus, on doit bien comprendre que la mémoire abstractive ne se fonde pas sur une hiérarchie unique, mais sur plusieurs hiérarchies entremêlées qui appartiennent à des domaines sensoriels différents : la vision, l'ouïe, l'odorat, etc. Ce qui est moins évident est qu'il peut exister plusieurs hiérarchies distinctes dotées de différents critères de pertinence et qui opèrent à l'intérieur de la même modalité sensorielle. Je reconnais une mélodie quel que soit l'instrument sur lequel on la joue; mais je reconnais aussi le son d'un instrument quelle que soit la mélodie. Il faut donc admettre que la structure mélodique et le timbre sont « abstraits » et emmagasinés indépendamment par des hiérarchies de filtrage séparées *dans la même modalité sensorielle mais selon des critères de pertinence différents*. L'un dégage la mélodie et ignore le timbre de l'instrument, l'autre retient le timbre et écarte la mélodie comme non pertinente. Ainsi le détail supprimé par un système de filtrage n'est pas perdu sans recours, puisqu'il se peut qu'il soit retenu et emmagasiné par une autre hiérarchie de filtrage dont les critères de pertinence sont différents.

Le souvenir d'une expérience serait alors rendu possible par la coopération de plusieurs hiérarchies imbriquées, qui peuvent inclure diverses modalités sensorielles, vue, ouïe, odorat, par exemple, ou diverses branches dans la même modalité. On peut se rappeler les mots « Que votre main est froide » et avoir oublié l'air. Ou on peut se rappeler l'air sans se souvenir des paroles. On peut aussi reconnaître l'inimitable voix de Caruso en écoutant un disque, quels que soient les mots et l'air qu'il chante. Mais si deux de ces éléments, ou même les trois, ont été retenus et emmagasinés, le souvenir de l'expérience originelle aura d'autant plus de dimensions; il sera d'autant plus complet.

A certains égards le processus pourrait se comparer à l'impression en couleurs au moyen de plusieurs superpositions ou passages. La peinture à reproduire (l'expérience originelle) est photographiée à travers des filtres différents sur des plaques bleue, rouge, jaune, dont chacune ne retient que les éléments qui lui sont « pertinents », c'est-à-dire ceux qui apparaissent dans sa couleur, et laisse de côté tous les autres; on les combine ensuite pour obtenir une restitution plus ou moins fidèle de l'original. Chaque hiérarchie aurait ainsi une « couleur » différente qui lui serait attachée, la couleur symbolisant ici les *critères de pertinence*. La mise en action de telle ou telle des hiérarchies mémorisantes à tel ou tel moment dépend évidemment des intérêts du sujet, en général, et de son état d'esprit à ce moment-là.

Une telle hypothèse s'écarte résolument des théories de la mémoire qu'offre le behaviorisme d'un côté, l'école de la *Gestalt* de l'autre; néanmoins elle peut trouver un modeste appui dans une série d'expériences menées en collaboration avec le professeur J. Jenkins au laboratoire de psychologie de l'Université Stanford *; on pourrait sans difficulté construire d'autres tests selon le même principe.

14

L'hypothèse des « passages-couleurs » apporte peut-être une explication partielle des phénomènes complexes de la mémoire, mais elle concerne uniquement le type *abstractif* qui en soi ne peut rendre compte de l'extrême vivacité des souvenirs « projecteurs » que nous avons mentionnés au début de ce chapitre. C'est une méthode de rétension fondée sur des principes qui semblent exactement à l'opposé de la formation de souvenirs dans les hiérarchies abstractives. Elle se caractérise par le rappel de scènes ou de détails avec une précision presque hallucinante. Les souvenirs évoquent ici des

---

* Voir annexe II. Il s'agit d'un texte assez technique qui peut intéresser des psychologues et que les non-spécialistes pourront laisser de côté. Essentiellement l'expérience consiste à montrer à chaque sujet pendant une fraction de seconde (au moyen d'un appareil appelé tachistoscope) un nombre de sept ou huit chiffres et à le lui faire répéter. Les résultats de plusieurs centaines d'expériences montrent qu'un nombre d'erreurs très significatif (environ 50 %) vient de ce que le sujet *identifie correctement* tous les chiffres mais *inverse l'ordre* de deux ou trois chiffres voisins. Cela semble confirmer que l'identification des chiffres, et la détermination de leur arrangement sont des activités exécutées par des branches différentes de la hiérarchie perceptuelle.

photographies en gros plan, par contraste avec les brumeuses vues aériennes de la mémoire abstractive. C'est le détail qui est souligné, et il peut s'agir d'un fragment arraché à son contexte, comme la boucle de cheveux d'une momie fripée de princesse égyptienne. Le détail peut être auditif : un vers d'un poème oublié, une phrase prononcée par un inconnu dans un autobus; ou visuel : une verrue sur le menton de grand-mère, une main agitée à la fenêtre d'un train; il peut même se rapporter à l'odeur et au goût, comme la fameuse madeleine de Proust. Souvent banales, à un point de vue rationnel, ces images isolées par le coup de projecteur donnent matière et saveur au souvenir, leur pouvoir d'évocation est extrême. Ce qui semble indiquer qu'en dépit de leur non-pertinence selon des critères logiques, elles possèdent une signification *affective* parti-culière (au niveau conscient ou inconscient) à cause de laquelle elles ont été retenues.

Personne, même chez les gens qui construisent des ordinateurs, ne pense continuellement en termes de hiérarchies abstractives. L'émotion colore la plupart de nos perceptions, et il semble bien que nos réactions affectives comportent aussi une hiérarchie — à compter des structures archaïques du cerveau, beaucoup plus anciennes phylogénétiquement que celles qu'intéressent les concep-tualisations abstraites. On peut se demander si dans la formation des « souvenirs projecteurs » ces anciens niveaux de la hiérarchie ne jouent pas un rôle dominant.

D'autres considérations militent en faveur de cette hypothèse. En premier lieu, au point de vue de la neurophysiologie, on rappellera le puissant appui que lui prête la théorie des émotions dite de Papez-MacLean *.

En second lieu, au point de vue de la théorie des communications, la mémoire abstractive généralise et schématise, tandis que la mémoire-projecteur particularise et concrétise — ce qui est une méthode beaucoup plus primitive d'enregistrer l'information **. Troi-sièmement, au point de vue de la psychologie, la mémoire abstraite s'apparenterait à l'apprentissage logique, et la mémoire à coup de projecteur à un processus analogue à l' « empreinte » des étholo-

---

* Cf. ci-dessus, Prologue.
** En théorie des communications le mot « information » est pris dans un sens plus général que dans le langage ordinaire. L'information inclut n'importe quoi, du goût et de la couleur d'une pomme à la neuvième symphonie de Beethoven. Les admissions non pertinentes ne véhiculent pas d'information; on les appelle des « bruits », par analogie avec les bruits de « friture » au téléphone ou de parasites à la radio.

gistes. Mais l'empreinte, chez les oies de Konrad Lorenz, se borne à une période critique de quelques heures, et aboutit, semble-t-il, à une image vague et grossière. Au niveau humain l'empreinte peut prendre la forme de l'imagerie eidétique. Selon Jaensch[22] et Kluever[23] de très nombreux enfants sont doués de la faculté eidétique : ils sont capables de « projeter » sur un écran l'image colorée, photographiquement exacte, d'un tableau qu'ils ont fixés auparavant, et de répéter cette projection après de longs intervalles, quelquefois des années plus tard. Les expériences de Penfield et Roberts[24], qui provoquent la résurrection prétendue totale de scènes passées par stimulation électrique des lobes temporaux, concernent peut-être un phénomène apparenté.

Mais, fort commune apparemment chez les enfants, la mémoire eidétique tend à disparaître au moment de la puberté, et devient très rare chez les adultes. Les enfants et les primitifs vivent dans un monde d'imagerie visuelle. William Golding, romancier des *Héritiers,* fait dire aux hommes de Néanderthal : « J'ai une image dans la tête », au lieu de « J'ai pensé à une chose. » L'empreinte mentale des images chez l'enfant eidétique représente peut-être une forme de mémorisation phylogénétiquement et ontologiquement primitive, qui se perd lorsque la pensée abstractive et conceptuelle devient prédominante.

En résumé, la mémoire abstractive agissant par l'intermédiaire de hiérarchies multiples et entremêlées, dénude l'admission pour la réduire à l'essentiel conformément aux critères de pertinence de chaque hiérarchie. Pour se *rappeler* l'expérience il est nécessaire de la rhabiller. La chose est possible, jusqu'à un certain point, grâce à la coopération des hiérarchies concernées, dont chacune procure les aspects qu'elle a jugé bon de préserver. Le processus est comparable à la superposition des plaques-couleur dans l'imprimerie. En outre, il existe des souvenirs « projecteurs » de détails précis qui peuvent inclure des fragments d'imagerie eidétique, et qui renferment une charge émotive puissante. Le résultat de cet exercice de recréation du passé est une sorte de collage — un œil de verre et une mèche de vrais cheveux sur un vague croquis.

15

Quand on demanda au mille-pattes dans quel ordre exactement il remuait ses pattes il tomba paralysé et mourut de faim parce qu'il n'avait jamais songé à ce problème auparavant et qu'il avait laissé ses pattes avancer toutes seules. Quand se forme une intention à ce niveau supérieur de la hiérarchie que nous appelons le moi conscient — intention de nouer un lacet de soulier ou d'allumer une cigarette — elle n'active pas directement les contractions de tels ou tels muscles : elle déclenche un système coordonné d'impulsions — holons fonctionnels — qui active des sous-systèmes, et ainsi de suite. Mais cela n'opère qu'échelon par échelon; les niveaux supérieurs de la hiérarchie ne traitent pas normalement avec les inférieurs, ni ceux-ci avec les premiers. Les généraux ne concentrent pas leur attention sur les soldats pris un à un; s'ils le faisaient, l'opération n'aurait ni queue ni tête. Les ordres et les informations doivent passer « par la voie hiérarchique », comme on dit dans l'armée, c'est-à-dire avancer échelon par échelon dans un sens ou dans l'autre.

Cette proposition peut paraître banale, mais il serait très risqué de n'en pas tenir compte. Quand on veut court-circuiter les niveaux intermédiaires en braquant l'attention consciente sur des activités qui, dans la norme, se déroulent automatiquement, on aboutit d'ordinaire à la mésaventure du mille-pattes — comme le montrent des symptômes qui vont des gaucheries de la timidité à des troubles tels que la colite, le bégaiement, l'impuissance. Viktor Frankl, fondateur de la « logothérapie », a forgé le terme d' « hyper-réflexion » pour ce genre de désordres [25].

D'un autre côté, les pratiques anciennes du Hatha Yoga et certaines techniques, très en vogue aujourd'hui, qui en sont dérivées, visent délibérément à maîtriser les processus viscéraux et nerveux (y compris les ondes alpha du cerveau) par la méditation aidée d'un appareillage de rétroaction biologique. Mais dans des conditions normales la règle de l'échelonnement reste en vigueur pour tous les types de hiérarchies, dans l'ontogénèse comme dans la phylogénèse, dans les institutions sociales comme dans le traitement de l'information sensorielle qui s'élève échelon par échelon des organes récepteurs à la conscience.

16

J'ai parlé plusieurs fois du « sommet » de la hiérarchie. Certaines hiérarchies possèdent en effet un sommet indubitable et un dernier échelon bien défini : par exemple une petite entreprise avec un patron et une main-d'œuvre stable. Mais les grandes holarchies de l'existence — qu'elles soient sociales, biologiques ou cosmiques — ont tendance à « s'ouvrir » dans un sens ou dans les deux sens. Un chimiste de laboratoire qui analyse un composé est engagé dans une opération par échelons dont le sommet — l'échantillon à analyser — se trouve au niveau moléculaire de la hiérarchie, qui se ramifie en radicaux chimiques, lesquels se ramifient en atomes. Pour ce qu'il a à faire cette hiérarchie à niveaux limités est suffisante. Mais à un point de vue plus large, qui tient compte des processus nucléaires, ce qui apparaît au chimiste comme un arbre complet n'est plus qu'une branche d'une hiérarchie plus compréhensive. De même que les holons sont par définition des sous-ensembles, de même toutes les branches d'une hiérarchie sont des sous-hiérarchies, et qu'on les traite comme des « totalités » ou comme des « parties », cela dépend de l'objectif qu'on se propose. Le chimiste n'a pas à s'inquiéter des particules dites élémentaires qui, on l'a remarqué, ont une tendance troublante à ne pas rester élémentaires bien longtemps, et semblent consister à la fin (si c'est la fin) en structures de concentration énergétique ou de tensions dans l'universelle écume de l'espace-temps. Notre homme de laboratoire peut tranquillement laisser de côté ces aventures surréalistes de la physique des *quanta;* en revanche, sous peine de déshydratation mentale, il n'a pas le droit d'oublier que son petit arbre hiérarchique ne s'étend que sur un nombre infime d'échelons dans les grandes hiérarchies ouvertes de l'être.

Il en va de même, à l'autre bout de l'échelle, pour l'astronome confronté aux immenses exhibitions concentriques des systèmes solaires, des galaxies, des grappes de nébuleuses et à la possibilité d'univers parallèles dans l'hyper-espace.

En guise de résumé, je voudrais attirer l'attention du lecteur sur l'Annexe I : « Au-delà de l'atomisme et du holisme — le concept de Holon. » C'est le texte révisé d'une contribution au colloque d'Alpbach dans laquelle on a tenté de rassembler sous une forme concise les propriétés caractéristiques des systèmes hiérarchiques ouverts comme ce chapitre vient de les énumérer (ainsi que d'autres propriétés dont nous parlerons plus loin).

CHAPITRE II

Au-delà d'Éros et Thanatos

1

I L existe une autre caractéristique universelle de l'ordre hiérarchique dont l'importance est si fondamentale qu'elle mérite un chapitre à soi.

Les holons qui constituent un organisme vivant ou une collectivité sont des entités à tête de Janus, nous l'avons vu : la face tournée vers les échelons supérieurs de la holarchie est celle d'une partie subordonnée dans un système plus vaste; la face tournée vers les échelons inférieurs témoigne d'une totalité quasi autonome, de plein droit.

Cela paraît signifier que chaque holon est animé de deux tendances ou virtualités opposées : une *tendance à l'intégration* pour fonctionner en tant que partie d'une totalité, et une *tendance à l'assertion* pour préserver son autonomie individuelle.

La manifestation la plus évidente de cette polarité fondamentale se trouve dans les holarchies sociales. Ici l'autonomie des holons constitutifs est jalousement protégée et affirmée à chaque niveau : des droits de l'individu à ceux du clan ou de la tribu, des collectivités locales aux départements ministériels, des minorités ethniques aux nations souveraines. Chaque holon social a une tendance incarnée à préserver et défendre son identité. Cette tendance à l'assertion est indispensable au maintien de l'individualité des holons à tous les niveaux, et de la hiérarchie dans son ensemble. Sans elle la structure sociale deviendrait une gelée amorphe, à moins qu'elle ne dégénère en tyrannie monolithique. Ce sont deux possibilités dont l'histoire offre beaucoup d'exemples.

En même temps le holon doit fonctionner comme partie intégrante du système plus vaste qui le contient et dont il dépend; sa tendance à l'intégration, ou autotranscendante, doit dominer sa tendance d'affirmation. Dans des conditions favorables les deux tendances fondamentales — *assertion et intégration* — sont plus ou moins en rapport d'égalité, le holon vit dans une sorte d'équilibre dynamique au sein de l'ensemble, les deux faces de Janus se complètent. Dans des conditions défavorables l'équilibre est rompu, ce qui entraîne de funestes conséquences.

Nous arrivons ainsi à une polarité fondamentale entre la tendance assertive et la tendance intégrative des holons à tous les niveaux et, comme nous le verrons, dans tous les genres de systèmes hiérarchiques. Cette polarité est un trait fondamental de la théorie que j'expose ici, l'un de ses leitmotive. Il ne s'agit pas de spéculation métaphysique : la polarité est présente implicitement dans le modèle de la holarchie à niveaux multiples, parce que la stabilité du modèle dépend de l'équilibrage des aspects complémentaires des holons, qui sont totalités et parties. Cette polarité ou *coïncidentia oppositorum* apparaît dans toutes les manifestations de la vie. Nous parlerons plus loin de ses conséquences philosophiques; notons pour le moment que la tendance à l'assertion est l'expression dynamique de la totalité du holon, sa tendance à l'intégration étant l'expression dynamique de sa partiellité*.

Pour les holons des hiérarchies sociales la polarité est évidente, elle hurle à la « une » de tous les journaux. Mais avec des allures moins tapageuses la dichotomie de l'assertion et de l'intégration est omniprésente en biologie, en psychologie, en écologie, et partout où se trouvent des systèmes hiérarchiques complexes — autrement dit presque partout. Pour paraphraser une fois de plus Gertrude Stein : un tout est une partie est un tout. Chaque sous-totalité est un « sous » et une « totalité ». Dans le monde végétal ou animal, comme dans les collectivités, chaque partie doit affirmer son individualité, sinon l'organisme se désarticulerait, se désintégrerait; mais en même temps la partie doit se soumettre aux exigences du tout, ce qui n'est pas toujours aisé.

Nous avons vu plus haut que chaque partie d'un être vivant,

---

* Pour l'intégration j'emploierai aussi des synonymes : tendance participative ou autotranscendante.

depuis les organes complexes jusqu'aux organites dans la cellule, a son rythme intrinsèque, sa structure d'activité, régis par son code incorporé, qui la fait fonctionner comme unité quasi indépendante. D'autre part, ces activités autonomes du holon sont déclenchées, inhibées ou modifiées par des commandes situées à des niveaux supérieurs de la hiérarchie qui agissent sur le potentiel participatif du holon et le font fonctionner comme partie subordonnée. Dans un organisme sain comme dans une société saine les deux tendances sont en équilibre à tous les échelons de la hiérarchie. Mais sous une tension trop forte, la tendance assertive de la partie affectée de l'organisme ou de la société risque de s'emballer : elle tendra à échapper aux rênes de la totalité. C'est ce qui peut provoquer des changements pathologiques, comme les tumeurs malignes, prolifération déchaînée de tissus qui échappent aux freins génétiques. Sans aller jusqu'à de telles extrémités tout organe, toute fonction ou presque peuvent s'émanciper momentanément et partiellement. Dans la colère et la peur l'appareil sympathico-adrénal usurpe le rôle des centres supérieurs qui normalement coordonnent le comportement; dans l'excitation sexuelle les gonades semblent remplacer le cerveau. L'idée fixe, l'obsession du maniaque sont des holons cognitifs déchaînés. Il y a toute une gamme de désordres mentaux dans lesquels une partie subordonnée de la hiérarchie cognitive exerce une véritable tyrannie sur l'ensemble, ou dans lesquels des éléments de la personnalité ont apparemment fait sécession et mènent une existence quasi indépendante. Les aberrations intellectuelles les plus fréquentes sont dues à la poursuite obsessionnelle d'une vérité partielle traitée comme vérité suprême : un holon travesti en totalité.

Dans la vie quotidienne les deux tendances sont en interaction constante. La tendance assertive se manifeste à tous les niveaux des hiérarchies de comportement : dans l'obstination des rituels instinctifs chez les animaux et des habitudes chez l'homme; dans les traditions et les coutumes, et même dans les postures et les gestes — et dans l'écriture que l'individu est incapable de déguiser suffisamment pour tromper un graphologue : les holons du graphisme défendent bien leur autonomie. Mais c'est la tendance intégrative, non moins omniprésente, qui nous sauve de devenir complètement esclaves de nos habitudes et de nous figer en automates; elle se manifeste dans les stratégies, les adaptations originales, les synthèses créatrices qui donnent naissance à des formes de pensée et de comportement plus élevées et plus complexes, en ajoutant de nouveaux échelons à la hiérarchie ouverte.

2

La polarité fondamentale est très évidente dans les phénomènes de comportement *émotif* à l'échelle sociale comme à celle de l'individu. L'homme n'est jamais une île, c'est un holon. S'il tourne son regard vers l'intérieur il s'éprouve comme totalité unique, autonome, indépendante; et comme partie dépendant de son milieu naturel et social, s'il regarde au-dehors. Sa tendance assertive est la manifestation dynamique de son individualité, sa tendance intégrative exprime sa dépendance à l'égard de l'ensemble auquel il appartient : sa partiellité. Quand tout va bien les deux tendances sont en équilibre plus ou moins stable. En période de tension et de frustration, l'équilibre est rompu, ce qui se manifeste par des troubles affectifs. Les émotions qui proviennent de tendances assertives frustrées sont du type adrénergique, agresso-défensif, bien connu : la faim, la colère, la peur, etc., jusqu'aux éléments possessifs du sexe et de l'affection parentale. Les émotions provenant de la tendance participative ont été généralement négligées par la psychologie universitaire : on peut les ranger dans le genre autotranscendant. Elles naissent dans le holon humain du besoin d'appartenir, de dépasser les frontières du moi et de faire partie d'un ensemble enveloppant — une collectivité peut-être, une foi, une cause politique, la nature, l'art, ou l'*anima mundi*.

Quand le besoin d'appartenance et de transcendance ne trouve pas d'issue adéquate, l'individu frustré risque de perdre tout esprit critique et de se livrer à une foi aveugle, à une dévotion fanatique envers une cause quelconque, sans chercher à la juger. Comme nous l'avons vu plus haut, c'est une des ironies de la condition humaine que sa férocité destructive ne vienne pas des tendances à l'assertion, mais bien du potentiel d'intégration de l'espèce. La gloire des sciences et des arts et les holocaustes historiques provoqués par des dévouements égarés sont nés également d'émotions du genre autotranscendant. Car le code qui définit l'identité et donne sa cohésion à un holon social (sa langue, ses lois, ses traditions, ses normes de conduite, ses systèmes de croyance) ne représente pas seulement des contraintes négatives imposées à ses activités, mais aussi des préceptes positifs, des maximes, des impératifs moraux. En temps normal, lorsque la hiérarchie sociale est en équilibre, chacun de ses holons opère conformément à son code, sans chercher à l'imposer aux autres; en période de tension et de crise, un holon social hyperexcité peut tendre à s'affirmer aux dépens de l'ensemble, exactement comme un organe hyperexcité ou une idée obsessionnelle.

3

La dichotomie de la totalité et de la partiellité, et sa manifestation dynamique dans la polarité des tendances assertives et participatives sont inhérentes, nous l'avons dit, à tout système hiérarchique à niveaux multiples, implicitement présentes dans le modèle conceptuel. Nous les voyons même reflétées dans la nature inanimée : partout où existe un système dynamique relativement stable, depuis les atomes jusqu'aux galaxies, la stabilité est maintenue par l'équilibrage de forces contraires, dont l'une peut être centrifuge (inerte ou séparatrice), l'autre centripète (attractive ou cohésive), qui rassemble les parties dans le tout sans sacrifier pour autant leur identité. La première loi de Newton — « Tout corps persévère dans son repos ou son mouvement uniforme en ligne droite à moins qu'il ne soit contraint par une force à changer cet état » — ressemble à une proclamation de la tendance assertive de chaque fragment de matière dans l'univers; en revanche la loi de la gravitation reflète la tendance à l'intégration *.

On pourrait aller encore plus loin, et voir dans le principe de complémentarité un exemple plus fondamental encore de notre polarité. D'après ce principe qui domine la physique moderne toutes les particules élémentaires — électrons, photons, etc. — ont le double caractère de corpuscules et d'ondes : elles se présentent selon les circonstances soit comme des grains de matière, soit comme des ondes sans attributs substantiels ni frontières définissables. A notre point de vue l'aspect corpusculaire de l'électron ou de tout autre holon élémentaire, en manifeste le potentiel de totalité et d'assertion,

---

* Dans une pièce de science-fiction, écrite il y a bien longtemps, je faisais exposer par une jeune visiteuse extra-terrestre la doctrine centrale de la religion de sa lointaine planète... « Nous adorons la gravitation. C'est la seule force qui ne se précipite pas dans l'espace; elle est partout en repos. Elle maintient les astres sur leurs orbites, et nos pieds sur notre terre. C'est la Nature qui a peur de la solitude, la Terre qui se languit de la Lune; c'est l'amour sous sa forme inorganique la plus pure » (*Le Bar du crépuscule*, 1945).

son caractère ondulatoire en manifeste la partiellité et le potentiel
d'intégration *.

4

Il va sans dire que les deux tendances fondamentales se présentent
sous des dehors différents aux différents niveaux de la hiérarchie,
selon les codes spécifiques — ou « relations organisatrices » — qui
caractérisent chaque niveau. Les règles qui gouvernent les interactions des particules nucléaires ne sont pas celles qui régissent les
rapports entre atomes considérés comme totalités; les règles éthiques
du comportement des individus ne sont pas celles qui s'appliquent
au comportement des foules ou des armées. En conséquence, les
manifestations de la polarité de tendances assertives et participatives
que nous reconnaissons dans tous les phénomènes de la vie, prendront des formes différentes de niveau en niveau. Nous verrons ainsi
cette polarité se refléter par exemple en tant que :

intégration ⟷ assertion

partiellité ⟷ totalité

dépendance ⟷ autonomie

centripète ⟷ centrifuge

coopération ⟷ compétition

altruisme ⟷ égoïsme

Notons en outre que la tendance assertive est généralement
conservatrice, en ce sens qu'elle tend à préserver l'individualité du
holon dans le *hic et nunc* des conditions existantes; alors que la
tendance participative a la double fonction de coordonner les holons
constitutifs du système à son stade actuel, et de faire apparaître de
nouveaux échelons d'intégrations complexes dans des hiérarchies en
évolution — qu'elles soient biologiques, sociales ou cognitives. Ainsi
la tendance assertive est-elle orientée vers le présent, soucieuse de
préserver et de maintenir, quand on pourrait dire que la tendance
participative est à l'œuvre à la fois dans le présent et pour l'avenir.

---

* Autre cas de polarité dans la nature inanimée, le principe de Mach qui relie
l'inertie terrestre à la masse totale de l'univers. *Cf.* chapitre XIII.

5

La polarité des tendances assertives et participatives jouant un rôle crucial dans notre théorie, et devant revenir souvent dans les chapitres qui vont suivre, une brève comparaison avec le système métaphysique de Freud qui a atteint l'immense popularité que l'on sait, pourrait offrir un certain intérêt.

Freud postulait deux *Triebe* (ou pulsions) fondamentales, qu'il concevait comme des tendances universelles antagonistes inhérentes à toute matière vivante : Éros et Thanatos, ou libido et pulsion de mort. Quand on lit bien les passages qui en traitent (dans *Au-delà du principe de plaisir, Malaise dans la civilisation,* etc.) on s'aperçoit avec étonnement que ses deux pulsions sont *régressives :* elles visent l'une et l'autre à la restauration d'une situation antérieure. Éros, en employant le leurre du principe de plaisir, cherche à établir l'antique « unité du protoplasme dans le limon originel », tandis que Thanatos vise encore plus directement au retour à l'état inorganique de la matière par l'annihilation du moi et de tous les moi. Comme les deux pulsions essayent de faire reculer l'évolution on se demande comment celle-ci parvient quand même à avancer. Freud, apparemment, répond qu'Éros est obligé de faire un long détour pour rassembler « les fragments épars de la substance vivante [1] » en agrégats multicellulaires afin de restaurer finalement l'unité protoplasmique; en d'autres termes l'évolution serait le produit d'une régression inhibée, la négation d'une négation, un retour en avant, pour ainsi dire.

A titre de curiosité on remarquera que Freud ne pensait rien de bon des œuvres d'Éros. Pour lui le plaisir provient toujours de la « diminution, de l'abaissement ou de l'extinction de l'excitation psychique » et le « dé-plaisir »* de son accroissement ». L'organisme tend à la stabilité; il est guidé par « l'effort que fait l'appareil mental pour maintenir aussi basse que possible ou au moins constante la quantité d'excitation qui est présente en lui. En conséquence tout ce qui tend à augmenter la quantité d'excitation doit être tenu pour contraire à cette tendance, c'est-à-dire, pour déplaisant [2] ».

Naturellement cela est vrai, en gros, quand il s'agit de la frustration de besoins élémentaires comme la faim. Mais on passe alors

---

* *Unlust,* dysphorie, qui n'est pas la douleur physique.

sous silence toute une classe d'expériences communément décrites comme excitations plaisantes. Les préliminaires de l'accouplement augmentent la tension sexuelle : d'après la théorie ils devraient être désagréables — ce qu'ils ne sont sûrement pas. Il est curieux que dans les livres de Freud on ne trouve aucune réponse à cette très banale objection. La pulsion sexuelle dans le système freudien est essentiellement une chose dont il faut se débarrasser, par les moyens appropriés ou par la sublimation; le plaisir ne vient pas du désir mais de son évacuation *.

Le concept de Thanatos — la *Todestrieb* — ne nous laisse pas moins perplexes. D'une part la pulsion de mort « travaille en silence au sein de l'organisme à la destruction de celui-ci » par processus cataboliques brisant l'être vivant pour en faire une matière inanimée. En fait, on peut assimiler cet aspect à la seconde loi de la thermodynamique : la dispersion graduelle de la matière et de l'énergie aboutissant à l'état chaotique **. Mais d'autre part l'instinct de mort freudien, qui opère si doucement dans l'organisme, se présente comme destruction active ou comme sadisme dès qu'il se projette à l'extérieur. Comment ces deux aspects de Thanatos s'harmonisent et se relient causalement, c'est ce qu'on voit mal. Le premier aspect est celui d'un processus physico-chimique qui tend à amener les cellules vivantes à l'inertie et finalement à les réduire en poussière; mais le second manifeste une agressivité violente et coordonnée de tout l'organisme contre les autres organismes. Freud n'explique pas le processus par lequel le glissement silencieux à la sénescence et à la désintégration se change en violence exercée sur autrui; le seul lien qu'il indique se trouve dans l'ambiguïté d'expressions comme « pulsion de mort » et « besoin de destruction ».

Non seulement les deux aspects du Thanatos freudien restent sans connexion, mais ils sont l'un et l'autre très discutables en eux-mêmes. Pour commencer par le second, le meurtre pour le meurtre n'existe pas dans la nature. Les animaux tuent pour manger et non pour

---

* On pourrait expliquer que s'il n'y a pas de place dans l'univers freudien pour les jeux de l'amour c'est que Freud était au fond un puritain, comme D. H. Lawrence : il avait horreur de la frivolité et traitait le sexe *« mit tierischen Ernst »*. Son biographe Ernest Jones écrit : « Freud avait beaucoup de la pruderie de l'époque, qui jugeait inconvenante toute allusion aux membres inférieurs. » Il donne plusieurs exemples, comme l'histoire de Freud « interdisant sévèrement » à sa fiancée d'habiter « chez une amie jeune mariée qui, disait-elle délicatement, s'était mariée avant le jour du mariage [3] ».

** Cette fameuse loi, nous le verrons, ne s'applique qu'aux systèmes physiques « clos », et non aux organismes vivants. C'est une découverte relativement récente que Freud n'a pu connaître.

détruire; et, comme nous l'avons dit plus haut, même quand il y a combat pour le territoire ou pour les femelles, la lutte est aussi rituelle qu'une partie d'escrime et il est extrêmement rare qu'elle aille jusqu'à la mort des vaincus. Pour prouver l'existence d'un « instinct de destruction » il faudrait démontrer que le comportement destructeur se manifeste régulièrement *sans* provocation extérieure, à la manière des pulsions nutritives et sexuelles qui se font sentir malgré l'absence de stimuli externes. Karen Horney, qui fut une psychanalyste éminente, mais critique, écrit à ce propos[4] :

> L'hypothèse de Freud suppose que la motivation essentielle de l'hostilité ou de la destruction réside dans l'instinct de détruire. Ainsi il renverse totalement notre croyance selon laquelle on détruit pour vivre : on vit pour détruire. Il ne faut pas hésiter à reconnaître une erreur même quand il s'agit d'une conviction séculaire, si une découverte nous apprend à voir autrement, mais ce n'est pas le cas. Si nous voulons nuire ou tuer, c'est parce que nous sommes ou croyons être menacés, humiliés, attaqués; parce que nous sommes ou croyons être repoussés ou injustement traités; parce que nous sommes ou croyons être empêchés d'accomplir des désirs d'importance vitale pour nous.

C'est bien Freud, après tout, qui nous a appris à chercher dans les actes de violence apparemment gratuits et sans raison d'enfants ou d'adultes perturbés, la motivation cachée, qui est d'ordinaire un sentiment de rejet, de jalousie, de fierté blessée. En d'autres termes la cruauté et la violence sont à considérer comme des situations pathologiques extrêmes de la tendance assertive frustrée ou provoquée au-delà d'un seuil critique, — sans qu'il y ait lieu de recourir au postulat d'un instinct de mort dont la biologie n'offre pas la moindre preuve.

Pour revenir à l'autre aspect du Thanatos de Freud, la grande caractéristique du vivant, nous l'avons indiqué, est de négliger complètement, semble-t-il, la seconde loi de la thermodynamique. Au lieu de perdre son énergie dans l'environnement, l'être vivant y puise de l'énergie, il mange et boit son environnement, il y fouille et il y bâtit, du bruit il tire de l'information, du chaos des stimuli il extrait du sens. « Ni le vieillissement ni la mort naturelle ne sont des conséquences nécessaires et inévitables de la vie, écrit Pearl[5]; les protozoaires sont virtuellement immortels, ils se reproduisent par simple fission, en ne laissant dans le processus absolument rien qui corresponde à un cadavre. » Chez beaucoup d'animaux multicellulaires primitifs le vieillissement et la mort naturelle n'existent pas davantage; ils se reproduisent par fission ou bourgeonnement, sans laisser de résidus. « Biologiquement la mort naturelle est quelque chose de relativement nouveau [6] »; c'est l'effet cumulatif d'une déficience encore mal connue du métabolisme des cellules dans les organismes complexes : épiphénomène dû à une intégration incomplète, et non à une loi naturelle fondamentale.

Ainsi les pulsions freudiennes, sexualité et instinct de mort, ne peuvent prétendre à l'universalité; elles se fondent sur des nouveautés biologiques qui n'apparaissent qu'à un niveau relativement élevé de l'évolution : la sexualité succède à la reproduction asexuée et parfois (comme chez certaines planaires) alterne avec elle; la mort apparaît comme une conséquence d'imperfections provenant d'une complexité croissante. Dans la théorie que nous proposons il n'y a pas place pour un « instinct destructeur » dans les organismes, ni pour une sexualité considérée comme la *seule* force d'intégration des sociétés humaines ou animales. Éros et Thanatos sont relativement tard venus sur la scène de l'évolution : une foule de créatures qui se multiplient par fission ou bourgeonnement se passent de l'un comme de l'autre. Selon nous, *la sexualité est une manifestation spécifique de la tendance participative, l'agression une forme extrême de la tendance assertive;* et Janus apparaît en symbole des deux propriétés irréductibles de la matière vivante : entièreté et partiellité, et de leur équilibre précaire dans les hiérarchies de la nature.

Répétons-le, ce schéma généralisé ne se fonde pas sur des hypothèses métaphysiques : il est pour ainsi dire incorporé à l'architecture des systèmes complexes — physiques, biologiques, sociaux — en tant que précondition nécessaire de la cohésion et de la stabilité de leurs assemblages étagés de holons. Ce n'est pas par hasard que Heisenberg a intitulé « La Partie et le Tout » *(Der Teil und das Ganze)* son récit autobiographique de la genèse de la physique moderne. Où trouver en effet, en microphysique, les particules vraiment « élémentaires » qui ne soient pas en réalité des ensembles composites? Où situer, dans le macro-monde de l'astrophysique, les limites de notre univers d'espace-temps pluridimensionnel? L'infini bâille en haut comme en bas des hiérarchies stratifiées de l'existence; la dichotomie de la totalité assertive et de la partiellité autotranscendante se manifeste à tous les échelons, du trivial au cosmique. Ce qu'on pourrait appeler le paradigme de Swift décrit l'aspect le plus terre-à-terre de l'ordre hiérarchique :

> *Ainsi, observent les savants, la puce*
> *A de petites puces qui la sucent*

> *Et que mordent à leur tour des mini*
> *Puces, ainsi de suite à l'infini...*

6

Je sais que l'on aura pu reprocher à ce chapitre d'osciller entre des propositions trop évidentes et des spéculations apparemment abstraites; mais le propre d'une théorie qui résiste à l'examen est qu'elle semble évidente dès qu'on l'a comprise.

Il y a une autre difficulté, qui tient au sujet lui-même. Le postulat d'une tendance assertive universelle n'a guère besoin de présentation : il plaît immédiatement au sens commun, et les prédécesseurs ne lui manquent pas : « instinct de conservation », « survivance des plus aptes », etc. Mais proposer en contrepartie une tendance participative également universelle, et une interaction dynamique entre ces deux tendances comme la clef d'une théorie générale des systèmes, cela sent le vieux vitalisme démodé, cela contredit le *Zeitgeist* qui parle si haut dans des livres comme *Beyond Freedom and Dignity* de Skinner et le *Hasard et la Nécessité* de Monod. Aussi trouvera-t-on à propos, j'espère, que je termine ce chapitre sur des citations d'un ouvrage récent d'un grand médecin, le D'r Lewis Thomas (président du Centre cancérologique Sloan-Kettering), que personne n'irait accuser d'attitude antiscientifique. Le passage débute par une description passionnante du parasite *myxotricha paradoxa,* un être monocellulaire qui vit dans le tube digestif des termites d'Australie.

> Au premier coup d'œil il apparaît comme un protozoaire motile ordinaire, remarquable surtout pour la vitesse à laquelle il nage droit d'un point à un autre en engouffrant des fragments de bois bien mâchés par son hôte. Dans l'écosystème du termite, arrangement d'une complication toute byzantine, il se tient à l'épicentre. Sans lui, le bois si finement mâché qu'il soit, ne serait jamais digéré; il fournit les enzymes qui réduisent la cellulose en hydrate de carbone comestible, en ne laissant que de la lignine non dégradable, que le termite évacue en petits paquets géométriques dont il se servira pour construire les voûtes de la termitière. Sans lui il n'y aurait pas de termites, ni de ces champignons que les termites cultivent et qui ne poussent nulle part ailleurs [7]...

Mais en réalité ce minuscule parasite est fait de toute une population d'animaux encore plus minuscules qui vivent en symbiose tout en conservant leur individualité, leur autonomie.

En les observant mieux au microscope électronique on s'aperçoit que les flagelles qui battent synchroniquement pour propulser le myxotricha avec tant de sûreté ne sont pas du tout des flagelles. Ce sont d'autres êtres, venus à la rescousse : des spirochètes parfaits, bien formés, qui se sont attachés à intervalles réguliers sur toute la surface du proto-zoaire [8].

Thomas énumère ensuite les autres organites et bactéries d'espèces diverses qui forment une sorte de zoo coopératif à l'intérieur du *myxotricha,* et indique que les cellules qui constituent le corps humain ont évolué selon un processus semblable « composées, parcelle après parcelle, par le rassemblement d'animaux prokaryotiques de ce même genre ». Ainsi l'humble myxotricha devient-il un paradigme de notre tendance à l'intégration.

Cet animal, ou cet écosystème, dans sa totalité, figé pour le moment à mi-chemin dans l'évolution, semble un modèle du développement des cellules telles que les nôtres... Il y a une force sous-jacente qui rassemble les êtres divers qui composent le myxotricha, et qui ensuite pousse l'assemblage à s'unir au termite. Si nous comprenions cette tendance nous aurions quelques lueurs sur le processus qui a rassemblé des cellules distinctes pour construire les métazoaires, et parvenir à l'invention des roses, des dauphins et, bien entendu, de nous-mêmes. Il se pourrait que ce soit la même tendance qui agit pour que les organismes s'unissent en collectivités, les collectivités en écosystèmes, et les écosystèmes en biosphère. Si tel est bien le courant, la démarche du monde, nous pourrions en arriver à considérer les réactions d'immunité, les gènes de l'individualité chimique, et peut-être tous les réflexes de défense et d'agression, comme des développements secondaires dans l'évolution, nécessaires à la régulation et à la modulation de la symbiose, n'ayant pas pour but de contrecarrer le processus, mais seulement de l'empêcher d'aller trop loin.
S'il est dans la nature des êtres vivants de mettre leurs ressources en commun et de fusionner quand c'est possible, nous aurions là un nouveau moyen de rendre compte de l'enrichissement progressif et de la complexité des formes des vivants [9].

CHAPITRE III

Les trois dimensions de l'émotion

1

ON peut décrire les émotions comme des états mentaux accompagnés de sentiments intenses et associés à des modifications organiques très diffuses — dans la respiration, les pulsations, le tonus musculaire, les sécrétions glandulaires d'hormones comme l'adrénaline, etc. On les a définies aussi comme des pulsions « surchauffées ». On peut les classer en premier lieu selon la *nature de la pulsion* dont elles proviennent : faim, sexe, curiosité (« pulsion exploratrice »), convivialité, protection des jeunes, et ainsi de suite.

En second lieu une caractéristique évidente de toutes les émotions est le sentiment de *plaisir ou de déplaisir* qui leur est attaché : la « tonalité hédonique ». En troisième lieu la polarité des tendances assertive et autotranscendante joue toujours dans l'émotion.

On en arrive ainsi à une conception tri-dimensionnelle des émotions humaines. J'ai proposé* une analogie grossière mais utile : que l'on imagine notre paysage mental transformé en taverne équipée d'une série de robinets dont chacun verserait une boisson différente, et qui seraient ouverts ou fermés selon les besoins. Chaque robinet représenterait alors une *pulsion* particulière, le taux de plaisir-déplaisir étant représenté par son *débit*, qui peut être tranquille et régulier ou saccadé et contrarié par des hausses et des

* Dans *Le Cheval dans la locomotive,* chapitre xv.

baisses de pression. Finalement le taux des impulsions allant dans
le comportement émotif de l'assertion à la transcendance pourrait
être comparé à la proportion d'acide ou de liquide sédatif. Ce n'est
pas une métaphore bien séduisante mais elle peut aider à visualiser
les trois variables (ou paramètres) de l'émotion tels que nous les
proposons dans la présente théorie. Regardons-les de plus près, en
insistant sur les caractéristiques qui distinguent cette théorie.

2

L'une des difficultés inhérentes au sujet est que nous vivons rarement une émotion pure. Le barman a coutume de mélanger les
liquides de nos robinets : l'appétit sexuel peut se combiner à la
curiosité et virtuellement à n'importe quelle pulsion. Tout cela est
bien évident, il est inutile d'y insister.

La seconde variable, le taux de plaisir et de déplaisir, la « tonalité
hédonique », donne lieu également à des expériences fort ambiguës.
Nous avons cité plus haut le dogme de Freud, selon lequel le plaisir
viendrait toujours de « la diminution, de l'abaissement ou de l'extinction de l'excitation psychique, et le dé-plaisir d'un accroissement de
cette excitation ». Pareille opinion (défendue pendant toute la première moitié du xxᵉ siècle par les grandes écoles de psychologie,
y compris le behaviorisme aux États-Unis et la psychanalyse européenne) est sans doute juste pour les frustrations de pulsions primitives « surchauffées » comme dans le cas des crampes dues à la faim;
mais elle ne s'applique en aucune façon à cette classe d'émotions
complexes, fréquentes dans la vie quotidienne, qu'on appelle excitation, expectative, frisson. D'après Freud la lecture d'un passage
érotique provoque « un accroissement d'excitation psychique », et
par conséquent elle devrait être désagréable; en fait elle éveille une
émotion complexe dans laquelle *la frustration se combine au plaisir*.

La solution de ce paradoxe réside dans le rôle prédominant que
joue l'*imagination* dans l'affectivité. De même qu'un stimulus imaginaire dans une rêverie érotique suffit à exciter des pulsions physiologiques, de même, à l'inverse, une satisfaction imaginaire peut
provoquer une expérience plaisante : la consommation « intériorisée »
des composantes de la pulsion complexe qui sont susceptibles de se
vivre dans l'imagination.

Une autre porte laisse entrer l'imagination dans la pulsion émotionnelle : c'est l'anticipation de l'accomplissement. Dans l'exemple précédent la gratification était fictive, mais affectivement vraie, c'est-à-dire plaisante; il s'agit maintenant de l'anticipation imaginée de la gratification réelle. Quand on a soif la vue d'un demi de bière est agréable, bien qu'elle accroisse « l'excitation psychique ». Il en va de même des préliminaires de l'acte sexuel, ou du déroulement d'un film à sensations : l'anticipation du dénouement heureux médiatise la « consommation interne » de certaines composantes de la pulsion émotionnelle, tandis que l'excitation d'autres composantes augmente; on est impatient d'en finir avec des préliminaires auxquels en même temps on se plaît.

Encore que l'intériorisation et la « consommation interne » des pulsions émotives soient déclenchées par l'imagination, elles ont leurs répondants physiologiques dans les processus viscéraux et glandulaires et sont aussi « réelles » que les activités musculaires du comportement « extérieur » visible. Le souvenir d'un repas gastronomique peut suffire à ré-activer les sucs gastriques.

Plus la pulsion est sublimée (c'est-à-dire plus la coordination est étroite entre le niveau cortical supérieur et le niveau viscéral inférieur de la hiérarchie), plus elle est susceptible d'intériorisation. Cela peut sembler abstrait, mais que l'on considère deux joueurs d'échecs face à face. La manière la plus simple de vaincre l'adversaire est de lui donner un bon coup de massue sur la tête. Un joueur peut en éprouver le besoin, à l'occasion (surtout si l'adversaire s'appelle Bobby Fischer), mais jamais il n'y songera sérieusement : la pulsion compétitive ne peut s'exprimer que selon les « règles du jeu ». Au lieu de recourir à la violence, le joueur imagine les possibilités de tirer avantage du prochain déplacement d'une de ses pièces, et son activité mentale lui procure une série de satisfactions partielles et agréables d'anticipation, même si pour finir il ne doit pas gagner la partie. De là le plaisir sportif des jeux de compétition, qui est indépendant (jusqu'à un certain point) du résultat. Stevenson voyait plus profond que Freud quand il écrivait que le voyage et l'espérance valent mieux que l'arrivée.

C'est ce que les amants romantiques ont toujours su. La séparation et l'attente procurent des émotions douces-amères où se mêlent la souffrance et le plaisir. L'image lointaine de la personne aimée est quelquefois plus satisfaisante que sa présence. Les émotions ont tout un spectre de composantes, dont chacune possède sa tonalité hédonique. Est-il agréable ou désagréable d'aimer? La question n'a pas de sens. Autant demander si un tableau de Rembrandt est clair ou obscur.

Passons maintenant à la troisième source de l'ambivalence des émotions. La première était l'origine biologique de la pulsion, la seconde, la tonalité de plaisir-déplaisir qui lui est attachée, la troisième est la polarité de l'assertion et de l'autotranscendance qui se manifeste dans toutes les émotions.

Commençons par l'amour — cocktail d'émotions capiteux et mal défini, dont on connaît d'innombrables variantes (amour sexuel, platonique, maternel, œdipien, narcissique, patriotique, amour des plantes, des chiens, des chats, etc.). Mais quels que soient son objet et ses approches l'amour a toujours un élément de dévouement transcendant, dans des proportions variées. Dans les relations sexuelles la domination et l'agression se mêlent à l'empathie et à l'identification : le résultat va du viol à l'adoration platonique. Dans le soin de la progéniture, le parent regarde l'enfant comme « sa chair et son sang », et c'est un lien biologique qui transcende les frontières du moi; en même temps les mères possessives et les pères tyranniques sont de classiques exemples d'affirmation du moi. La faim elle-même, pulsion biologique apparemment simple, peut comporter un élément d'autotranscendance. L'expérience de tous les jours nous enseigne que l'appétit est stimulé par un environnement propice et une bonne compagnie. Sur un plan moins trivial, les rites de commensalité sont intimement liés à la magie et à la religion chez les primitifs. En partageant la chair de l'animal, de l'homme ou du dieu sacrifié, on établit un processus de transsubstantiation; on s'approprie les vertus de la victime, on instaure une sorte de communion mystique qui englobe tous les participants. Transmise par les cultes orphiques, la tradition du partage de la chair et du sang d'un dieu immolé a pénétré sous une forme symbolique dans les rites du christianisme. Pour le croyant la sainte communion est l'expérience suprême de l'autotranscendance; et nous n'avons pas la moindre intention de blasphémer en signalant la tradition ininterrompue qui relie le repas rituel à la transsubstantiation comme moyen de briser les murailles qui enferment le moi.

Il survit d'autres échos de l'antique communion dans des rites comme les repas de baptême et de funérailles, l'offrande symbolique du pain et du sel, l'échange du sang dans les cérémonies de fraternité de certaines tribus arabes. Tout ce que l'on peut conclure, c'est que même quand il mange, l'homme ne vit pas seulement de nourriture : *l'acte d'autoconservation apparemment le plus simple peut contenir un élément d'autotranscendance.*

Et inversement le soin des malades et des pauvres, la protection des animaux, le dévouement civique, l'ardeur aux défilés et manifestations de solidarité, admirables entreprises altruistes, sont quelquefois d'admirables occasions d'affirmer son autorité, inconsciemment peut-être. Les professionnels de la vertu, les missionnaires, les organisateurs de bonnes œuvres, les infirmières-chefs sont indispensables à la société; il serait indécent d'analyser leurs motivations, qu'ils ignorent le plus souvent.

3

Ainsi à part les excès de la folie furieuse et du ravissement mystique aux extrémités du spectre on trouve dans tous les états affectifs des combinaisons des deux tendances fondamentales; l'une reflétant l'entièreté du holon individuel, l'autre sa partiellité, et les deux exerçant réciproquement une influence modératrice. Mais il peut arriver aussi que la tendance à l'intégration, au lieu de modérer son antagoniste, lui serve de déclencheur ou de catalyseur. Nous verrons au chapitre IV les conséquences désastreuses de l'identification de l'individu à l'esprit de groupe, aux chefs, aux doctrines et aux slogans. Tournons-nous à présent vers des aspects plus plaisants de ce processus de catalyse, lorsqu'il sert à produire dans les arts la magie de l'illusion.

Comment fonctionne le processus? Considérons une situation simple, dans laquelle deux personnes seulement sont en présence : Mme A et son amie Mme B, qui vient de perdre sa fille dans un accident. Mme A verse des larmes de sympathie, elle participe à la douleur de Mme B en s'identifiant partiellement à elle par un acte d'empathie, de projection ou d'introjection, comme on voudra. Il peut en aller de même si « l'autre » n'est qu'un personnage sur l'écran ou dans les pages d'un roman.

Mais il est essentiel ici de distinguer deux processus affectifs, même s'ils sont combinés dans l'expérience vécue. Le premier est bien l'acte spontané d'identification, caractérisé par le fait que Mme A oublie plus ou moins sa propre existence en participant aux expériences d'une autre personne, réelle ou imaginaire. C'est évidemment une expérience autotranscendante et cathartique; aussi longtemps qu'elle dure Mme A ne pense plus à ses soucis. En d'autres termes le processus d'identification *inhibe* momentanément les tendances assertives.

Mais l'autre processus peut avoir l'effet contraire. L'acte d'identification arrivera peut-être à provoquer des émotions ressenties par procuration, en quelque sorte, au nom d'autrui. Dans le cas de Mᵐᵉ A, la procuration est celle du deuil, du chagrin. Mais elle peut être chargée d'angoisse ou de colère. On a pitié de Desdémone, et en conséquence on s'indigne de la perfidie d'Iago. L'anxiété qui saisit le spectateur d'un film de Hitchcock est éprouvée par procuration, mais physiologiquement elle est réelle, elle s'accompagne de soubresauts, d'accélération du pouls, de palpitations. La colère suscitée par une brute sur l'écran — cet écran que le public mexicain criblait de balles autrefois — est une vraie colère que signale un flux d'adrénaline. Tel est le paradoxe, qui est fondamental si l'on veut comprendre les illusions de l'Histoire, aussi bien que celles de l'art. Elles dérivent les unes et les autres de la nature de l'homme, animal crédule (c'est la définition de Waddington). Elles exigent toujours une suspension — temporaire ou permanente — de l'incrédulité.

Pour résumer : nous sommes en présence d'un processus en deux étapes. Pour commencer, les pulsions autotranscendantes de projection, de participation, d'identification, *inhibent* les tendances assertives, et nous purgent de nos désirs et préoccupations égotistes. Elles conduisent à la seconde étape : le processus d'identification affective peut *stimuler* — ou déclencher — une montée de haine, de terreur, de soif de vengeance que l'on éprouve au nom d'autrui (une personne ou un groupe), mais qui n'en accélère pas moins nos pulsations. Les processus physiologiques qu'activent ces émotions par procuration sont essentiellement les mêmes, que la menace ou l'insulte nous vise directement ou qu'elle vise la personne ou le groupe à qui nous nous identifions. Ils appartiennent à l'assertion du moi, même si le moi a momentanément changé d'adresse, par exemple en se projetant dans l'innocente héroïne d'un drame, ou dans l'équipe locale de football, ou dans la patrie pour laquelle il est si doux de périr.

Que nous puissions verser des larmes sur la mort d'Anna Karénine, qui n'est que de l'encre sur du papier ou une ombre sur l'écran, c'est un triomphe du pouvoir d'imagination de l'esprit humain. Les enfants et les spectateurs simplistes qui oublient le présent et acceptent entièrement la réalité de ce qui se passe sur la scène éprouvent une sorte de transe hypnotique qui trouve son origine dans la magie sympathique des cultures primitives dans lesquelles le danseur masqué s'identifie au personnage surnaturel qu'il mime et l'idole sculptée est investie de pouvoirs divins. A un stade culturel plus raffiné nous sommes encore capables de percevoir en même

temps l'acteur en tant qu'acteur et en tant que Hamlet, et de fabriquer assez d'adrénaline pour lui donner la vigueur requise dans ses
combats. C'est la même magie, sous une forme sublimée : le processus d'identification est transitoire, partiel, confiné à certains
moments critiques; c'est un blocage de l'incrédulité qui n'abolit pas
entièrement les facultés de jugement ni ne sape l'identité personnelle.

L'art est école de transcendance. Une cérémonie vaudou aussi,
un rassemblement nazi aussi. Mais nos réponses aux diverses formes
d'illusion créées par l'art ont subi un processus de sublimation en
passant de l'enfance à la maturité et du culte des icônes à leur appréciation esthétique. On n'observe aucun processus comparable dans
les formes de comportement où le besoin d'autotranscendance
trouve son expression dans la grégarité sociale et politique. A cet
égard, la scène sur laquelle se jouent les drames de l'Histoire est
toujours peuplée de héros et de traîtres, et les émotions qu'ils suscitent sont toujours capables de changer les paisibles spectateurs en
fanatiques homicides. On peut voir là un exemple du rôle équivoque
que joue chez les humains la tendance à l'intégration, qui risque de
se manifester sous la forme primitive d'une *identification* très différente de l'*intégration* adulte. La première domine l'histoire des
sociétés, la seconde l'histoire de l'art.

CHAPITRE IV

Ad majorem gloriam...

1

Les considérations théoriques qui précèdent devraient nous permettre de mieux observer le malaise de la condition humaine.

Depuis l'aube de la civilisation le monde n'a jamais manqué de réformateurs inspirés. Prophètes hébreux, philosophes grecs, sages chinois, mystiques de l'Inde, saints de la chrétienté, humanistes français, utilitaristes anglais, moralistes allemands, pragmatistes américains, pacifistes hindous ont tour à tour dénoncé la guerre et la violence en faisant appel aux bons sentiments de l'humanité — sans le moindre succès. Nous l'avons indiqué : il faut chercher la raison de cet échec dans une mauvaise interprétation des causes qui ont poussé les humains à faire de leur histoire une série de désastres, qui les ont empêchés d'apprendre les leçons du passé et qui à présent mettent leur survie en question. L'erreur fondamentale consiste à accuser uniquement l'égoïsme, la cupidité, les prétendus instincts de destruction, autrement dit la tendance assertive de l'individu. Rien n'est plus faux, c'est ce que prouve l'Histoire comme la psychologie.

Aucun historien ne le nierait : le rôle joué par les crimes commis pour des raisons personnelles est infime par rapport aux millions de victimes massacrées par fidélité très altruiste à un dieu jaloux, à un souverain, à une nation, à un système politique. Les crimes de Caligula deviennent insignifiants si on les compare aux hécatombes de Torquemada. Le nombre des personnes tuées par des bandits et autres malfaiteurs asociaux est négligeable par rapport aux masses joyeusement immolées à la vraie religion ou à la juste cause. On a torturé, brûlé vif des hérétiques, sans colère, avec commisération, pour le bien de leurs âmes. Les purges soviétiques et chinoises ont été présentées comme des opérations d'hygiène sociale qui devaient préparer l'humanité à l'âge d'or de la société sans classes. Les chambres à gaz et les fours crématoires ont fonctionné pour hâter l'avènement d'un autre millénaire de bonheur. Répétons-le : dans toute l'Histoire, les ravages causés par des excès d'assertion individuelle sont quantitativement négligeables par comparaison avec les boucheries organisées par transcendance altruiste pour la plus grande gloire d'un drapeau, d'un chef, d'une foi ou d'une conviction politique. L'homme a toujours été prêt non seulement à tuer mais aussi à mourir pour des causes bonnes, mauvaises ou complètement absurdes. Quelle meilleure preuve de la réalité du besoin d'autotranscendance?

L'histoire nous présente donc ce paradoxe : la tragédie de l'homme ne vient pas de son agressivité mais plutôt de son dévouement à des idéaux transpersonnels; non d'un abus d'assertion individuelle, mais plutôt d'un mauvais fonctionnement des tendances intégrantes de notre espèce. Ni ange ni bête, disait Pascal, et qui veut faire l'ange fait la bête.

Mais quelle est l'origine de ce paradoxe?

2

Rappelons-nous que dans la polarité fondamentale de tous les phénomènes de la vie, la tendance assertive d'un holon est l'expression dynamique de son « entièreté », la tendance à l'intégration étant l'expression de sa « partiellité », c'est-à-dire de sa subordination à un ensemble plus vaste situé au niveau supérieur de la holarchie. Dans une société bien équilibrée les deux tendances jouent un rôle constructif en maintenant la balance égale. Un certain degré d'assertion (individualisme, ambition, esprit de compétition) est indispensable à une société dynamique; le progrès culturel et social en dépend. Le « saint mécontentement » de John Donne est une motivation essentielle du réformateur social, de l'artiste et du penseur. C'est seulement quand l'équilibre est compromis pour une raison ou pour une autre que la tendance assertive de l'individu manifeste son potentiel destructif et tend à s'affirmer aux dépens de la société. La plupart des civilisations, primitives ou avancées, ont su se tirer d'affaire tant bien que mal dans ces circonstances.

Mais les divagations de la tendance à l'intégration, qui à notre avis sont les principales responsables du malaise humain sont moins évidentes, plus complexes. Il y a un facteur pathogène auquel j'ai déjà fait allusion : l'enfant en bas âge subit une période d'impuissance et de dépendance totale à l'égard des adultes qui est beaucoup plus longue que pour les jeunes de toute autre espèce. Cette expérience prolongée pourrait être à la racine de la propension des adultes à se soumettre à l'autorité, à se laisser hypnotiser par des doctrines et des règles morales, de leur besoin d'*appartenir* et de s'identifier à un groupe ou à son système de croyances.

Freud enseignait que la conscience morale — le surmoi — est le résidu d'une identification aux parents, au père surtout; et que des parties de la personnalité et de l'attitude morale des parents sont « introjectées » et en quelque sorte cimentées dans la structure mentale inconsciente de l'enfant. Sans aller jusqu'à dire que la conscience morale d'un adulte en pleine maturité n'est « pas autre chose » que le produit de cette transplantation psychique, on peut admettre que la transplantation joue un rôle important dans la constitution psychique d'adultes qui n'atteignent jamais cette maturité — et dans le présent contexte il s'agit surtout des adultes sans maturité affective, dont la tendance à l'intégration et le besoin d'appartenance se manifestent de façons infantiles ou aberrantes.

On peut distinguer trois facteurs qui se recoupent dans ces manifestations pathogéniques de la tendance à l'intégration : la *soumission* à l'autorité d'un substitut du père; l'*identification* inconditionnelle à un groupe social; l'*acceptation* aveugle d'un *système de croyances*. Ils se reflètent tous les trois dans les sanglantes annales de l'histoire.

Le premier est si connu depuis Freud qu'il suffit de le mentionner. Le chef charismatique incarnant l'image du père peut être un saint ou un démagogue, un sage ou un maniaque. Le chef doit avoir des qualités, qui ne nous concernent pas ici, mais en tout cas il est certain qu'il doit flatter des dénominateurs communs dans les masses qu'il fascine, et le plus commun des dénominateurs est la soumission infantile à l'autorité.

La relation de chef à partisan peut embrasser toute une nation, comme ce fut le cas pour le culte de Hitler; ou une secte minuscule; elle peut même se réduire à deux personnes comme dans le rapport hypnotique, ou sur le divan du psychanalyste ou au confessionnal. L'élément commun est l'*abandon*.

Quand on passe aux deux autres facteurs — l'identification de l'individu à un groupe social et à ses croyances — on rencontre aussi une grande variété d'agrégats que l'on peut désigner comme des « groupes » et décrire en termes de « mentalité de groupe » ou de psychologie des masses. Mais cette branche de la psychologie a eu tendance à se concentrer sur des formes extrêmes de comportement, comme les explosions hystériques du Moyen Age ou les débordements héroïques et meurtriers de la populace sous la Révolution française, étudiés dans les livres classiques de Le Bon, dont Freud et beaucoup d'autres se sont inspirés. Cette insistance sur les manifestations dramatiques de la psychologie des foules a fait négliger les principes plus généraux qui gouvernent la mentalité de groupe et son influence dominante sur l'histoire ancienne et contemporaine. Notons par exemple qu'une personne n'a pas besoin d'être physiquement présente dans une foule pour être affectée par l'esprit de groupe; l'identification affective à une nation, une Église ou un mouvement politique peut très bien opérer sans le moindre contact; le fanatisme de groupe peut enflammer un homme jusque dans l'intimité de sa salle de bain.

Il n'est pas nécessaire non plus à un groupe d'avoir un grand chef ou un père investi de l'autorité absolue. Les mouvements politiques et religieux ont besoin de ce genre de personnages à leurs débuts, et une fois établis ils tirent toujours profit d'une direction ferme et efficace; mais le besoin essentiel d'un groupe, le facteur qui lui assure sa cohésion de holon social, c'est une foi, un ensemble de croyances partagées, et le code de comportement qui en résulte. Il peut s'agir d'une autorité incarnée dans un homme, mais aussi d'un symbole : le totem ou le fétiche qui procure mystiquement un sentiment d'unité aux membres de la tribu; les saintes icônes que l'on vénère, ou le drapeau du régiment qu'il faut défendre jusqu'à la mort. L'esprit de groupe peut être dominé par la conviction que le groupe représente un peuple élu dont les ancêtres ont conclu une alliance avec Dieu, ou une race des seigneurs qui remonte à des demi-dieux à poils blonds, à moins que ses empereurs ne descendent du soleil. La foi peut se fonder sur la conviction qu'en observant certaines règles et certains rites on a le droit d'appartenir à une élite dans l'au-delà; ou qu'en exerçant un métier manuel on a le droit d'appartenir à l'élite historique. Les arguments critiques ont fort peu d'influence sur l'esprit de groupe parce que l'identification à un groupe suppose toujours un certain renoncement aux facultés de jugement des individus qui le constituent, et un renforcement de leur potentiel émotif par une sorte de résonance de groupe ou de rétroaction positive.

Répétons que dans la présente théorie le mot « groupe » ne désigne pas seulement une foule rassemblée, il se réfère à tout holon social régi par un code (langue, traditions, coutumes, croyances, etc.) qui définit son identité d'ensemble, son « profil social », et lui donne sa cohésion. En tant que holon autonome, il a son style de fonctionnement et il obéit à son code de conduite, que l'on ne peut pas « réduire » aux codes individuels qui régissent le comportement de ses membres lorsqu'ils agissent comme individus autonomes et non plus comme parties du groupe. L'exemple le plus évident est celui du soldat qui en tant qu'individu n'a pas le droit de tuer, et en tant que membre discipliné de son unité est obligé de le faire. Il faut donc bien distinguer entre les règles qui gouvernent le comportement individuel et celles qui guident le comportement du groupe dans son ensemble *.

Le groupe est à considérer comme un holon quasi autonome, et non pas simplement comme la somme de ses parties; ses activités ne dépendent pas seulement des interactions de ses parties, mais aussi de ses interactions en tant qu'unité avec les autres holons sociaux situés à un niveau plus élevé de la hiérarchie. Là aussi, ces interactions refléteront la polarité des tendances assertives et participatives du holon, qui oscillent entre la rivalité et/ou la coopération avec d'autres groupes. Dans une holarchie sociale saine les deux tendances sont en équilibre; mais quand des tensions se produisent un holon social ou un autre, hyperstimulé, peut tendre à s'imposer à ses rivaux ou à usurper le rôle de la totalité. L'Histoire est pleine de ces tensions, de ces confrontations et de ces conflits.

Nous avons déjà cité plusieurs facteurs responsables de ce déséquilibre chronique — la diversité des caractéristiques raciales et des tempéraments ethniques par exemple, ou l'effet diviseur de la multiplicité des langues — qui dans leur ensemble ont toujours fait prévaloir les forces de rupture sur les forces de cohésion à l'échelle

---

* Dans un texte sur « l'Évolution des systèmes de règles de conduite » le professeur F. A. von Hayek se propose de « distinguer entre les systèmes de règles de conduite qui gouvernent le comportement des membres individuels d'un groupe (ou des éléments d'un ordre quelconque) et l'ordre ou mode d'action qui en résulte pour le groupe dans son ensemble... Qu'il s'agisse de deux choses différentes, ce devrait être évident dès l'abord, bien qu'en fait on confonde souvent les deux [1] ».

locale ou globale. Une cause de perturbation encore plus importante est que le code de conduite d'un holon social ne comporte pas seulement les règles qui commandent le comportement de ses membres, mais aussi des préceptes et des dogmes qui prétendent à une validité universelle. La charge affective de ces préceptes est très élevée, et l'esprit de groupe tend à réagir violemment à tout ce qui menace, ou semblerait menacer, les croyances bien-aimées.

Tout ce qui précède amène à conclure que dans l'esprit de groupe les tendances assertives dominent davantage qu'au niveau de l'individu moyen, et qu'en s'identifiant au groupe l'individu adopte un code de comportement qui n'est pas le sien. N'en déplaise à Lorenz, ce n'est pas l'individu qui est un tueur, c'est le groupe; et c'est en s'identifiant au groupe que l'individu se change en tueur.

Nous verrons dans un instant que ce paradoxe est observable non seulement sur les champs de bataille ou dans les émeutes, mais aussi en d'austères laboratoires de psychologie. Or, le paradoxe vient de ce que l'acte d'identification au groupe relève de la *transcendance,* et cependant renforce les tendances *assertives* du groupe. L'identification au groupe est un acte d'abnégation, d'affectueuse soumission aux intérêts de la collectivité, un abandon partiel ou total de l'identité personnelle et des tendances assertives de l'individu. Nous dirons dans notre terminologie que celui-ci renonce à son « entièreté » en faveur de sa « partiellité » dans un ensemble plus vaste à un niveau plus élevé de la holarchie. Dans une certaine mesure il se dépersonnalise et oublie son égoïsme en plus d'un sens. Il peut devenir indifférent au danger; il se sent contraint aux exploits altruistes, voire héroïques qui peuvent aller jusqu'au sacrifice, et en même temps à des comportements impitoyables qui peuvent aller jusqu'à la cruauté à l'égard des ennemis, réels ou imaginaires, du groupe. Mais c'est une brutalité impersonnelle et sans égoïsme; elle s'exerce dans l'intérêt réel ou supposé de l'ensemble et fait que l'homme est prêt non seulement à tuer, mais aussi à mourir. Le comportement assertif du groupe se fonde ainsi sur le comportement autotranscendant de ses membres; plus simplement : l'*égotisme du groupe se nourrit de l'altruisme de ses membres.*

La « dialectique infernale » de ce processus se manifeste à tous les niveaux des holarchies sociales. Le patriotisme, noble vertu qui subordonne les intérêts de l'individu à ceux de la nation, donne naissance au chauvinisme, expression militante de ces intérêts supérieurs. L'attachement à la petite patrie devient esprit de clocher; l'esprit de corps entraîne le sectarisme; la ferveur religieuse dégénère en prosélytisme; le sermon sur la montagne se change en harangues fanatiques.

Voyons maintenant la confirmation expérimentale de notre schéma théorique; elle a été apportée d'une manière assez surprenante par les laboratoires de psychologie de plusieurs universités, en particulier à Yale.

3

Cette série d'expériences très originales que je me propose de décrire en détail a été entreprise par Stanley Milgram, au département de psychologie de l'université Yale, et reprise par plusieurs laboratoires en Allemagne, en Italie, en Australie et en Afrique du Sud. Il s'agissait de découvrir les limites de l'obéissance à l'autorité, chez une personne normale à qui l'on ordonne de faire souffrir un innocent dans l'intérêt d'une noble cause. L'autorité était représentée par une figure doctorale en blouse de laboratoire; nous l'appellerons le Professeur. La noble cause était l'Éducation; plus précisément l'expérience était conçue officiellement pour fournir des réponses à la question de savoir si les punitions infligées aux élèves quand ils font des erreurs ont un effet positif sur le processus d'apprentissage. Trois personnages étaient en jeu : le Professeur, chargé du déroulement de l'opération; l'élève, ou victime; le sujet d'expérience, à qui le professeur demandait de tenir un rôle d'enseignant et de punir l'élève à chaque réponse erronée. La punition consistait en chocs électriques d'intensité croissante que « l'enseignant » administrait sur l'ordre du professeur. « L'élève » était ligoté sur une sorte de chaise électrique, des électrodes attachées aux poignets. « L'enseignant » était assis devant un générateur impressionnant pourvu d'un tableau à trente manettes, allant de 15 volts à 450 volts (chaque manette ajoutant 15 volts à l'intensité donnée par la précédente). La machine portait en outre des indications : *Choc léger... Choc intense... Danger : Choc grave.*

En fait cette sinistre mise en scène était purement fictive. La victime était un comédien, l'appareil à électrochocs était factice. Seul « l'enseignant », sujet de l'expérience croyait à la réalité des décharges qu'on lui demandait de provoquer, ainsi que des cris de douleur et des supplications arrachés à la « victime ».

Ces sujets d'expérience étaient des volontaires de toutes conditions, âgés de vingt à trente ans, venus au laboratoire de Yale sur la foi de petites annonces parues dans la presse, qui les invitaient à participer à « une étude scientifique de la mémoire et de l'apprentissage » (avec une modeste rétribution de quatre dollars de l'heure). Employés des postes, enseignants du secondaire, employés de commerce, ingénieurs, travailleurs manuels, rien qu'à Yale il y en eut plus de mille.

La procédure essentielle de l'expérience était la suivante. L'« élève » devait lire une longue liste de mots groupés deux à deux, par exemple boîte bleue — belle journée — canard sauvage — etc. Puis à l'examen on lui donnait un de ces mots, par exemple « bleue » accolé à quatre réponses possibles — comme encre, boîte, mer, lampe — dont il devait choisir la bonne. « L'enseignant » avait pour instructions d'administrer un électrochoc chaque fois que l'élève se trompait et, de plus, de « passer à l'échelon supérieur du générateur pour chaque réponse incorrecte de l'élève ».

Pour que l'on fût certain que l'« enseignant » se rende bien compte de ce qu'il faisait, l'acteur qui jouait le rôle de la victime se plaignait de plus en plus fort à mesure que le voltage augmentait, en commençant par de « petits gémissements » à 75 volts pour se mettre à crier à partir de 150 volts : « Laissez-moi sortir! Assez! Je quitte l'expérience, je ne veux pas continuer. » (On se rappellera que pour l'« enseignant » l'élève-victime était aussi un volontaire.) « A 315 volts, après un hurlement, l'élève-victime répétait avec véhémence qu'il ne participait plus, et se contentait de pousser des cris d'agonie à chaque électrochoc, sans répondre aux questions. Au-dessus de 330 volts, plus un son... » Mais le professeur demandait au sujet de traiter une absence de réponse comme une réponse fausse, et de continuer à augmenter les électrochocs comme prévu. Après trois décharges de 450 volts il arrêtait l'expérience.

Question : dans une population moyenne, combien de gens obéiraient à l'autorité qui leur commande de continuer à torturer quelqu'un, et iraient sagement jusqu'à la limite des 450 volts? La réponse paraît évidente : peut-être un sur mille, un sadique, un malade. Avant de commencer ses expériences Milgram avait interrogé plusieurs psychologues. « Avec un remarquable ensemble ils avaient prédit que pratiquement tous les sujets refuseraient d'obéir à l'expérimentateur. » L'avis général des trente-neuf psychologues, en réponse à un questionnaire, avait été que « la plupart des sujets n'iraient pas au-delà de 150 volts (l'intensité à laquelle la victime demande pour la première fois qu'on la détache). Ils prévoyaient que 4 % seulement atteindraient 300 volts, et qu'il ne resterait qu'une frange pathologique d'environ un sur mille pour administrer l'électrochoc le plus élevé du tableau[2]. »

En réalité, à Yale, *plus de 60 %* continuèrent d'obéir au professeur jusqu'au bout — jusqu'aux 450 volts. Quand on répéta l'expérience en Italie, en Afrique du Sud et en Autriche, le pourcentage de sujets obéissants fut encore plus élevé. A Munich il fut de 85 %.

Avant d'aller plus loin donnons quelques précisions sur le montage de l'expérience.

En premier lieu, le professeur n'avait sur ses sujets, tous volontaires, aucun pouvoir comparable à celui d'un officier dans l'armée, ou d'un patron, ou même d'un maître d'école. Il ne pouvait ni sanctionner le sujet qui refusait d'administrer de nouveaux chocs, ni promettre de récompenses pécuniaires ou autres. (Il était entendu que les volontaires ne seraient employés qu'une seule fois.)

Dans ces conditions, comment le professeur imposait-il son autorité à « l'enseignant » en l'engageant à poursuivre sa lugubre tâche? Pas de violence, pas d'éloquence persuasive non plus. Ses interventions étaient rigoureusement programmées :

A divers moments de l'expérience le sujet demande conseil à l'expérimentateur [le professeur] pour savoir s'il faut continuer à administrer les électrochocs. Ou encore il indique qu'il ne souhaite pas poursuivre.
L'expérimentateur répond par une série de stimulations qu'il utilise autant qu'il le faut pour que le sujet rentre dans le rang.
Stimulation 1 : Veuillez continuer.
Stimulation 2 : L'expérience requiert que vous poursuiviez.
Stimulation 3 : Il est absolument essentiel de continuer.
Stimulation 4 : Vous n'avez pas le choix, il faut continuer.
Le ton de la voix est toujours ferme, mais jamais impoli.
Au cas où le sujet demande si l'élève risque de subir des dommages corporels permanents, l'expérimentateur dit : « Les chocs peuvent être douloureux, mais ils ne provoquent pas de lésions permanentes des tissus, donc poursuivez s'il vous plaît. » (Avec les stimulations 2, 3 et 4 si nécessaire.)
Si le sujet déclare que « l'élève » ne veut pas continuer, l'expérimentateur répond : « Que cela lui plaise ou non, il faut continuer jusqu'à ce qu'il apprenne bien tous les mots. Donc, s'il vous plaît, continuez » (Avec les stimulations 2, 3 et 4 si nécessaire)[3].

On ne peut pas dire que cette technique soit vraiment du lavage de cerveau. Et pourtant elle a réussi sur près des deux tiers de la totalité des sujets d'expérience, quels que soient le pays et la méthode de recrutement des volontaires. Elle a réussi même quand la « victime » se plaignait d'être cardiaque et que les électrochocs les plus violents auraient pu mettre sa vie en danger. Que des gens très humains soient capables de gestes inhumains quand ils agissent en tant que membres d'une armée ou d'une foule en furie, on l'a toujours admis. L'importance de ces expériences a été de montrer comme il en faut peu pour leur faire franchir la frontière psychique qui sépare le comportement d'un honnête citoyen de celui d'un SS déshumanisé. La fragilité de cette frontière, qu'ont passée deux tiers des sujets, a été une surprise totale pour les psychologues dont les prédictions enregistrées se sont révélées entièrement fausses, ce qui est bien compréhensible.

Une manière confortable d'éluder l'inconfortable problème auquel ces résultats nous affrontent est d'accuser les pulsions agressives refoulées des sujets, pulsions qui trouveraient dans les expériences une issue socialement respectable. Cette interprétation est dans la ligne traditionnelle du « besoin de destruction » de Freud et de l' « instinct de meurtre » de Lorenz — conceptions que contredisent, j'ai essayé de le montrer l'histoire et la psychologie également. Milgram a trouvé une élégante méthode pour réfuter cette explication trop facile, et pour démontrer que

> ...l'acte d'infliger des secousses électriques à la victime ne prend pas racine dans des besoins destructeurs mais dans le fait que les sujets sont intégrés dans une structure sociale et sont incapables d'en sortir. Supposons que l'expérimentateur fasse boire un verre d'eau au sujet. Cela signifie-t-il que le sujet a soif? Évidemment non, il fait ce qu'on lui dit, c'est tout. L'essence de l'obéissance est justement que l'acte exécuté ne correspond pas aux mobiles de l'agent, il prend naissance dans le système de motivations d'un échelon supérieur de la hiérarchie sociale [4].

A l'appui de cette proposition, Milgram a fait une nouvelle série d'expériences dans lesquelles l' « enseignant » était libre d'infliger à l'élève des décharges de n'importe quelle intensité, à son choix, pour n'importe quels essais :

> les courants les plus forts, ou les plus faibles, ou intermédiaires et avec les combinaisons qu'il voudrait [5]...
>
> Bien qu'ils aient eu toutes les occasions de faire souffrir l'élève, presque tous les sujets ont administré les chocs les plus faibles indiqués au tableau de contrôle, le niveau moyen se situant à 54 volts.
>
> On se rappelle que les premières plaintes de la victime ne se manifestent qu'à 75 volts. Mais si les pulsions destructives essayaient vraiment de se défouler, et si les sujets pouvaient justifier au nom de la science l'utilisation de niveaux élevés d'électrochocs, pourquoi n'ont-ils pas fait souffrir les « élèves »? On n'a observé presque aucune tendance à agir ainsi.

Un ou deux sujets tout au plus [sur 40 *] ont paru trouver quelque satisfaction à électrocuter l'élève. Les niveaux n'ont été aucunement comparables à ceux obtenus quand les sujets avaient l'ordre d'électrocuter la victime. C'est un autre ordre de grandeur [6].

Dans les premières expériences, où « l'enseignant » agissait sur les ordres du professeur, 25 sujets sur 40 en moyenne administraient l'électrochoc maximal de 450 volts. Dans l'expérience comportant le libre choix, 38 sur 40 n'ont pas dépassé les 150 volts (niveau des premiers cris), deux sujets seulement allant jusqu'à 325 et 450 respectivement.

Argument décisif enfin, Milgram cite d'autres expériences menées par ses confrères Buss et Berkowitz selon un scénario analogue.

Au cours de manipulations expérimentales typiques ils s'efforçaient d'irriter le sujet pour voir si, par colère, il enverrait des décharges plus fortes. Mais l'effet de ces manipulations a été minuscule par rapport aux niveaux obtenus dans l'obéissance. Autrement dit, quoi que les expérimentateurs aient pu faire pour agacer, irriter ou frustrer le sujet, celui-ci montait tout au plus de deux niveaux, disons du niveau de choc 4 au niveau 6 [90 volts]. Cela représente un authentique accroissement d'agressivité, mais il reste toujours une différence de tout un ordre de grandeur entre la variation de comportement introduite de cette façon, et les conditions dans lesquelles le sujet reçoit des ordres [7].

La grande majorité des sujets, loin de prendre plaisir à électrocuter la victime, manifestait des symptômes d'anxiété et de tension émotionnelle. Certains transpiraient abondamment, d'autres suppliaient le professeur d'arrêter l'expérience ou exprimaient leur indignation en la déclarant cruelle et stupide. Et néanmoins les deux tiers allèrent jusqu'au bout.

Qu'est-ce qui les faisait persévérer dans une tâche qui leur répugnait, une tâche en contradiction flagrante avec les normes de leur morale individuelle? Mises à part quelques différences de vocabulaire, l'analyse de Milgram rejoint les considérations théoriques exposées plus haut. Il reconnaît les implications profondes du concept de hiérarchie :

Quand des individus sont mis en condition de contrôle hiérarchique, le mécanisme qui assure ordinairement la régulation des pulsions individuelles cesse de fonctionner, son rôle est repris par le composant du niveau supérieur [8]...
Les individus qui s'insèrent dans ces hiérarchies sont nécessairement

---

* Chaque expérience groupait 40 sujets, âges et professions confondus.

modifiés dans leur fonctionnement [9]... Cette transformation correspond précisément au dilemme central de notre expérience : comment se fait-il qu'une personne habituellement décente et courtoise agisse avec dureté contre une autre dans le cadre de l'expérience [10]...?

La disparition du sens de la responsabilité est la plus vaste conséquence de la soumission à l'autorité [11]...

La plupart des sujets situent leur comportement dans un grand contexte d'entreprises bénéfiques utiles à la société : la recherche de la vérité scientifique. Un laboratoire de psychologie peut nettement prétendre à la légitimité, il inspire confiance à ceux qu'on invite à y travailler.

Un acte comme l'électrocution d'une victime, qui paraît mauvais considéré isolément, prend un sens tout différent quand on le place dans cet environnement [12]...

La moralité ne disparaît pas, mais sa focalisation devient radicalement différente : la personne subordonnée éprouve honte ou fierté selon qu'elle a mal ou bien exécuté les actes commandés par l'autorité. Le langage offre un grand nombre de termes pour désigner ce type de morale : loyalisme, sens du devoir, discipline [13]...

Nous tenons donc la confirmation expérimentale de ce que j'ai appelé la « dialectique infernale » de la condition humaine. Ce n'est pas une « agressivité innée », comme on dit (les tendances assertives) qui transforme de braves citoyens en tortionnaires, c'est leur dévouement autotranscendantal à une cause, symbolisée par le professeur dans son rôle de chef. C'est la tendance à l'intégration servant de véhicule ou de catalyseur qui provoque le changement de morale, l'abrogation de la responsabilité personnelle, le remplacement du code de comportement de l'individu par celui du « composant supérieur » dans la hiérarchie. Au cours de ce processus fatal, la personne, dans une certaine mesure, se dépersonnalise; elle ne fonctionne plus comme holon autonome, comme totalité partielle, mais seulement comme partie. Janus n'a plus ses deux faces, il ne lui en reste qu'une, qui regarde là-haut avec toutes les marques du ravissement religieux ou de la fascination imbécile.

Les conclusions de Milgram sont conformes à cette théorie :

Telle est sans doute la leçon fondamentale de notre étude : des gens ordinaires, en faisant simplement leur travail, et sans hostilité particulière de leur part, peuvent devenir agents dans un processus destructeur terrible. De plus, même quand les effets destructeurs de leur travail deviennent absolument évidents et qu'on leur demande d'exécuter des actions incompatibles avec les normes fondamentales de la morale, relativement peu de gens ont les ressources intérieures qu'il faut pour résister à l'autorité [14]...

Le comportement révélé par les expériences décrites ici est un comportement humain normal mais mis en lumière dans des conditions qui montrent avec une clarté singulière le danger qui menace la survie de l'humanité et qui est inhérent à notre constitution. Or qu'avons-nous vu? Ce n'est pas l'agressivité, car il n'y a ni colère, ni esprit de vengeance, ni haine chez ceux qui électrocutent la victime. C'est quelque chose de bien plus dangereux que l'on découvre : l'aptitude de l'homme à abdiquer son humanité, et en fait, l'inévitabilité qu'il abdique ainsi quand il noie sa personnalité dans des structures institutionnelles.

C'est une faille mortelle que nous tenons de nature et qui à la longue ne laisse à notre espèce qu'une médiocre chance de survie.

Il est ironique que les vertus de loyalisme, de discipline et d'abnégation que nous prisons tant dans l'individu soient précisément les propriétés qui créent les machines organisationnelles de guerre et enchaînent les hommes aux pires systèmes d'autorité [15]...

4

J'ai dit que la métamorphose d'esprits individuels en esprit de groupe ne requiert pas nécessairement une présence matérielle dans un groupe; il peut suffire d'un acte d'identification au groupe, à ses croyances, à ses traditions, à sa hiérarchie et/ou à ses symboles générateurs d'émotions. Dans le cas des expériences de Milgram les « enseignants » entraient dans un groupe invisible — la sacro-sainte hiérarchie universitaire, le clergé de la Science — dont le professeur représentait la sagesse et l'autorité. Mais une fois engagés ils se trouvaient piégés dans un « système clos » où l'on entre plus facilement qu'on en sort. La tendance intégrative qui procure les forces de cohésion à l'intérieur du groupe, se manifeste sous des formes diverses dont nous avons parlé et qui ont toutes une charge affective qui dépasse de loin ce qu'on pourrait raisonnablement prévoir : les résultats de Milgram devaient réfuter radicalement les prédictions des psychologues — et du bon sens.

Les expériences plus récentes d'Henri Tajfel et de son équipe de l'université de Bristol ont mis au jour des phénomènes non moins inattendus, dans un contexte différent. On avait fait passer à des groupes de garçons de quatorze à quinze ans des tests psychologiques sommaires et complètement fictifs; après quoi chaque garçon

se vit annoncer qu'il était soit un « Julius », soit un « Augustus ».
On ne donnait aucune définition des Julius et des Augustus, les
intéressés ne savaient même pas qui étaient les autres camarades
de leur groupe. Néanmoins ils eurent vite fait de s'y identifier, tous
très fiers d'être Julius ou Augustus, au point d'être prêts à faire des
sacrifices financiers au profit de leurs frères anonymes et à nuire aux
camarades de l'autre camp.

Une méthode assez compliquée a été suivie dans ces expériences
et dans des études subséquentes; sans aller dans les détails je préfère citer le résumé publié par Nigel Calder qui a beaucoup fait
pour attirer l'attention sur les données de Tajfel.

Les expériences entreprises sur des écoliers de Bristol ont introduit
des points de repère dans un vaste océan de comportement social qui
auparavant ne paraissait pas navigable pour la science. Plusieurs théories avaient été lancées en vain. Certaines, comme celles de Sigmund
Freud et de Konrad Lorenz, présentaient l'agressivité instinctive de
l'individu comme la source des conflits entre groupes — en somme une
guerre mondiale serait comparable à une rixe de bistrot qui tourne mal [16]...
Mais le grand problème a toujours été d'expliquer pourquoi des jeunes
gens bien élevés vont si facilement tuer d'autres jeunes gens bien élevés,
et non pas dans des hordes frénétiques mais en formation disciplinée.
C'est un démenti à la théorie « individualiste » que vient de formuler le
psycho-sociologue Henri Tajfel, en montrant le changement radical
qui se produit dans les normes du comportement lorsqu'un groupe en
confronte un autre. Ce qui entre en jeu c'est l'aptitude des hommes à
agir à l'unisson, conformément aux lois et à la structure de la société,
les mobiles et sentiments individuels se trouvant alors dans une grande
mesure hors de propos... Dans une remarquable série d'expériences
Tajfel et ses collègues de l'université de Bristol ont démontré que l'on
peut modifier de manière prévisible le comportement d'un individu
simplement en lui disant qu'il appartient à un groupe, même s'il n'a
jamais entendu parler de ce groupe. Presque automatiquement le participant à ces expériences favorise les membres anonymes de son groupe,
et s'il en a l'occasion est enclin à faire tous ses efforts pour mettre en
désavantage les membres d'un autre groupe... Les gens prendront
fait et cause pour un groupe auquel on les a assignés fortuitement, sans
la moindre indoctrination à propos de ses membres ou des qualités qu'il
pourrait avoir [17]... Ce n'est qu'en appréhendant toute la portée de la
propension immédiate et positive des humains à s'identifier à tout groupe
dans lequel ils se trouvent que l'on peut établir une base solide pour une
recherche des origines de l'hostilité [18]...

Ces expériences m'ont paru extrêmement révélatrices pour des
raisons théoriques d'abord, et aussi pour des motifs personnels liés

à un épisode de mon enfance qui n'a cessé de m'amuser et de m'intriguer. Dès mon premier jour d'école, à Budapest (j'avais cinq ans), mes nouveaux camarades me posèrent une question grave : « Tu es M.T.K. ou F.T.C.? » C'étaient les sigles des deux grandes équipes hongroises de football, rivales perpétuelles des championnats nationaux, comme tout gamin le savait, sauf moi, hélas, que l'on n'avait jamais emmené à un match. Mais comme il était impensable d'avouer une si profonde ignorance, je répondis avec une belle fermeté : « M.T.K., bien sûr! » Les dés étaient jetés; durant toute mon enfance, même plus tard à Vienne où ma famille avait déménagé, je demeurai un ardent supporter du M.T.K. et aujourd'hui encore mes vœux l'accompagnent au-delà du rideau de fer. Bien plus, les glorieux maillots bleu et blanc de ce club gardent pour moi toute leur magie, tandis que les vulgaires raies vertes et blanches de ses indignes adversaires m'inspirent toujours la même répulsion. Je me demande même si cette conversion enfantine n'a pas contribué à faire du bleu ma couleur préférée. (Après tout le bleu du ciel est une couleur primaire, alors que le vert n'est que le produit de son altération par le jaune.) Je peux en rire, mais l'attachement affectif, le lien magique, est toujours là, et je croirais commettre un sacrilège si je trahissais le M.T.K. bleu et blanc pour le F.T.C. vert et blanc. En vérité nous attrapons nos allégeances comme des virus. Pire, nous vivons toute notre existence sans avoir conscience de cette disposition pathologique qui entraîne l'humanité de catastrophe en catastrophe.

5

Depuis le début de l'histoire, les sociétés humaines ont toujours assez bien réussi à freiner les tendances assertives de l'individu, et à faire de la petite brute qui hurle dans son berceau une personne plus ou moins civilisée et soumise aux normes. Mais l'histoire témoigne également de l'inaptitude tragique de l'humanité à produire une sublimation parallèle de la tendance à l'intégration. Or, il faut y insister, la splendeur et la misère de la condition humaine dérivent l'une et l'autre de nos facultés d'autotranscendance qui sont capables de faire de nous des artistes, des saints ou des tueurs, et le plus souvent des tueurs. Seule une petite minorité sait canaliser les pulsions autotranscendantes dans des voies créatrices. D'un bout à l'autre de l'histoire, pour la grande majorité le seul assouvissement du besoin d'appartenance, de l'appétit de communion, a été l'identification au clan, à la tribu, à la patrie, à la religion, au parti, la soumission au chef, le culte des symboles, l'acceptation puérile et inconditionnelle d'un système de croyances bourré de valeurs affectives. Il y a donc entre le dressage adulte de la tendance assertive et l'anarchie infantile de la tendance à l'intégration un contraste qui est frappant dès que l'esprit de groupe l'emporte sur l'esprit individuel, que ce soit dans un meeting politique ou dans un laboratoire de psychologie.

En termes aussi simples que possible : l'individu qui s'abandonne à un excès d'assertion agressive encourt des pénalités de la part de la société; il se met hors la loi, il prétend *sortir* de la hiérarchie. Le fidèle, au contraire, le croyant, s'y insère plus profondément; il entre dans le sein de l'Église ou du parti, ou de n'importe quel holon social auquel il sacrifie son identité. Car sous ses formes les plus grossières, le processus d'identification suppose toujours une certaine mutilation de la personnalité, une certaine abdication du jugement critique et de la responsabilité personnelle.

Cela nous amène à établir une distinction fondamentale entre formes primitives ou infantiles *d'identification* et formes évoluées *d'intégration* dans une holarchie sociale. Dans une holarchie bien équilibrée, l'individu conserve son caractère de holon social, de tout-partie qui, en tant que tout, jouit d'une certaine autonomie dans les limites des contraintes imposées par les intérêts du groupe. Il reste totalité parfaitement autonome, il est même censé affirmer ses attributs holistiques par l'originalité, l'initiative et surtout la responsabilité personnelle. Les mêmes considérations s'appliquent aux holons sociaux aux échelons supérieurs de la hiérarchie : clans et tribus, communautés ethniques et religieuses, groupements professionnels, partis politiques. Eux aussi devraient théoriquement manifester les vertus que suppose le principe de Janus : fonctionner en tant que touts autonomes et en même temps se conformer à l'intérêt national — et ainsi de suite en s'élevant par échelons jusqu'à la communauté mondiale au sommet de la pyramide. Une société idéale serait ainsi douée de « connaissance hiérarchique », chacun de ses holons à tous les niveaux ayant conscience de ses droits en tant que tout comme de ses devoirs en tant que partie.

Il va sans dire que le miroir de l'histoire ancienne et contemporaine ne nous renvoie pas cette image-là.

6

Je n'ai fait que mentionner en passant les dramatiques manifestations d'hystérie collective qui ont tellement impressionné Le Bon et Freud parce que je voulais concentrer l'attention sur le processus des groupes « normaux » et les ravages qu'il inflige à l'histoire de notre espèce. Ce processus « normal », nous l'avons vu, entraîne l'identification au groupe et l'acceptation de ses croyances. Un sous-produit important de ce processus est l'aggravation du conflit qui sépare affectivité et raison. L'esprit de groupe est dominé en effet par un système de croyances, de traditions, d'impératifs moraux, dont la charge émotive est très élevée quel qu'en soit le contenu rationnel; et il est très fréquent que sa puissance explosive se renforce précisément de son irrationalité. L'adhésion à la foi du groupe est un engagement affectif qui anesthésie les facultés critiques de l'individu et fait du doute rationnel un péché à repousser avec dégoût. De plus, les individus ont des idées, plus ou moins complexes, tandis que le groupe doit avoir des idées extrêmement simples pour pouvoir maintenir sa cohésion en tant que holon. En conséquence l'esprit de groupe fonctionne nécessairement à un niveau intellectuel accessible à tous les membres : la simplicité n'ira jamais bien haut. Le résultat global est le renforcement de la dynamique affective du groupe et en même temps la réduction de ses facultés intellectuelles : triste caricature de l'idéal de conscience hiérarchique.

7

J'ai parlé d'un courant paranoïaque qui traverse l'Histoire. Tout esprit éclairé le reconnaîtra sans doute chez les Papous chasseurs de têtes ou chez les Aztèques qui sacrifiaient à leurs dieux 20 000 ou 50 000 jeunes gens, garçons et filles, par an.

En de telles circonstances, écrit Prescott à propos du royaume aztèque, ce fut un bienfait de la providence que le pays fût livré à une autre race, qui le sauverait des superstitions brutales qui s'étendaient chaque jour, avec l'empire, de plus en plus loin. Les institutions avilissantes des Aztèques fournissent la meilleure excuse de la conquête. Il est vrai que les conquérants apportèrent l'Inquisition. Mais ils apportèrent aussi le christianisme dont le rayonnement charitable devait survivre quand les terribles flammes du fanatisme se seraient éteintes [19]...

Seulement Prescott devait savoir que peu après la conquête du Mexique le « rayonnement charitable » du christianisme se manifesta dans la guerre de Trente Ans, qui extermina une part fort appréciable de la population européenne. Et ainsi de suite, jusqu'à Auschwitz, jusqu'au Goulag. Et pourtant les esprits lucides qui voient dans ces horreurs les manifestations d'un désordre mental sont très capables de les reléguer parmi les phénomènes aberrants d'un passé ténébreux. Il n'est pas facile d'aimer le genre humain et d'admettre en même temps que le courant paranoïaque est aussi présent aujourd'hui qu'autrefois, qu'il est bien plus dangereux virtuellement en raison de ses conséquences, et qu'il n'est pas contingent, mais inhérent à la condition humaine.

Il n'y a pas si longtemps l'Agence Chine nouvelle commentait un exercice de natation du président Mao : « Sa traversée du Yangtsé à la nage a été un puissant encouragement pour le peuple chinois et les révolutionnaires du monde entier, et un coup très dur porté à l'impérialisme, au révisionnisme moderne et aux monstres qui s'opposent au socialisme et à la pensée de Mao-Tsé-toung [20]. »

Les symptômes changent avec le temps, mais la structure sous-jacente du désordre demeure la même : divorce de la foi et de la raison, coupure entre la pensée rationnelle et les croyances irrationnelles. Les croyances religieuses dérivent de motifs archétypiques récurrents, qui semblent communs à toute l'humanité et provoquent des réactions émotives immédiates*. Mais quand elles s'institutionnalisent et deviennent la propriété collective d'un groupe spécifique, elles dégénèrent en doctrines figées qui, sans perdre leur séduction émotionnelle seront virtuellement nuisibles aux facultés critiques. Pour pallier la rupture on invente maintes formes de duplicité mentale, quelquefois simplistes, quelquefois très raffinées : il y a eu d'excellentes techniques d'aveuglement, qui servent aussi aux religions laïques qu'on appelle idéologies politiques. Celles-ci ont également des racines archétypiques, poursuite de l'utopie, société parfaite; mais quand elles cristallisent en mouvements et en partis, elles risquent de se déformer à tel point

---

* Le livre de William JAMES, *Les Variétés de l'expérience religieuse,* est toujours bon à consulter sur ces questions. On peut se reporter aussi aux ouvrages plus récents de sir Alister HARDY, *The Divine Flame* et *The Biology of God.*

que la politique qu'elles poursuivent réellement est en contradiction totale avec l'idéal qu'elles proclament. Cette tendance apparemment inéluctable des idéologies, qu'elles soient religieuses ou laïques, à se caricaturer elles-mêmes est une conséquence directe des caractéristiques de l'esprit de groupe : le besoin de simplicité intellectuelle combiné avec un foisonnement d'émotions.

Les croyances irrationnelles sont saturées d'affectivité : on *sent* qu'elles sont vraies. Croire, c'est « connaître avec ses entrailles », a-t-on dit. Or le savoir viscéral, inné ou acquis, relève du cerveau ancien. Nous parlons souvent de nos jugements affectifs comme de « réactions instinctives », c'est une mauvaise définition; mais il est vrai que ces jugements ont toute la force élémentaire, et paléocérébrale des instincts authentiques et comme eux peuvent défier la raison. Dès lors ces considérations psychologiques nous ramènent tout droit aux théories neuro-physiologiques que nous avons examinées dans le Prologue. La schizophysiologie du cerveau permet d'expliquer le courant démentiel qui traverse l'histoire de l'humanité.

Il est clair que les croyances qui nous sont chères ne sont les produits ni du néocortex uniquement ni du « cerveau ancien » que nous avons en commun avec les mammifères inférieurs; elles résultent plutôt de la collaboration de ces deux cerveaux. Le degré d'irrationalité varie selon que tel ou tel niveau domine et dépend de l'étendue de cette domination. Entre les extrêmes théoriques de la « pure logique » et de la « passion aveugle » les niveaux d'activité mentale sont nombreux, comme on le voit chez les primitifs à divers stades de développement, chez les enfants à divers âges, chez les adultes en divers états de conscience (lucidité, rêve éveillé, rêve, hallucination, etc.). Chacun de ces types d'activité mentale suit ses « règles du jeu » qui reflètent les interactions complexes des structures anciennes et récentes du cerveau. Elles doivent en effet interagir constamment — même si leur coordination est défectueuse et manque des contrôles efficaces qui stabilisent les holarchies bien ordonnées. C'est ainsi que les symboles verbaux les plus abstraits sont chargés de valeurs affectives et de réactions viscérales; on le démontre admirablement au détecteur psycho-galvanique. Et c'est encore plus vrai, bien entendu, pour les doctrines et les idéologies amplifiées par l'esprit de groupe. Malheureusement on ne peut pas se servir d'un détecteur pour mesurer l'irrationalité des croyances et leur potentiel explosif.

CHAPITRE V

Ou le désespoir ou une autre solution

1

TANT que nous avons cru que l'espèce était virtuellement immortelle, qu'elle disposait d'un avenir astronomique, nous pouvions attendre patiemment l'évolution qui, peu à peu ou d'un seul coup, transformerait la nature humaine pour faire prévaloir la solidarité et la raison. Malheureusement l'évolution biologique s'est arrêtée au temps de l'homme de Cro-Magnon, il y a 50 ou 100 000 ans. Nous ne pouvons pas attendre encore 100 000 ans l'improbable mutation fortuite qui arrangera les choses; le seul espoir de survivre est d'inventer des techniques qui remplacent l'évolution biologique. En d'autres termes il nous faut chercher un remède à la schizophysiologie endémique qui nous a mis dans la situation actuelle. Si nous ne trouvons pas, l'homme poussé par son antique tendance paranoïaque et muni de ses nouveaux pouvoirs de destruction parviendra fatalement à s'anéantir. En revanche je considère que pour la biologie contemporaine le remède n'est pas vraiment hors de portée et que si l'on y concentre assez d'efforts il pourrait permettre à l'homme de gagner la bataille de la survie.

Voilà qui semble bien optimiste, je m'en rends compte, après ce que j'ai dit des perspectives qui s'ouvrent devant nous. Or je ne

crois pas que ces craintes soient exagérées, et je ne crois pas non
plus qu'il soit utopique d'espérer la guérison. L'idée ne relève pas
de la science-fiction, elle est fondée sur les progrès récents de la
neuro-chimie et de plusieurs disciplines connexes. Ces sciences ne
permettent pas encore de soigner les troubles mentaux de l'espèce,
mais elles indiquent le domaine de recherches qui pourra éventuellement procurer le remède que j'appelais de mes vœux dans le
Prologue : cette combinaison de bonnes hormones, ou d'enzymes
favorables, qui résoudrait le conflit entre structures anciennes et
structures récentes du cerveau, en donnant au néocortex les moyens
d'exercer une domination hiérarchique sur les centres archaïques
inférieurs, et catalyserait ainsi le passage de l'animal dément à
l'homme.

Seulement j'ai appris à mes dépens que l'on suscite à coup sûr de
très fortes réactions émotives chaque fois que l'on propose de
« modifier la nature ». De telles résistances se fondent en partie sur
l'ignorance et les préjugés, mais elles viennent aussi d'une saine
aversion contre tout ce qui risque d'ajouter aux violations de la
personnalité, manipulations sociales et psychiques, lavages de cerveau et autres aspects effroyables d'un totalitarisme avoué ou
déguisé. Il n'est guère besoin de dire que je partage cette horreur
d'un cauchemar qui m'a obsédé toute ma vie. Mais d'un autre côté,
il faut bien comprendre que depuis que le premier chasseur grelot-
tant s'est enveloppé d'une peau de bête l'homme n'a cessé pour le
meilleur ou pour le pire de se fabriquer un milieu artificiel, une
manière d'être artificielle, sans lesquels il ne survivrait pas. Il ne
peut plus renoncer au logement, aux vêtements, au chauffage, à la
cuisine; il n'est plus question de se passer de lunettes, de forceps, de
prothèses, d'anesthésiques, d'antiseptiques, de prophylactiques, de
vaccins, etc. On commence presque à la naissance d'un enfant à
« modifier sa nature » puisque c'est une pratique universelle que de
verser une solution de nitrate d'argent dans les yeux des bébés pour
les protéger contre l'ophtalmie des nouveau-nés, forme de conjonc-
tivite qui peut provoquer la cécité et qui est due aux bacilles présents
dans l'appareil génital de la mère. Viennent ensuite les vaccinations
préventives, obligatoires dans la plupart des pays civilisés, contre la
variole, la typhoïde et autres maladies infectieuses. Pour apprécier
la valeur de ces façons de « modifier la nature » rappelons-nous
que c'est en grande partie à cause de la variole que les Indiens d'Amérique ont perdu leur continent. La même maladie a d'ailleurs décimé
la population européenne au début du XVIIe siècle — ses ravages
n'étant égalés, symboliquement peut-être, que par les massacres de

la guerre de Trente Ans, perpétrés au nom de la vraie religion.

Un cas moins connu d'altération de la nature — et qui nous intéresse ici — est la prévention du goitre et du crétinisme qui lui est associé. Dans mon enfance on voyait dans les hautes vallées des Alpes un nombre effrayant de goitreux et d'enfants crétins. Cinquante ans après, quand je retourne dans ces régions, je constate que ces infirmités ont complètement disparu. C'est que grâce aux progrès de la biochimie on a découvert que le goitre provient d'un trouble de fonctionnement de la thyroïde, lequel est dû à l'insuffisance d'iode dans les aliments. Par manque d'iode la glande ne peut pas synthétiser la quantité nécessaire d'hormones thyroïdiennes, ce qui a des conséquences tragiques sur le développement du cerveau. Les services de santé ont introduit de petites doses d'iode dans le sel de table, et le crétinisme goitreux en Europe est pratiquement de l'histoire ancienne.

Il est clair que l'homme n'est pas équipé biologiquement pour vivre dans un milieu dépourvu d'iode, ou pour lutter contre les micro-organismes de la variole et du paludisme. Il n'a pas non plus de défenses instinctives contre l'excès de reproduction : les éthologistes nous enseignent que toutes les espèces animales étudiées — les insectes comme les lapins ou les babouins — sont dotées de contrôles instinctifs qui freinent la reproduction et maintiennent constante la densité de population dans un territoire donné, même si la nourriture y abonde. Quand la densité atteint un seuil critique, elle produit des tensions qui affectent l'équilibre hormonal, réduisent la longévité et ralentissent les activités reproductrices. Il existe donc une sorte de mécanisme de rétroaction qui règle le taux de reproduction et maintient la population à un niveau plus ou moins stable. Dans un territoire donné la population d'une espèce donnée se comporte en fait comme un holon social autorégulateur.

Mais à cet égard, une fois de plus, l'humanité est une espèce excentrique qui à un moment de son évolution a perdu ce mécanisme régulateur. On dirait presque que chez les humains la règle écologique est inversée : plus ils sont entassés dans des bidonvilles, des ghettos et des taudis, plus ils se reproduisent. Ce qui pendant des millénaires a empêché la population d'exploser n'a jamais été le mécanisme de rétroaction qu'on observe chez les autres animaux : c'étaient les moissons funèbres de la guerre, de la peste et de la mortalité infantile. Ces facteurs ne dépendaient guère de la volonté des masses; mais les essais conscients de contrôle des naissances, au moyen de l'infanticide et de la contraception, remontent loin dans l'histoire. (Pour la contraception les premières recettes connues se trouvent dans le *papyrus Petri,* qui date d'environ 1850 avant notre ère). Le contrôle des naissances par l'infanticide a été très répandu aussi depuis les Spartiates jusqu'aux Esquimaux à une époque récente. Comparés à ces cruautés, les moyens modernes d'altérer la nature à l'aide de contraceptifs physiques ou chimiques sont certainement préférables. Cependant ils ont bien pour effet de modifier de manière radicale et permanente les processus physiologiques vitaux du cycle ovarien. Appliqués à l'échelle mondiale, ils équivaudraient à une mutation adaptative artificiellement provoquée.

On n'en finirait pas d'énumérer les heureuses « altérations de la nature humaine », par rapport auxquelles les abus, quelquefois les extravagances, de la médecine et de la psychiatrie deviennent relativement insignifiants. En réalité toutes ces altérations ont eu pour effet en général de *corriger* la nature humaine, qui sans de tels correctifs serait biologiquement à peine viable, et sociologiquement, après d'innombrables désastres, est en marche maintenant vers l'ultime catastrophe. Si l'on a vaincu au moins les pires maladies infectieuses qui attaquent les corps, le moment est venu de chercher des méthodes qui immunisent l'homme contre les délires infectieux qui depuis la nuit des temps attaquent son esprit de groupe et ensanglantent son histoire. La neuropharmacologie nous a donné des gaz asphyxiants, des drogues à lavage de cerveau, et d'autres drogues pour produire à volonté des hallucinations et des délires. Elle peut être plus utile, elle le sera. Citons un exemple du genre de recherches qui vont dans cette direction.

En 1961 le Centre médical de l'université de Californie, à San Francisco, organisa un colloque sur le contrôle de la pensée. Dès la première séance, le professeur Holger Hyden, de l'université de Göteborg, eut les honneurs de la « une » dans les journaux à cause de sa communication intitulée « Aspects biochimiques de l'activité cérébrale », domaine dans lequel son autorité est bien connue. Voici le passage qui fit sensation (je participais moi-même au colloque, ce qui explique l'allusion de la fin) :

> Si l'on considère le problème du contrôle de la pensée, les données soulèvent la question suivante : serait-il possible de modifier les bases de l'émotion en provoquant des changements moléculaires dans les substances biologiquement actives du cerveau? L'A.R.N.* en particulier est le principal objet d'une spéculation de ce genre, puisqu'un changement moléculaire de l'A.R.N. pourrait entraîner une modification

* Acide ribonucléique, substance-clef de l'appareil génétique.

des protéines en formation. On peut formuler autrement la question pour modifier l'accent : les données expérimentales présentées ici donnent-elles le moyen de modifier l'état mental par des changements chimiques spécifiquement provoqués? On a obtenu des résultats dans ce sens, en utilisant une substance appelée tricyano-aminopropène... L'application d'une substance modifiant le taux de production et la composition de l'A.R.N. et provoquant des modifications d'enzymes dans les unités fonctionnelles du système nerveux central a des aspects à la fois négatifs et positifs. On constate que l'administration de tri-cyano-aminopropène est suivie chez l'homme d'une suggestibilité accrue. Tel étant le cas, la modification précise d'une substance fonctionnelle-ment aussi importante que l'A.R.N. dans le cerveau pourrait servir au conditionnement. L'auteur ne se réfère pas spécifiquement au tricyano-aminopropène, mais à n'importe quelle substance provoquant des modi-fications de molécules biologiquement importantes des neurones et des névroglies et affectant l'état mental dans un sens négatif. Il n'est pas difficile d'imaginer les usages auxquels le gouvernement d'un État poli-cier pourrait employer cette substance. Pendant quelque temps il sou-mettrait la population à des conditions particulièrement dures. Brus-quement on améliorerait ces conditions et en même temps on mettrait la substance dans l'eau potable, tandis que les grands moyens d'infor-mation entreraient en action. Ce serait beaucoup moins coûteux et beaucoup plus efficace que de laisser Ivanov traiter Rubachov indivi-duellement et longuement, comme dans le livre de Koestler. En revanche il n'est pas difficile non plus d'imaginer des mesures contre l'effet d'une substance telle que le tricyano-aminopropène [1].

La dernière phrase est d'une prudence calculée, mais le sens est clair. La vérité peut déplaire : si notre espèce doit être sauvée, le salut ne viendra pas des résolutions de l'O.N.U. ni des sommets diplo-matiques, il sortira des laboratoires de biologie. Il paraît raisonnable qu'un désordre biologique ait besoin d'un correctif biologique.

2

Il serait naïf d'escompter que des drogues fassent des cadeaux à l'intelligence, qu'elles viennent enrichir gratuitement le cerveau. Ni l'intuition mystique, ni la profondeur philosophique, ni l'imagina-tion créatrice ne peuvent naître d'une pilule ou d'une injection. Le biochimiste ne peut rien *ajouter* aux facultés cérébrales, mais il peut *éliminer* les obstructions et les blocages qui en entravent le bon usage. Il n'installera pas de circuits supplémentaires dans le cerveau, mais il est capable d'améliorer la coordination de ceux qui existent déjà et de renforcer le pouvoir du néocortex — sommet de la hiérarchie — sur les niveaux affectifs inférieurs et sur les passions qu'engendrent ces derniers. Nos tranquillisants actuels, nos barbituriques, stimulants et autres antidépressifs ne représentent qu'un premier pas vers les moyens plus raffinés qui aideront à promouvoir des intelligences équilibrées, vaccinées contre le chant des sirènes, les harangues des démagogues et les sermons des faux messies. Le but n'est pas le nirvana-pop que procurent le LSD ou le soma du *Meilleur des mondes,* mais un équilibre dynamique qui réunisse la raison et la foi et restaure l'ordre hiérarchique.

3

J'ai publié une première fois ces spéculations confiantes — seule solution de rechange que je voyais (et vois encore) à opposer au désespoir — à la fin de mon livre *Le Cheval dans la locomotive.* Des nombreuses critiques négatives qu'elles ont suscitées l'une des plus fréquentes m'accusait de proposer la fabrication d'une pilule qui supprimerait les sentiments et les émotions et nous réduirait au calme parfait des légumes. Cette accusation proférée parfois avec beaucoup de véhémence témoigne d'une lecture complètement erronée. Ce que je proposais n'était nullement une castration affective, mais une *réconciliation* de l'affectivité et de la raison qui ont été à couteaux tirés durant presque toute l'histoire schizophrénique de l'humanité. Non pas une amputation, mais un processus d'harmonisation assignant à chaque niveau de la pensée, des pulsions viscérales au raisonnement abstrait, sa place appropriée dans la hiérarchie. Cela suppose un renforcement du droit de veto que le cerveau récent doit exercer sur le type de comportement émotif *(et uniquement ce type)* qui est incapable de se concilier avec la raison, par exemple les passions « aveugles » de l'esprit de groupe. Si l'on pouvait éliminer ces passions-là, l'espèce serait sauve.

Il y a des émotions aveugles, et il y a celles des voyants. Quel est le fou qui conseillerait de renoncer aux émotions que suscitent un arc-en-ciel ou une symphonie de Mozart?

4

L'homme qui clamerait aujourd'hui qu'il a fait un pacte avec le diable et qu'il couche avec des succubes se verrait promptement envoyer à l'hôpital. Or il n'y a pas si longtemps la croyance à ce genre de choses allait de soi, elle était admise par le « sens commun », autrement dit l'opinion générale, ou encore l'esprit de groupe. La psychopharmacologie joue un rôle croissant dans le traitement des troubles mentaux, tels que les délires individuels qui affectent le jugement et qui ne sont pas acceptés par l'esprit de groupe. Mais il s'agit maintenant de soigner la tendance paranoïaque chez les gens que nous appelons « normaux », tendance qui se manifeste quand ils sont victimes de la mentalité de groupe. Il existe maintenant des drogues pour rendre le cerveau encore plus influençable, la science sera donc bientôt en mesure de faire le contraire, c'est-à-dire de renforcer les facultés critiques, de contrecarrer l'abnégation dévoyée et l'enthousiasme militant — meurtrier et suicidaire à la fois — qui s'étale dans les livres d'histoire et dans les journaux tous les matins.

Mais qui décidera de la valeur des enthousiasmes, les uns fourvoyés les autres utiles à l'humanité? La réponse paraît évidente : une société composée d'individus autonomes, immunisés contre l'hypnose de la propagande et de la manipulation mentale, protégés contre leurs faiblesses d'« animaux crédules ». Mais cette protection ne viendra ni d'une contre-propagande, ni d'une fuite dans la marginalité, toujours défaitiste. On ne l'assurera qu'en « altérant » la nature humaine pour en corriger les prédispositions schizophysiologiques. Il n'y aura pas de solution moins chère, l'Histoire l'atteste.

5

En admettant que les laboratoires réussissent à produire une substance immunisante qui confère la stabilité mentale, comment pourra-t-on en propager mondialement l'usage? Faudra-t-il la faire ingurgiter de force?

Là aussi la réponse paraît évidente. Les analgésiques, les excitants, les tranquillisants, les contraceptifs se sont répandus dans le monde, pour le meilleur ou pour le pire, avec un minimum de publicité et d'encouragements officiels. L'usage d'un stabilisateur mental ne se répandrait pas par coercition, on l'adopterait par intérêt bien compris; et à partir de là les conséquences sont aussi imprévisibles que celles de n'importe quelle découverte scientifique. Un canton suisse pourrait décider, après référendum, d'ajouter la nouvelle substance à l'iode du sel de cuisine ou au chlore de l'eau potable. Ce pourrait être une mode internationale chez les jeunes. D'une matière ou d'une autre la mutation simulée ferait son chemin. Des pays totalitaires essaieraient d'y résister, c'est possible. Mais les rideaux de fer eux-mêmes deviennent poreux aujourd'hui, la mode pénètre irrésistiblement. Y aurait-il une période de transition durant laquelle un camp seulement suivrait la cure, ce camp y gagnerait un avantage décisif parce que plus rationnel dans sa politique à long terme, moins peureux et moins hystérique. Pour conclure on me permettra de citer ce que j'écrivais dans *Le Cheval dans la locomotive* :

> Tout écrivain a son type préféré de lecteur imaginaire : aimable fantôme, mais critique difficile, dont l'opinion est la seule qui compte et avec lequel il poursuit un dialogue interminable. Or je ne doute pas que cet ami lecteur ait assez d'imagination pour extrapoler dans l'avenir à partir des progrès récents de la biologie, et qu'il admette que la solution esquissée ici appartient au domaine du possible. Ce qui m'inquiète, c'est qu'il ne l'aime pas, cette solution; c'est qu'il recule de dégoût à l'idée que, pour nous sauver, il faille compter sur la chimie moléculaire au lieu de renaître spirituellement. Je partage sa détresse, mais je pense que nous n'avons pas le choix. Je l'entends s'écrier : « En essayant de placer vos pilules, vous adoptez justement le grossier matérialisme, le scientisme naïf auxquels vous prétendez vous opposer. » Oui, je m'y oppose, mais je ne crois pas qu'il soit « matérialiste » de considérer avec réalisme la condition humaine, ni qu'il y ait de l'orgueil scientiste à faire prendre de l'extrait de thyroïde à des enfants qui, sans cela, deviendraient des crétins... Comme le lecteur j'aimerais mieux mettre mon espoir dans la persuasion morale par la parole et par l'exemple. Malheureusement nous sommes une race de malades mentaux et, en tant que tels, sourds à la persuasion. On l'a essayée depuis le temps des prophètes jusqu'à Albert Schweitzer... et le cri d'angoisse de Swift : « Ne pas mourir ici enragé comme un rat empoisonné dans son trou », est devenu le cri de notre époque.
>
> La nature nous laisse à nos propres forces, Dieu a décroché son téléphone, et le temps presse. Espérer que le salut va être synthétisé en laboratoire, voilà qui a l'air matérialiste, peut-être, ou extravagant ou

naïf; on retrouve dans cet espoir le rêve de l'*elixir vitae* que pensaient concocter les vieux alchimistes. Mais de l'élixir nous n'attendons pas qu'il nous donne la vie éternelle, nous voudrions qu'il change l'*homo maniacus* en *homo sapiens* [2].

Telle est la seule solution de rechange que je puisse discerner dans le futur. Passons maintenant à des horizons plus riants.

DEUXIÈME PARTIE

L'INTELLIGENCE CRÉATRICE

CHAPITRE VI

Humour et esprit

1

L A théorie de la créativité que j'ai exposée dans de précédents
ouvrages [1] veut montrer que toutes les activités créatrices — les
processus conscients et inconscients sous-jacents aux trois domaines
de l'originalité artistique, de la découverte scientifique et de l'inspiration comique — ont une même structure fondamentale, structure
qu'elle se propose de décrire. Les trois panneaux du triptyque de la
page 121 indiquent que ces trois domaines sont contigus, sans cou-
pures nettes entre eux. Le sens de ce graphique apparaîtra au fur et à
mesure de la discussion.

Bizarrement c'est dans l'humour et l'esprit que le processus
créateur se manifeste le plus clairement. Mais la chose semblera
moins bizarre si l'on se rappelle qu' « esprit » est un terme ambigu
qui désigne aussi bien les finesses de la conversation que les
hardiesses de l'imagination *. L'amuseur et le chercheur sont tenus

---

* L'anglais *wit* (intelligence, vivacité d'esprit) vient de *witan* (entendement),
qui est de même racine que le sanscrit *veda* (connaissance). En allemand *Witz*,
apparenté à *wissen* (savoir), signifie aussi bien plaisanterie que finesse; *Wissen-
schaft* (science) est proche de *Furwitz* et de *Aberwitz* (présomption, effronterie,
farce). En français les sens d'*esprit* et de *spirituel* vont de la mystique à l'amusement, au *jeu d'esprit*.

l'un et l'autre d'avoir de l'esprit, et nous verrons que les devinettes de l'amuseur peuvent nous faire entrer par la petite porte, pour ainsi dire, dans la secrète officine de l'originalité créatrice. L'enquête commencera donc par une analyse du comique *. On pensera peut-être que je donne trop de place à l'humour, mais ces pages constituent surtout un moyen de parvenir aux processus des créations scientifiques et esthétiques, et d'ailleurs on les considérera si l'on préfère comme un essai distinct, qui pourrait reposer le lecteur.

2

On peut définir simplement l'humour, en ses multiples splendeurs, comme un type de stimulation qui tend à provoquer le réflexe du rire. Le rire spontané est en effet un réflexe moteur, produit par la contraction coordonnée de quinze muscles faciaux dans un mouvement stéréotypé, accompagnée d'une altération de la respiration. En stimulant électriquement le grand zygomatique, principal muscle de la lèvre supérieure, à l'aide de courants d'intensité variable, on produit des expressions qui vont du léger sourire aux contorsions faciales typiques du gros rire [3]. (Certes chez l'homme civilisé le sourire et le rire sont souvent conventionnels, et obéissent à des efforts volontaires qui remplacent ou altèrent l'activité réflexe; toutefois il ne s'agit ici que du rire spontané.)

Dès qu'il est admis que le rire est un humble réflexe, plusieurs paradoxes se présentent. Les réflexes moteurs tels que la contraction pupillaire sont des réactions simples à des stimuli simples et dont la valeur pour la survivance est évidente. Mais la contraction involontaire de quinze muscles faciaux associée à des bruits irrépressibles est une activité sans valeur pratique et sans le moindre rapport avec la lutte pour la vie. Le rire est un réflexe, mais exceptionnel en ceci qu'il n'a apparemment aucune utilité biologique. Un réflexe de luxe, dirait-on. Sa seule fonction utilitaire, à ce qu'il semble, est d'alléger momentanément les pressions utilitaires.

Le second paradoxe, lié au premier, est qu'il y a dans les échanges comiques un écart étonnant entre la nature du stimulus et celle de la réponse. Quand un coup sous le genou provoque le réflexe ten-

---

* Ce chapitre résume la théorie que j'ai donnée dans la 15ᵉ édition de l'*Encyclopaedia Britannica* [2].

dineux, le stimulus et la réponse fonctionnent sur le même plan physiologique élémentaire, sans recourir à l'intervention des fonctions mentales supérieures. Mais qu'une activité intellectuelle aussi complexe que la lecture d'un livre humoristique puisse provoquer une contraction réflexe spécifique de la musculature faciale, c'est un phénomène qui a intrigué plus d'un philosophe depuis Platon. Aucune réaction nettement prévisible ne dit à un conférencier s'il a réussi à convaincre son auditoire; mais dès qu'il fait une plaisanterie le rire sert de preuve expérimentale. L'humour est la seule forme de communication dans laquelle un stimulus très complexe produit une réponse prévisible et stéréotypée au niveau des réflexes physiologiques. C'est ce qui nous permet d'utiliser la réaction pour détecter la présence de cette insaisissable qualité, le comique — comme les toc du compteur Geiger indiquent la présence de radioactivité. Une telle procédure n'est possible dans aucune autre forme d'art; et puisque le passage du sublime au ridicule peut se faire dans l'autre sens, l'étude du comique fournit au psychologue des renseignements importants pour l'étude de la créativité en général.

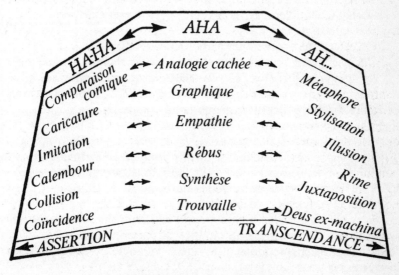

Les trois domaines de la Créativité.

3

La diversité des situations qui provoquent le rire est extrême, depuis le chatouillement physique jusqu'aux émoustillements intellectuels les plus raffinés. J'aimerais montrer qu'il y a une unité dans cette diversité, un dénominateur commun qui, selon un schéma spécifique et spécifiable, reflète la « logique » ou la « grammaire » du comique. Quelques exemples aideront à découvrir ce schéma.

a) Un masochiste, c'est quelqu'un qui prend une douche chaude parce qu'il préfère les douches froides.

b) On demande à une femme ce qu'elle pense du séjour de son défunt mari dans l'au-delà. « Oh, il doit être au paradis, répond-elle. Mais ne me parlez pas de ça, c'est trop triste. » (Variante de l'anecdote de Russell citée plus haut.)

c) Un médecin réconforte son client : « Votre maladie est très grave, on en meurt neuf fois sur dix. Heureusement que vous êtes venu me voir : je viens de soigner neuf clients qui avaient la même maladie, ils sont tous morts. »

d) Dialogue dans un film de Claude Berri :
« Monsieur, m'accorderez-vous la main de votre fille?
— Pourquoi pas? Vous avez déjà tout le reste. »

e) Un marquis de la cour de Louis XV entre chez sa femme et la trouve dans les bras d'un évêque. Après une minute d'hésitation il se dirige tranquillement vers la fenêtre et se met en devoir de bénir les passants dans la rue.

« Qu'est-ce que vous faites? crie l'épouse effrayée.
— Monseigneur remplit mes fonctions, je remplis les siennes. »

Ces cinq historiettes suivent-elles le même canevas? Pour commencer par la dernière on s'aperçoit à la réflexion que la conduite du marquis est en même temps inattendue et parfaitement logique, mais d'une logique qui ne s'applique pas d'ordinaire à ce genre de situation : la logique de la division du travail, qui obéit à des règles aussi vieilles que la civilisation. Or on s'attendait que sa conduite suive un tout autre code : celui de la morale sexuelle. C'est le choc brusque entre deux codes qui s'excluent mutuellement (ou entre deux contextes, deux holons cognitifs) qui produit l'effet comique. Il nous oblige à percevoir la situation simultanément dans deux cadres de référence autonomes et incompatibles; il nous fait fonctionner au même moment sur deux longueurs d'ondes. Pendant la durée de cette condition insolite, l'événement n'est pas associé à un contexte, comme c'est normalement le cas, il est *bissocié* à deux contextes.

J'ai forgé le terme de « bissociation » pour établir une distinction entre la routine de la pensée disciplinée dans un seul univers du discours — sur un seul plan, disais-je — et les types créateurs d'activité mentale qui opèrent toujours sur plus d'un plan. Dans le comique la création d'une plaisanterie subtile et la perception de cette plaisanterie, qui consiste à la *re-créer* comportent l'une et l'autre la délicieuse secousse mentale d'un saut brusque d'un plan ou d'un contexte à un autre.

Passons aux autres exemples. Dans le dialogue de film, on perçoit d'abord la « main » de la fille dans un contexte métaphorique, et ensuite, tout à coup, dans un contexte physique littéral. Le médecin pense en des termes de probabilités statistiques dont les règles sont inapplicables aux cas individuels; de plus, à l'encontre de ce que laisserait croire le bon sens naïf, les chances de survie du malade ne sont affectées en rien par les événements précédents : c'est une chance sur dix. On trouve là un des profonds paradoxes de la théorie des probabilités; dans la plaisanterie mathématique il y a toujours une énigme.

La veuve qui voit son mari au paradis et en même temps trouve le sujet « trop triste » témoigne pour l'humanité dont le sort est d'habiter une « maison divisée » dans le divorce de la raison et de la foi. Là encore une plaisanterie très simple a des résonances inconscientes qui ne sont audibles qu'à l'oreille intérieure.

Le masochiste qui, sous la douche, se punit en se privant de sa punition quotidienne, suit des règles qui *renversent* celles de la logique normale. (On peut construire aussi un schéma où les deux cadres de référence sont mis à l'envers : Un sadique, c'est quelqu'un qui cherche à faire plaisir à un masochiste.) Cependant l'auteur de la plaisanterie ne croit pas vraiment que le masochiste prend une douche chaude pour se punir; il fait semblant de le croire. L'*ironie* est la meilleure arme du satiriste; elle fait semblant d'accepter les raisonnements de l'adversaire pour en exposer les vices ou l'absurdité implicites.

Ainsi le canevas commun de ces anecdotes est *la perception d'une situation ou d'une idée sur deux plans de référence dont chacun a sa logique interne mais qui sont incompatibles.* On pourrait y voir la collision de deux holons mentaux qui suivent chacun leur code. Cette formule est valable généralement, on peut le montrer, pour toutes les formes de comique et de jeux d'esprit, dont nous examinerons quelques-unes plus loin. Mais elle ne recouvre qu'un aspect du comique : sa *structure logique.* Il faut passer maintenant à un autre aspect fondamental : la *dynamique affective* qui anime cette structure et qui nous fait rire, ou glousser, ou sourire.

4

Le diseur qui raconte une histoire cherche à créer dans son auditoire une tension qui monte à mesure que se déroule le récit, mais qui ne doit pas atteindre le sommet auquel on s'attend normalement. La dernière phrase, la pointe, est une guillotine verbale qui coupe le développement logique de l'histoire et dégonfle nos prévisions dramatiques; la tension éprouvée devient brusquement superflue, elle explose dans le rire, comme l'eau gicle d'un tuyau percé. En d'autres termes le rire débarrasse d'excitations émotives devenues sans objet et qui doivent trouver une issue dans des canaux physiologiques de moindre résistance; la fonction du « réflexe de luxe » est de fournir ces canaux.

Il suffit d'un coup d'œil à une caricature de Hogarth ou de Rowlandson pour voir que les joyeux compères de leurs scènes de taverne se démènent pour évacuer un trop-plein d'adrénaline en se tordant le visage, en se frappant les cuisses, en explosant par saccades, la glotte à demi fermée. Les faces congestionnées montrent que les émotions dont ils se débarrassent par ces soupapes de sûreté sont la brutalité, l'envie, la paillardise grossière. Mais si l'on feuillette un album du *New Yorker* le gros rire cède la place au sourire complice : le flot d'adrénaline s'est distillé, cristallisé en un grain de sel attique. En parcourant le spectre du comique, de l'épais au subtil, de la farce bête à la devinette, de la raillerie à l'ironie, de l'anecdote à l'épigramme, le climat affectif accuse une transformation parallèle. L'émotion qui se décharge dans le gros rire est une agressivité privée de son objectif; les plaisanteries favorites des jeunes enfants sont surtout scatologiques; les adolescents de tous âges se gargarisent de pornographie; l'humour noir travaille dans le sadisme refoulé, la satire dans l'indignation vertueuse. Les diverses formes d'humour comportent une étonnante variété d'humeurs qui peuvent aller jusqu'aux sentiments confus ou contradictoires; mais quel que soit le mélange, il faut qu'il contienne un ingrédient essentiel, indispensable : une pulsion, si faible soit-elle, d'agressivité ou d'appréhension. Il peut s'agir de malice, de dédain, de la méchanceté voilée de la condescendance, ou simplement d'une absence de sympathie envers la victime de la plaisanterie — « anesthésie momentanée du cœur », selon Bergson. Dans les formes les plus subtiles d'humour la tendance agressive peut être si ténue qu'elle ne se révélerait qu'à l'analyse, comme le sel dans un plat qui cependant n'aurait pas de goût sans lui. Qu'on remplace l'agressivité par la sympathie, et la même situation (la chute d'un ivrogne) ne paraîtra plus comique, mais pathétique, elle ne fera pas rire, elle fera pitié. C'est l'élément agressif, la malice détachée de l'imitateur comique qui change le pathos en bathos, la tragédie en travesti. La malice peut se combiner à l'affection dans les taquineries amicales, ou lorsque nous ne savons s'il faut rire ou pleurer des mésaventures de Charlie Chaplin; et chez les civilisés la composante agressive peut se sublimer ou cesser d'être consciente. Mais dans les farces qui plaisent aux enfants et aux primitifs, la cruauté et la vantardise sont manifestes. Une enquête menée en 1961 aux États-Unis sur des jeunes de huit à quinze ans concluait que « la gêne ou l'humiliation d'autrui font rire, alors qu'une remarque drôle ou spirituelle passe souvent inaperçue [4] ».

Il en va de même dans les formes et dans les théories du comique historiquement les plus anciennes. Pour Aristote le rire est lié à la laideur et à l'avilissement. Pour Cicéron « le domaine du ridicule... se situe dans une certaine bassesse et difformité ». Pour Descartes le rire est une manifestation de joie « mêlée de surprise ou de haine ou quelquefois des deux ». Francis Bacon dresse une liste d'objets risibles, dont le premier est la « difformité ». La théorie est parfaitement énoncée dans le *Leviathan* de Hobbes :

> La passion du rire n'est rien d'autre qu'un orgueil soudain né d'une perception soudaine de quelque éminence en nous-mêmes par comparaison à l'infirmité des autres ou à celle dont nous souffrions auparavant.

Nous dirions dans notre vocabulaire que le rire sert d'exutoire inoffensif à un brusque trop-plein de tendance assertive. Si diverses que soient les théories du rire elles s'accordent presque toutes sur ce point : les émotions qui se déchargent dans le rire contiennent toujours un élément d'agressivité. Mais agression et appréhension sont des phénomènes jumeaux : les psychologues parlent de pulsions « agresso-défensives ». En conséquence une des situations typiques du rire est la disparition soudaine d'un danger réel ou imaginaire. Et rien ne manifeste mieux le rôle du rire en tant que mécanisme de décharge pour tensions superflues que le brusque changement d'expression d'un petit visage quand l'enfant passe de l'anxiété à la joie du soulagement. Cela paraît loin du comique. Pourtant nous retrouvons la même structure logique : le chien qui jappe furieusement est d'abord perçu par l'enfant dans un contexte redoutable, et ensuite quand il se laisse gentiment caresser, dans un contexte drôle et rassurant : l'émotion est sans objet, le trop-plein déborde.

Kant écrivait que le rire a pour cause « la transformation d'une expectative intense en une négation ». Herbert Spencer reprit l'idée pour tenter de la formuler en termes de physiologie : « Les émotions et sensations tendent à provoquer des mouvements corporels... Quand la conscience passe à son insu des grandes aux petites choses », la « force nerveuse libérée » se dépense dans des voies de moindre résistance : les mouvements corporels du rire. Freud devait s'approprier cette théorie de Spencer en insistant particulièrement sur le défoulement des émotions dans le rire; il essaya aussi d'expliquer pourquoi l'excès d'énergie devait se décharger spécialement de cette manière :

> Autant que je sache, les grimaces et contorsions des coins de la bouche qui caractérisent le rire apparaissent d'abord chez le nourrisson satisfait et rassasié qui s'endort en laissant le sein... Ce sont les déterminations physiques de ne plus prendre de nourriture, un « assez » pour ainsi dire, ou plutôt un « plus qu'assez » ... Ce sens primitif de saturation agréable a pu fournir le lien entre le sourire — phénomène fondamental sous-jacent au rire — et ses rapports subséquents avec d'autres processus agréables de dé-tension [5].

En d'autres termes, les contractions musculaires du sourire, premières expressions d'un relâchement de tension, serviraient ensuite d'exutoires de moindre résistance. De même, les explosions du rire paraissent conçues pour faire partir en vapeur une tension en excès, et la gesticulation qui les accompagne sert évidemment aux mêmes fins.

On objectera que d'aussi grosses réactions paraissent souvent hors de proportion avec les faibles stimulations qui les provoquent. Mais il faut se rappeler que le rire est un phénomène de détente et de déclenchement dans lequel il suffit quelquefois d'une force infime pour faire éclater d'énormes réserves d'émotions, dont les sources sont bien souvent inconscientes : sadisme refoulé, excitation sexuelle, peur inavouée, ou même ennui : le fou rire des élèves au moindre incident survenu en classe ne fait que mesurer leur ressentiment à l'égard du cours qui les assomme. Un autre facteur peut amplifier la réaction hors de toute proportion avec le stimulus comique, c'est la contagion sociale que le rire partage avec d'autres manifestations émotives du comportement de groupe.

Le rire et le sourire peuvent provenir aussi de stimulations qui ne sont pas comiques en elles-mêmes, mais qui signifient ou symbolisent des configurations comiques bien établies : les souliers de Charlot, le cigare de Groucho Marx, une citation, une allusion dans des plaisanteries de famille. Quand on veut savoir pourquoi on rit il faut quelquefois remonter une très longue chaîne d'associations. Et la chose est d'autant plus compliquée que les effets de ces symboles comiques — dans un dessin ou sur la scène — paraissent instantanés : les « expectatives » et les « tensions émotives » ne semblent pas avoir le temps de s'accumuler et de se décharger. Mais c'est que la mémoire entre en jeu; elle fait office d'accumulateur, on peut en tirer une étincelle à tout moment : le sourire qui accueille l'entrée de Falstaff au théâtre provient d'un mélange de souvenirs et d'expectatives. D'ailleurs si notre réaction à un dessin humoristique paraît instantanée, il faut toujours un certain temps pour « piger »; le dessin raconte une histoire, même s'il la télescope en quelques secondes. En somme il est aussi délicat d'analyser le comique que la composition chimique d'un parfum à multiples ingrédients, dont certains ne sont jamais consciemment perçus, et dont d'autres nous feraient faire la grimace si nous les sentions isolément.

5

Nous avons examiné d'abord la structure logique du comique, puis sa dynamique affective. Si l'on en fait la synthèse on peut résumer ainsi le résultat : la bissociation d'une situation ou d'une idée à deux contextes mutuellement incompatibles et de là, le transfert abrupt du courant de pensées d'un contexte à l'autre, mettent brusquement fin à nos « expectatives intenses »; l'émotion accumulée, privée de son objet, reste en l'air et se décharge dans le rire. Quand le marquis court à la fenêtre et se met à bénir les gens dans la rue, notre intellect sursaute et entre joyeusement dans le nouveau jeu; mais les sentiments érotiques malicieux que le début de l'histoire a éveillés ne peuvent pas s'ajuster à ce nouveau contexte; abandonnés par l'intellect plus agile ils s'échappent dans le rire comme l'air d'un pneu crevé. Autrement dit : *nous rions parce que nos émotions ont une inertie et une persistance plus fortes que nos processus de raisonnement.* Les affects sont incapables d'aller à la vitesse de l'entendement; ils ne peuvent pas changer de direction d'un instant à l'autre comme le raisonnement. Pour le physiologiste la chose est évidente puisque nos émotions assertives opèrent à travers l'appareil massif, phylogénétiquement ancien, du système nerveux sympathique et de ses hormones, agissant sur l'ensemble de l'organisme, alors que le langage et la logique sont concentrés dans le néocortex. L'expérience confirme tous les jours cet aspect singulier de la dichotomie entre cerveau ancien et cerveau récent. Nous sommes littéralement « empoisonnés » par nos humeurs à l'adrénaline; il faut du temps pour apaiser quelqu'un en le raisonnant; la peur et la colère ont des effets qui persistent longtemps après que leurs causes ont disparu. Si nous pouvions changer d'humeur aussi vite que nous sautons d'une idée à l'autre, nous serions des acrobates de l'émotion; comme nous ne le sommes pas, nos pensées et nos émotions sont bien souvent dissociées. C'est l'émotion abandonnée par la pensée qui se décharge dans le rire. Car l'émotion, en raison de son inertie, est incapable, nous l'avons vu, de suivre les idées qui passent trop vite à un autre type de logique, elle tend à continuer en ligne droite. Ariel mène Caliban par le bout du nez, il saute sur une branche, l'autre se cogne dans l'arbre.

> Au niveau physiologique, écrit Aldous Huxley, nous charrions un système glandulaire qui était parfaitement adapté à la vie du Paléolithique, mais ne l'est guère à la vie actuelle. Ainsi nous tendons à produire plus d'adrénaline qu'il ne faut; ou bien nous nous dominons et tournons vers l'intérieur nos énergies destructives, ou bien nous ne nous dominons pas et nous nous mettons à frapper [6].

Il y a une troisième possibilité, c'est de nous mettre à rire. L'agressivité domptée trouve d'autres issues : le sport de compétition, la critique littéraire, etc.; mais ce sont des activités acquises, alors que le rire est un don de la nature, inclus dans notre patrimoine héréditaire. Les fonctions glandulaires qui régissent nos émotions répondent à un stade de l'évolution où la lutte pour la vie était plus impitoyable qu'aujourd'hui : toute perception insolite entraînait une réponse immédiate, un bond, un hérissement, ou la lutte, ou la fuite. L'insécurité de l'espèce diminuant, il fallut de nouveaux exutoires aux émotions qui ne pouvaient plus se libérer selon leurs voies originelles, et le rire est évidemment l'un d'entre eux. Mais il ne pouvait apparaître que lorsque la raison se fut jusqu'à un certain point émancipée des pulsions « aveugles » de l'émotion. Au-dessous de l'humain, penser et sentir paraissent former une unité indivisible; ce n'est que lorsque la pensée s'est peu à peu détachée du sentiment que l'homme a pu percevoir l'exagération de ses émotions, affronter ses humeurs glandulaires avec un peu d'humour, et s'avouer avec le sourire : « J'ai été joué. »

6

La discussion précédente devait nous donner les moyens de disséquer et d'analyser le comique sous toutes ses espèces. La procédure à suivre consiste à déterminer la nature des contextes dont la collision produit l'effet comique : à découvrir le type de logique, les « règles du jeu » qui les gouvernent (et il peut y avoir plus de deux contextes). Dans une plaisanterie raffinée la « logique » est implicite, dissimulée; dès qu'on l'explique le comique meurt. Les pages qui suivent seront jonchées de cadavres, c'est inévitable.

Max Eastman remarquait (dans *The Enjoyment of Laughter*) à propos d'un calembour pénible d'Ogden Nash : « Ce n'est pas un calembour, c'est une expédition punitive. » On peut en dire autant de la plupart des calembours qui bien souvent nous semblent atroces parce qu'ils représentent la forme la plus primitive de l'humour : deux fils de pensée disparates attachés par un nœud acoustique. Mais le caractère élémentaire de ces bissociations fondées sur l'assonance et rien d'autre peuvent précisément expliquer l'immense popularité du calembour chez les enfants et sa prédominance dans certaines maladies mentales.

Du jeu d'assonances on s'élève vers le jeu de mots puis vers le jeu d'idées, ou jeu d'esprit. Le premier est quelquefois drôle à condition d'être présenté avec légèreté, et sans insister. Mais l'anecdote de l'évêque et du marquis, par exemple, appartient déjà à une catégorie supérieure, parce qu'elle joue sur des idées.

Il serait facile, et fort ennuyeux, de dresser une liste de plaisanteries et de bons mots classés d'après la nature des contextes dont la collision produit un effet comique. Nous en avons déjà rencontré, comme le sens figuré heurtant le sens littéral (la main de la fille), la logique professionnelle heurtant la logique du bon sens (le médecin statisticien), les deux codes de conduite incompatibles (le marquis), le banal heurtant le sublime (le paradis du mari), les courants de pensée qui vont leur train et qu'on relie dans des directions opposées (le sadique qui fait plaisir au masochiste). On pourrait allonger la liste indéfiniment; en fait on peut obtenir un effet comique de deux holons cognitifs quels qu'ils soient en les mélangeant et en infusant une goutte de malice à la concoction. On peut même définir les contextes par des concepts aussi abstraits que le temps et l'espace. Le savant distrait qui interroge sa montre pour connaître la température, ou un thermomètre pour savoir l'heure est comique exactement comme il serait comique de jouer au ping-pong avec un ballon de rugby ou au rugby avec une balle de ping-pong. Les variations sont infinies, la formule est toujours la même.

Les anecdotes et les bons mots culminent en un seul point. Les formes littéraires d'humour soutenu, comme le roman picaresque, reposent au contraire sur la continuité d'une série de surprises. Le récit avance sur la ligne d'intersection de plans contrastés (par exemple le monde merveilleux de don Quichotte et la grosse finasserie de Sancho Panza), à moins qu'il n'oscille entre ces plans; il y a donc une tension continuellement renouvelée qui se décharge dans un amusement modéré.

La poésie comique peut prospérer dans l'union mélodieuse d'incongruités *(Sur le Racine mort le Campistron pullule...)* et surtout dans le contraste entre la majesté de la forme et la platitude du contenu. Certaines formes métriques, l'alexandrin en particulier, évoquent immédiatement des visions héroïques, pathétiques et nobles; il suffit de couler des banalités et des sottises dans ce moule épique pour obtenir presque infailliblement des effets comiques. En français, c'est le procédé dont se sont servis avec des fortunes diverses Scarron, Boileau, Voltaire, puis une foule de chansonniers.

Autre type de disparité entre la forme et le contenu, les faux proverbes : « Il faut manger la confiture la veille et le lendemain, mais jamais le jour même. » Deux propositions contradictoires sont télescopées en une phrase dont l'allure comminatoire et populaire donne l'impression d'un adage de la sagesse des nations. De même le non-sens poétique, très pratiqué en anglais, obtient son effet en feignant d'avoir un sens, en obligeant le lecteur à trouver une signification à des syllabes absurdes, comme il en trouve forcément une aux taches d'un test de Rorschach.

La *satire* est une caricature verbale qui donne une image délibérément déformée d'un homme, d'une institution ou d'une société. La méthode traditionnelle du caricaturiste consiste à exagérer les traits qu'il considère comme caractéristiques du modèle, et à simplifier ce modèle en laissant de côté tout ce qui n'est pas pertinent au but recherché. Le satiriste emploie la même technique; les traits de la société qu'il choisit de grossir sont naturellement ceux qu'il désapprouve. Pour le lecteur le résultat est une juxtaposition de son image habituelle du monde et de son reflet absurde dans le miroir déformant du satiriste. Il est amené ainsi à reconnaître des traits familiers dans l'absurde, et l'absurdité dans le familier. Sans cette vue double, la satire n'aurait rien de drôle. Si les Yahoos humains étaient vraiment les monstres puants que dénoncent les Houyhnhnm en accueillant Gulliver, le livre de Swift ne serait pas une satire, mais la description d'une vérité déplorable. La satire ne peut se contenter d'insulter franchement, elle doit dépasser la cible et le faire exprès.

On obtient un effet analogue si, au lieu d'exagérer les traits fâcheux, le satiriste les projette au moyen de l'*allégorie* dans un cadre différent, comme celui d'une société animale. De nombreux écrivains ont employé cette méthode depuis Aristophane (Swift, Anatole France, George Orwell, etc.) pour attirer l'attention sur des difformités de la société que les gens, par habitude, trouvaient normales.

7

Le comique le plus élémentaire est celui de la grosse farce. Quand on tire la chaise sous le derrière du dignitaire qui va s'asseoir, la victime est perçue d'abord comme important personnage puis brusquement comme corps inerte soumis aux lois de la physique; la gravité tombe dans la gravitation, l'esprit dans la matière, l'homme n'est plus qu'une mécanique. Des militaires au défilé ressemblent à des automates, le pédant à un robot; l'adjudant surpris par la colique, Hamlet victime du hoquet, manifestent le triomphe de la chair misérable sur les hautes aspirations humaines. C'est aussi l'effet que produisent des objets d'allure vaguement humaine, marionnettes, diable dans la boîte, gadgets qui se jouent de leur maître avec une malice qu'on dirait calculée.

Dans l'ouvrage que Bergson a consacré au rire, ce dualisme de l'esprit et de la matière inerte (« le mécanique incrusté sur le vivant ») sert d'explication pour toutes les formes du comique, alors que d'après ce que nous venons d'exposer, il ne s'applique qu'à une variété du comique parmi beaucoup d'autres.

De la bissociation *homme-machine,* il n'y a qu'un pas à l'hybride *homme-animal.* Les créatures de Disney agissent comme des humains en gardant leurs formes animales. Le caricaturiste suit le procédé inverse quand il révèle dans un visage des traits chevalins ou porcins.

On peut passer de là aux mécanismes de l'*imitation* et du *travesti*.

On perçoit l'imitateur comme un être double : il est lui-même, il est un autre. Si le résultat est légèrement dégradant, et seulement dans ce cas, le spectateur rit. Le chansonnier qui joue un personnage politique, deux pantalons servant de jambes à un cheval de pantomime, un homme déguisé en femme, ou une femme en homme : dans chaque cas des structures accouplées se réduisent mutuellement à l'absurde.

La forme la plus agressive d'imitation est la parodie, qui a pour but de dégonfler les prétentions pompeuses, de détruire l'illusion, et de miner le pathétique en dénonçant les humaines faiblesses de la victime. Perruques enlevées, orateurs perdant la mémoire, grands gestes figés : les cibles favorites du parodiste se situent encore sur la ligne d'intersection entre le trivial et le sublime.

Le comportement ludique chez les jeunes animaux et chez les enfants amuse parce qu'il semble parodier un comportement adulte qu'il imite et annonce. Les petits chiens paraissent drôles à cause du désarroi, de la confiance, de l'attachement et des mines étonnées, qui les rendent plus « humains » que les chiens adultes; les féroces grognements du chiot ont l'air d'une imitation du comportement adulte (ainsi de l'enfant coiffé du chapeau de son père); ensuite sa maladresse l'offre sans défense aux mésaventures comiques; en outre ses disproportions corporelles, la panse, les grosses pattes, le front ridé ont toutes les apparences de la caricature — et pour finir il y a notre condescendance : nous sommes des êtres tellement supérieurs... Dans un sourire il peut y avoir une foule d'ingrédients logiques et de condiments affectifs.

Pour Francis Bacon comme pour Cicéron la difformité était la cause la plus fréquente du rire. Les princes de la Renaissance, pour s'ébaudir, collectionnaient les nains, les bossus, et les nègres. Devenus trop humains pour ce genre d'humour, nous ne voyons pas qu'il faut une certaine imagination et beaucoup d'empathie pour reconnaître dans un nain contrefait un être humain qui, pour différent qu'il paraisse, existe et souffre comme nous. Chez les enfants cette faculté de projection est rudimentaire; un bègue, un boiteux, un accent étranger les font ricaner. Il en va de même de l'attitude des sociétés tribales ou provinciales à l'égard de toute apparence ou de tout comportement qui dévie de leurs normes : l'étranger n'est pas vraiment humain, il ne peut que faire semblant d'être « comme nous ». En grec, « barbare » signifiait à la fois bègue et étranger : les aboiements incompréhensibles de l'étranger ne peuvent être qu'une parodie du langage humain. On trouve encore des traces de cette attitude dans le fait que nous tolérons un accent étranger, mais que nous trouvons comique l'imitation qu'on en fait. C'est que nous savons alors que l'imitateur fait exprès de mal prononcer : dès lors la sympathie n'est plus nécessaire, nous pouvons, la conscience pure, être aussi méchants que des enfants.

Autre source de gaieté innocente : la partie et le tout échangent leurs rôles, et l'attention se concentre sur un détail arraché au contexte fonctionnel dont dépend sa signification. La voix de soprano qui répète indéfiniment la même vocalise sur un disque rayé donne à cette vocalise une existence indépendante, qui devient grotesque. Il en va de même quand une faute d'orthographe isole un mot ou une lettre, quand la conscience se met à considérer des fonctions remplies d'ordinaire automatiquement : c'est le paradoxe du mille-pattes. L'adolescent timide qui « ne sait pas quoi faire de ses mains » est victime du même malaise.

Les comédies étaient classées autrefois en comédies de situations, de mœurs et de caractères. La logique des deux dernières est assez évidente; dans la première on obtient des effets comiques en faisant participer simultanément une situation à deux séries d'événements indépendantes et dans des contextes différents, les séries se coupant grâce à des hasards, des surprises d'identité, ou des malentendus. Elles tournent autour de la coïncidence, qui est aussi le *deus ex machina* de la tragédie antique.

En revanche les anciennes théories du comique n'ont jamais pu découvrir pourquoi le chatouillement fait rire. C'est Darwin qui a observé que la réaction instinctive au chatouillement est une contorsion, un effort pour retirer ou protéger la partie attaquée : c'est une réaction de défense destinée à délivrer d'une prise hostile des endroits vulnérables comme la plante des pieds, les aisselles, le bas-ventre, les flancs. Qu'une mouche se pose sur le ventre d'un cheval, une sorte d'onde contractile passera sur la peau; c'est l'équivalent des tortillements de l'enfant chatouillé. Mais le cheval ne rit pas; et l'enfant ne rit pas toujours. Il ne rira — voilà le fond du problème — que s'il perçoit le chatouillement comme un jeu, une caresse déguisée, une fausse attaque. C'est d'ailleurs ce qui explique que l'on ne rit pas lorsqu'on se chatouille soi-même.

Des expériences menées à Yale sur des bébés de moins d'un an ont mis en lumière un fait, d'ailleurs peu surprenant : ces bébés rient quinze fois plus souvent quand ils sont chatouillés par leur mère que s'ils le sont par des étrangers. C'est qu'il faut que l'enfant sache que c'est un jeu; avec un étranger on ne sait jamais. Même avec sa mère le bébé n'est pas tout à fait sans inquiétude : le rire et cette inquiétude alternent dans son comportement; et c'est précisément cet élément d'appréhension entre deux chatouillements qui se soulage dans le rire accompagnant le tortillement. « Fais-moi peur juste assez pour que j'aime ne plus avoir peur », telle est la règle du jeu.

Ainsi le chatouilleur fait l'agresseur et en même temps on sait qu'il n'en est pas un. C'est sans doute la première situation dans laquelle l'enfant doit vivre sur deux plans à la fois — avant-goût du plaisir des bandes dessinées d'horreur.

L'humour dans les arts plastiques manifeste les mêmes structures logiques que celles qui viennent d'être examinées. Sa forme la plus primitive est le miroir déformant des fêtes foraines qui nous renvoie l'anatomie humaine allongée en girafe ou aplatie en crapaud; il fait des farces à la victime qui dans la glace voit à la fois son image et un morceau de plasticine qui se laisse docilement étirer ou pétrir. Mais tandis que le miroir déforme mécaniquement, le caricaturiste le fait sélectivement au moyen de la même technique que la satire, qui consiste à exagérer les traits caractéristiques et à simplifier le reste. Comme le satirique, le caricaturiste révèle l'absurde dans le familier; et comme lui il faut qu'il dépasse la cible. Sa malice devient inoffensive parce que nous savons que les pots à tabac monstrueux qu'il dessine ne sont pas réels; les vraies difformités ne sont plus comiques, elles inspirent la pitié.

L'artiste qui peint un portrait stylisé utilise aussi la technique de la sélection, de l'exagération et de la simplification; mais son attitude envers le modèle est dominée par l'empathie positive, au lieu de la malice négative; et les traits qu'il choisit de souligner diffèrent en conséquence. Dans certaines études de Léonard de Vinci, de Hogarth et de Daumier les passions qui se reflètent sont si violentes, les grimaces si féroces, qu'il est impossible de dire s'il s'agit de portraits ou de caricatures. Si l'on estime que ces déformations du visage humain ne sont pas vraiment possibles et que Daumier a seulement fait semblant d'y croire, on est dispensé d'horreur et de pitié, on peut rire de ces grotesques. Mais si l'on croit que c'est bien cela que Daumier a vu dans ces faces déshumanisées, alors on regarde une œuvre d'art.

L'humour dans la musique est un sujet à aborder avec précaution, parce que le langage musical refuse de se laisser traduire en symboles verbaux. Du moins peut-on signaler quelques analogies : le coup de trompette qui intervient brusquement dans une mélodie peut faire l'effet d'une farce; le chanteur ou l'instrument qui détone produit la même réaction; l'imitation des bruits d'animaux exploite la technique générale de l'imitation; un nocturne de Chopin arrangé pour le jazz, ou une chanson des rues exécutée dans le style de la

Walkyrie, mélangent des contextes incompatibles. Ce sont des procédés primitifs qui correspondent aux niveaux inférieurs du comique; plus haut on rencontre des compositions comme *La Valse* de Ravel, parodie affectueuse des valses viennoises, la symphonie des surprises de Haydn ou le faux héroïsme de l'opéra populaire de Kodaly, *Hari Janos.* Mais dans un opéra-comique il est presque impossible de séparer le comique du livret de celui de la musique, et les formes les plus hautes de l'humour musical, les charmes inattendus d'un scherzo de Mozart, défient toute explication, à moins d'une analyse tellement technique qu'elle manquerait son but. Si un passage musical « spirituel » qui étonne l'auditoire et le frustre de ses « expectatives intenses » a bien l'effet de relâchement qui tend à produire le rire, néanmoins le public d'un concert peut sourire à l'occasion, il n'ira pas jusqu'à s'esclaffer. Autrement dit, les émotions provoquées par l'humour musical sont d'un genre plus subtil que celles que nous devons au comique verbal ou visuel.

8

Les critères qui permettent de décider si un essai d'humour sera bon, mauvais ou indifférent sont en partie question de goût, évidemment, mais ils dépendent surtout du style et de la technique de l'humoriste. Il semble que ces critères peuvent se grouper sous trois rubriques : l'originalité, l'insistance, l'économie.

Les mérites de l'originalité sont évidents; c'est elle qui provoque l'effet de surprise et bouleverse les prévisions. Mais l'originalité n'est pas plus fréquente dans le comique que dans les autres formes d'art. On lui substitue généralement des techniques d'accent suggestif qui visent à augmenter la tension de l'auditoire. Le domaine du clown, c'est le comique généreux et grossier, qui en rajoute, qui fait appel aux pulsions sadiques, sexuelles et scatologiques. La répétition sans fin des mêmes situations, des mêmes phrases en est un tour favori. Et il est vrai que la répétition diminue l'effet de surprise, mais elle aide à attirer l'émotion dans l'exutoire familier : on pompe de plus en plus de liquide dans le même tuyau crevé.

L'insistance sur la couleur locale et les singularités ethniques — comme dans les histoires juives, écossaises, corses, etc. — est un autre moyen de précipiter l'émotion dans les vieilles ornières. Il faut naturellement que le Corse et l'Écossais soient des caricatures pour qu'il y ait un effet comique : l'exagération et la simplification sont encore indispensables pour accentuer et souligner.

Mais dans des formes d'humour plus relevées l'insistance cède peu à peu la place à une vertu opposée : l'économie. Il ne s'agit pas d'une mécanique, il s'agit de suggérer au lieu d'expliquer, de faire allusion au lieu d'attaquer de front. Il y a des caricatures démodées qui appuient lourdement à l'aide de lions britanniques et de coqs gaulois; il y en a de meilleures qui proposent des rébus et font travailler un peu l'imagination.

Dans le comique en toute forme d'art l'accent et l'économie sont des techniques complémentaires. Le premier brutalise un peu le consommateur, la seconde le tente, pour lui aiguiser l'appétit.

9

Les anciennes théories — celles de Bergson et de Freud — traitent le comique comme un phénomène isolé, sans essayer d'éclairer les rapports entre l'humour et le tragique, entre le rire et les pleurs, entre l'inspiration artistique, l'invention comique et la découverte scientifique. Pourtant, nous le verrons, ces trois domaines de l'activité créatrice forment un tissu continu; il n'y a pas de frontières nettes entre l'humour et l'ingéniosité, ni entre l'art de la découverte et les découvertes de l'art.

On a dit, par exemple, que la découverte scientifique consiste à voir une analogie jusque-là inaperçue. Salomon, dans le Cantique des Cantiques, compare le cou de la Sulamite à une tour d'ivoire : c'est une analogie que personne n'avait vue avant lui; de même William Harvey quand il perçoit le cœur mis à nu d'un poisson comme une sorte de pompe mécanique sanguinolente; et de même encore le caricaturiste qui dessine un nez en forme de concombre. En fait, tous les schémas bissociatifs dont nous avons parlé et qui constituent la « grammaire » du comique, peuvent servir aussi à l'art ou à la découverte, selon le cas. Le calembour trouve un équivalent dans la rime, il en trouve d'autres dans les problèmes de la philologie. Le choc de codes de comportement incompatibles peut produire du comique, du tragique, ou des intuitions psychologiques neuves. La farce exploite le dualisme de l'esprit et de la matière, qui procure aussi l'un des thèmes éternels de la littérature : l'homme, marionnette que manipulent les dieux ou les chromosomes. La dichotomie homme-animal se retrouve dans Donald Duck, mais aussi dans *la Métamorphose* de Kafka et dans les rats de laboratoire, chers aux psychologues. La caricature correspond non seulement au portrait dans l'art, mais aussi, dans les sciences, aux plans et aux graphiques qui soulignent les traits pertinents et laissent le reste de côté.

Les processus conscients et inconscients de la créativité sont essentiellement des activités combinatoires, rassemblant des domaines de savoir et d'expérience précédemment séparés. Le but du savant est la synthèse; celui de l'artiste, la juxtaposition du banal et de l'éternel; le jeu de l'humoriste consiste à agencer une collision. Et si leurs mobiles diffèrent les réactions émotives provoquées par chaque type de créativité diffèrent aussi : la découverte satisfait la « pulsion exploratrice », l'art induit une catharsis affective dans le « sentiment océanique », l'humour excite la malice et lui procure un exutoire inoffensif. Le rire peut se définir comme « réaction Haha »; la joie de l'inventeur comme « réaction Aha », le ravissement de l'expérience esthétique comme « réaction Ah... ». Mais les transitions de l'une à l'autre sont continues; le mot d'esprit devient épigramme, la caricature portrait; et si l'on considère l'architecture, la médecine, le jeu d'échecs ou la cuisine, on ne voit pas de frontière nette pour distinguer où finit la science, où commence l'art. Le comique et le tragique, le rire et les larmes, marquent les extrémités d'un spectre continu.

RÉSUMÉ

Le comique permet d'entrer par la petite porte dans le domaine de la créativité parce que c'est le seul exemple de stimulus intellectuel complexe déclenchant une réponse physiologique simple : le réflexe du rire.

Pour décrire le schéma unitaire qui convient à toutes les variétés du comique j'ai proposé le terme de bissociation, qui désigne la perception d'une situation ou d'un événement dans deux contextes associatifs qui s'excluent mutuellement. Le résultat est un brusque transfert du courant de conscience sur une piste différente, que régit une logique différente, une autre « règle du jeu ». Ce choc intellectuel fait retomber l'expectative, les émotions excitées sont soudain sans objet, elles sont évacuées dans le rire.

Si complexes qu'elles soient, les émotions concernées contiennent toujours un élément dominant de tendances assertives, agresso-défensives. Elles se fondent sur le réseau adrénalo-sympathique du système nerveux (le cerveau ancien) et ont beaucoup plus de persistance et d'inertie que les processus ondoyants et subtils de la pensée corticale, qu'elles sont incapables de suivre à la même vitesse. C'est l'émotion abandonnée par la pensée qui se décharge dans le rire, de manière inoffensive. Mais ce réflexe de luxe ne peut apparaître que chez un être dont l'intelligence s'est suffisamment affranchie des pulsions biologiques pour pouvoir percevoir la vanité de ses émotions, et comprendre qu'il a été joué. L'homme qui rit est à l'opposé du fanatique dont la raison est aveuglée par l'affectivité, et qui est dupe de lui-même.

Après avoir appliqué la théorie à divers types de comique — du chatouillement à la satire sociale — j'ai examiné les critères des styles et des techniques de l'humour : originalité (l'inattendu); insistance par sélection, exagération et simplification; et économie (l'implicite) qui oblige l'auditoire à un effort de re-création.

Finalement les brèves références à la créativité dans la science et dans l'art que contiennent les dernières lignes de ce chapitre peuvent servir d'introduction aux pages qui vont suivre.

CHAPITRE VII

L'art de la découverte

1

Oɴ pourrait dire que la créativité, dans les sciences, est l'art d'additionner deux et deux pour faire cinq. En d'autres termes elle consiste à combiner des structures mentales précédemment sans rapports de manière à obtenir de leur ensemble plus que l'on y a mis au départ. Ce résultat qui paraît magique vient du fait que le tout n'est pas seulement la somme de ses parties, mais aussi l'expression des relations entre les parties : toute nouvelle synthèse fait apparaître de nouvelles structures de relations — des holons cognitifs plus complexes aux échelons supérieurs de la hiérarchie mentale.

J'en ai donné de nombreux exemples dans *Les Somnambules, Le Cri d'Archimède,* etc. En voici quelques-uns.

L'homme a toujours connu les mouvements des marées. Et ceux de la Lune aussi. Mais l'idée de les mettre en rapport, l'idée que les marées sont dues à l'attraction de la Lune, a été affirmée pour la première fois au XVIIᵉ siècle par l'Allemand Johannes Kepler qui, par cette combinaison de deux données, ouvrit les horizons infinis de l'astronomie moderne.

Les aimants étaient connus des Grecs, dans l'antiquité, comme une curiosité de la nature. Au Moyen Age ils avaient deux utilités :

les navigateurs s'en servaient dans les boussoles, et les maris trompés dans leurs lits pour ramener leurs femmes. On connaissait fort bien aussi les curieuses propriétés de l'ambre, qui attire les objets légers quand on le frotte. Ambre se dit en grec *elektron,* mais la science antique ne s'intéressait pas plus aux bizarres phénomènes de l'électricité que la science moderne à la télépathie. Pas davantage d'intérêt au Moyen Age. Pendant deux mille ans on regarda le magnétisme et l'électricité comme des phénomènes parfaitement distincts, aussi étrangers l'un à l'autre que la lune et les marées. En 1820 Hans Christian Œrsted s'aperçut qu'un courant électrique passant dans un fil de métal faisait dévier une aiguille magnétique qui se trouvait sur la table. A ce moment historique les deux contextes jusqu'alors séparés commencèrent à s'unir dans un début de synthèse : l'électromagnétisme, et à déclencher une sorte de réaction en chaîne qui se poursuit encore. Successivement l'électricité et le magnétisme s'unirent à la lumière radiante, la chimie à la physique, l'humble *elektron* devint une planète en orbite dans le système solaire de l'atome, et finalement l'énergie et la matière vinrent fusionner dans la brève et sinistre équation d'Einstein $E = mc2$.

Si l'on retourne aux débuts de l'aventure scientifique on trouve la tradition selon laquelle Pythagore découvrit les secrets de l'harmonie en regardant travailler des forgerons dans son île de Samos, et en remarquant que des barres de fer de longueurs différentes donnaient sous les coups de marteau des sons de hauteurs différentes. Cet amalgame spontané de l'arithmétique et de la musique fut probablement le point de départ de la physique.

Depuis les pythagoriciens qui mirent en mathématiques l'harmonie des sphères jusqu'à leurs modernes héritiers qui ont combiné l'espace et le temps en tout continu, le schéma est le même : les découvertes de la science ne créent rien à partir de rien; elles combinent, relient, intègrent des idées, des faits, des holons intellectuels, qui existaient déjà mais qui n'avaient pas de rapport entre eux. Ce croisement, qui peut être une autofécondation dans un seul cerveau, semble être l'essence de la créativité et justifier le terme de « bissociation ». Nous avons vu comment l'humoriste bissocie des structures mentales mutuellement incompatibles pour produire une collision. De son côté l'homme de science vise la synthèse, l'intégration d'idées précédemment distinctes. Le latin *cogitare* « penser », vient de *coagitare,* « secouer ensemble ». Dans le comique la bissociation consiste à secouer brusquement des éléments incompatibles, qui se heurtent et se séparent aussitôt. Dans la science il s'agit de combiner des holons cognitifs jusque-là non reliés de manière à ajouter un nouvel échelon à la hiérarchie du savoir, qui s'incorpore les structures précédemment séparées.

Nous avons vu cependant que les deux domaines sont contigus, il n'y a pas de coupure nette : tout mot d'esprit est une découverte malicieuse, et vice versa, beaucoup de grandes découvertes scientifiques ont été accueillies par des éclats de rire, pour la bonne raison qu'elles semblaient vouloir marier des idées hétéroclites, jusqu'au jour où le mariage s'est révélé fécond en prouvant que la prétendue incompatibilité ne venait que des préjugés. Ce qui semblait une collision s'achevait en fusion : le mot d'esprit est l'énoncé d'un paradoxe, la découverte la solution d'un paradoxe. Galilée lui-même trouva que la théorie des marées de Kepler était une mauvaise plaisanterie, comme si un caricaturiste avait dessiné une grosse lune en train d'aspirer les océans. Mais s'il n'y a qu'un pas du sublime au ridicule, la réciproque est vraie : les satires de Swift et d'Orwell enseignent des leçons plus profondes que toute une bibliothèque de sociologie.

En passant des types d'humour les plus grossiers aux plus raffinés, puis en franchissant la frontière fluide au centre du triptyque de la page 121 nous rencontrons des hybrides comme les rébus, les casse-tête logiques, les jeux mathématiques. Pendant deux millénaires les paradoxes d'Achille et la Tortue ou du Menteur crétois ont fait travailler les philosophes, et la logique leur doit plus d'un effort créateur. Face à de telles devinettes l'auditeur n'est plus invité à comprendre la plaisanterie, mais à résoudre le problème. Et quand il y parvient il n'éclate pas de rire; au cours de notre voyage le rire s'est atténué graduellement en sourire de complicité, puis en sourire d'admiration : le climat affectif est passé de la réaction Haha à la réaction Aha.

2

« Expérience Aha », c'est l'expression forgée par les psychologues de la Gestalt pour désigner l'euphorie qui suit le moment de vérité, l'éclair qui illumine les pièces du puzzle enfin reconstitué : l'instant, dirons-nous, où les contextes bissociés fusionnent dans une synthèse nouvelle. L'émotion qui explose dans le rire est une agressivité privée de son objet; la tension qui s'écoule dans la réaction Aha au moment où se fait la lumière est celle de la curiosité défiée, du besoin d'explorer et de comprendre.

Ce besoin n'est pas réservé aux chercheurs dans leurs laboratoires. Les biologistes ont dû reconnaître récemment l'existence d'un instinct élémentaire, la « pulsion exploratrice », aussi fondamental, et quelquefois même plus puissant, que les instincts alimentaires et sexuels. D'innombrables zoologistes, à commencer par Darwin, ont montré que la curiosité est une pulsion innée chez les rats, les oiseaux, les dauphins, les chimpanzés, et chez les hommes. C'est la force qui fait courir le rat de laboratoire dans son labyrinthe sans récompense ni punition, et qui le pousse même à traverser des grillages électrifiés. C'est cette même force qui oblige les enfants à casser leurs jouets pour « voir ce qu'il y a dedans », et qui suscite toutes les explorations, toutes les recherches humaines.

Le besoin d'explorer peut naturellement se combiner avec d'autres pulsions comme celles du sexe et de la faim. Les recherches proverbialement pures et désintéressées de l'homme de science, son absorption toute altruiste dans les mystères de la nature, se mêlent souvent d'ambition, d'esprit de compétition, de vanité. Mais il faut que ces tendances assertives soient bien dominées et bien sublimées pour s'assouvir dans les récompenses, généralement maigres, que lui apportent ses longs et patients labeurs. Après tout, pour affirmer son moi, il y a des moyens plus directs que l'étude des nébuleuses.

Mais si la pulsion exploratrice est quelquefois altérée par l'ambition et la vanité, la recherche sous sa forme la plus haute trouve sa fin en soi. « Si je tenais la vérité dans ma main, écrit Emerson, je la laisserais partir pour garder la joie de chercher. » Dans une expérience bien connue, un des chimpanzés de Wolfgang Kohler, qui avait longuement essayé de ramener avec un bâton trop court une banane placée hors de sa cage, découvrit qu'il pouvait réussir en ajustant deux bâtons bout à bout. Cette découverte « lui fit tellement plaisir » qu'il continua à refaire son exercice, en oubliant de manger la banane.

Cependant, à part la vanité subjective, les tendances assertives jouent aussi un rôle, plus profondément, dans les motivations de l'homme de science. « Je ne suis pas vraiment un homme de science, a écrit Freud, mais plutôt un *conquistador*... avec la curiosité, la hardiesse et la ténacité qui appartiennent à ce type de personnalité. » La pulsion exploratrice vise à comprendre la nature, l'élément conquérant à la maîtriser (et cela vaut pour la nature humaine). Sauf les mathématiques pures, peut-être, toutes les recherches scientifiques ont cette double motivation, qui d'ailleurs n'est pas forcément conscient dans l'esprit du chercheur. Le savoir peut engendrer l'humilité ou la volonté de puissance. Les archétypes de ces tendances opposées sont Prométhée et Pythagore : l'un dérobe le feu du ciel, l'autre adore l'harmonie des sphères. A l'encontre de la confession de Freud des hommes de génie ont souvent déclaré que le seul but de leurs travaux était de lever un fragment du voile qui recouvre les mystères de la nature, et que leurs vraies motivations étaient la ferveur et l'émerveillement. « A l'origine comme aujourd'hui, selon Aristote, c'est l'étonnement qui a conduit les hommes à la philosophie. » Maxwell racontait ses premiers souvenirs : « Étendu dans l'herbe, je regardais le soleil, et je m'émerveillais. » Einstein — le plus humble de tous — devait le rejoindre en écrivant qu'un être incapable de s'émerveiller du mystère cosmique, « un être qui reste froid, qui ne peut contempler, qui ne connaît pas le profond frisson de l'âme dans le ravissement, peut aussi bien être mort puisqu'il s'est déjà fermé à la vie ». Il ne pouvait prévoir que la merveilleuse équation dans laquelle il unissait la matière et l'énergie allait devenir une formule de magie noire.

Ainsi la polarité omniprésente des tendances assertives et transcendantes se manifeste-t-elle très nettement dans le domaine de la créativité scientifique. On peut décrire la découverte comme art affectivement neutre, non que l'homme de science soit dénué d'affectivité, mais parce que ses recherches exigent un mélange d'émotions raffiné et sublimé dans lequel les pulsions d'exploration et de domination sont en équilibre. C'est pour la même raison que le savant est placé au centre du triptyque entre l'amuseur qui exerce ses talents aux dépens d'autrui et donne la priorité à la malice assertive, et l'artiste dont l'œuvre créatrice dépend de la puissance autotranscendante de son imagination.

La topologie symbolique du triptyque paraît justifiée en outre par la nature de la réaction Aha. Celle-ci combine en effet la décharge explosive d'une tension, résumée dans l'Eureka qui est très proche de la réaction Haha, avec la réaction Ah... — le grand frisson d'Einstein, réaction cathartique étroitement liée à l'expérience esthétique, comme au « sentiment océanique » ou mystique. L'Eureka correspond à l'élément conquérant de la motivation hybride de la recherche, la réaction Ah... à l'élément mystique.

Mais c'est la réaction Ah... qui l'emporte et qui domine le climat affectif dans les découvertes du troisième volet du triptyque.

CHAPITRE VIII

Les découvertes de l'art

1

L E rire et les larmes, que provoquent la comédie et la tragédie, marquent les deux extrêmes d'un spectre continu. Ils provoquent également des exutoires à un surplus d'émotions; ce sont également des réflexes de luxe, apparemment sans utilité. Mais c'est tout ce que rire et pleurer ont en commun; pour tout le reste ils sont à l'opposé l'un de l'autre.

Pleurer n'est pas un phénomène rare, ni si banal; pourtant la psychologie officielle ne s'y est jamais intéressée. Il n'existe pas de théorie des pleurs comparable aux livres de Freud et de Bergson sur le rire; celle que j'ai proposée dans *Le Cri d'Archimède* est encore la seule que l'on cite dans le traité de psychologie le plus répandu aux États-Unis *.

* HILGARD et ATKINSON, *Introduction to Psychology* (4e édit. 1967), chapitre VII.
« Le rire et les larmes sont souvent proches, et bien que l'on associe le rire à la gaieté et les larmes à la tristesse, il existe aussi des larmes de joie. L'écrivain Arthur Koestler a noté que les manuels de psychologie ne traitent pas des pleurs et a tenté de combler cette lacune par une analyse à lui. Il signale cinq types de

En premier lieu il importe de distinguer entre les larmes et les pleurs. Verser des larmes comporte deux caractéristiques réflexes fondamentales : sécrétion des glandes lacrymales et formes spécifiques de respiration. Pleurer, c'est émettre des sons signalant une détresse, une protestation. Ce bruit peut se combiner ou alterner avec les larmes, mais on ne saurait le confondre avec elles. Pleurer est une forme de communication, les larmes sont une affaire privée. Et nous ne parlons naturellement que des pleurs spontanés, non des sanglots affectés du théâtre public ou domestique.

Comparons les processus physiologiques du rire et des pleurs. Le rire est déclenché par la branche adrénalo-sympathique du système nerveux, les pleurs par la branche parasympathique. Le premier active l'organisme, le bande pour l'action; les pleurs ont l'effet contraire : ils abaissent la pression sanguine, neutralisent l'excès de sucre dans le sang, facilitent l'élimination des déchets et généralement tendent au calme et à la catharsis; c'est littéralement la « purgation » des émotions.

Le contraste physiologique est évident dans les manifestations extérieures, visibles. Dans le rire les yeux brillent et se plissent, le front et les joues s'étirent, ce qui fait rayonner tout le visage; les lèvres s'écartent, les coins de la bouche se relèvent. Dans les pleurs les yeux « brouillés de larmes » perdent leur éclat, les traits s'effondrent, même si l'on pleure de joie ou de ravissement esthétique le visage transfiguré reflète une sereine langueur.

On observe le même contraste dans les postures et les gestes. Le rieur rejette la tête en arrière sous l'effet d'une brusque contraction des élévateurs du cou. En pleurant on penche la tête (dans ses mains, sur la table ou sur l'épaule de quelqu'un). Le rire contracte les muscles et met tout le corps en mouvement; les pleurs relâchent les muscles, tout le corps prend une posture d'abandon.

La respiration qui accompagne le rire est faite de longues et profondes aspirations suivies de bouffées et d'éclats (ha-ha-ha). Dans les pleurs c'est le processus inverse : aspirations brèves et haletantes — les sanglots — suivies de longs soupirs (a-ah...).

Ces contrastes manifestes qui soulignent que le rire et les pleurs

---

situations, dans lesquelles les pleurs accompagnent un comportement motivé. » Le traité cite brièvement le ravissement, le deuil, le soulagement, la sympathie, la pitié de soi, et conclut :

« Ces illustrations montrent que les émotions procurent un commentaire à un comportement motivé. Pleurer n'est ni une pulsion ni une incitation, mais un signe qu'il se passe une chose importante sur le plan des motivations. » Et c'est tout ce qu'on enseigne sur les pleurs aux étudiants en psychologie.

dépendent de deux branches différentes du système nerveux autonome, témoignent aussi de leurs origines dans des types d'émotions opposés. La réaction Haha vient des émotions assertives, la réaction Ah... des émotions autotranscendantes. La première proposition est désormais assez claire; la seconde demande encore quelque développement.

2

Dans *Le Cri d'Archimède* j'ai examiné en détail plusieurs situations qui peuvent provoquer les larmes : le deuil, la pitié, la détresse, le ravissement religieux ou esthétique, etc. Seule cette dernière situation nous intéresse ici directement, mais il faut remarquer que toutes les émotions qui amènent à pleurer ont en commun un élément fondamental d'altruisme, d'autotranscendance : un besoin de communier presque symbiotiquement avec un être vivant ou mort, ou quelque entité supérieure qui peut être la nature, une forme d'art, une expérience mystique. Ces émotions de « participation », nous l'avons vu, sont des manifestations subjectives de la tendance à l'intégration qui correspond à la partiellité du holon humain, à sa dépendance, à son engagement à l'égard d'une unité plus compréhensive à un niveau plus élevé de la hiérarchie qui transcende les limites du moi. Que l'on écoute l'orgue dans une cathédrale vide, ou que l'on contemple les étoiles, de telles expériences peuvent provoquer une houle d'émotions et faire monter les larmes en élargissant la conscience qui en quelque sorte se dépersonnalise; et si l'expérience gagne en intensité elle peut entraîner à un « sentiment océanique * » d'étendue sans limite et d'unité avec l'univers : la réaction Ah... sous sa forme la plus pure.

Le commun des mortels s'élève rarement à ces hauteurs mystiques, cependant il nous arrive à tous d'atteindre au moins le pied de la montagne. Les émotions transcendantes sont d'une extrême diversité et elles varient énormément en intensité; elles peuvent être joyeuses, tristes, tragiques, lyriques. Les larmes de joie et les larmes de tristesse font écho à la relativité de la tonalité hédonique qui se superpose à toutes les émotions.

---

* Romain Rolland, décrivant l'expérience religieuse dans une lettre à Freud — qui avec regret déclara n'avoir jamais rien éprouvé de pareil[1].

Un autre contraste est à souligner entre la réaction Haha et la réaction Ah... Si dans le rire la tension explose subitement, dans les larmes elle s'écoule peu à peu, sans ruiner l'expectative, sans briser la continuité de l'état d'âme; dans la réaction Ah..., l'affectivité et la raison demeurent unies. De plus, les émotions transcendantes ne tendent pas à l'action corporelle, mais plutôt à la tranquillité passive. La respiration et le pouls ralentissent; « l'enchantement » nous rapproche des extases de la mystique contemplative; l'émotion ne trouvera pas son accomplissement dans un acte physique volontaire. On est « envahi » par l'émerveillement, « captivé » par un sourire, « extasié » devant la beauté : chacun de ces mots exprime reddition, abandon, passivité. Le surplus d'émotion ne peut se décharger dans une activité musculaire, il ne peut que se consommer dans des processus *internes,* viscéraux et glandulaires.

D'autres faits, à propos du système nerveux autonome, se rapportent également à notre sujet. Dans des conditions fortement émotives ou pathologiques l'action mutuellement antagoniste, équilibrante, des deux divisions (sympathique et parasympathique) cesse de prévaloir; les deux tendances se renforcent au contraire, comme dans l'acte sexuel; ou encore l'hyper-excitation d'une des deux divisions peut provoquer momentanément un effet de surcompensation de la part de l'autre[2]; enfin le parasympathique peut servir de *catalyseur* déclenchant l'activité de son antagoniste *[3].

La première de ces trois possibilités correspond à notre état affectif quand nous écoutons un opéra de Wagner, des sentiments détendus, cathartiques semblant paradoxalement combinés à une excitation euphorique. La seconde possibilité se reflète dans les « épuisements » que provoque un excès d'émotion. La troisième possibilité nous concerne plus directement : elle indique en termes physiologiques concrets comment un type de réaction affective peut servir de catalyseur à son contraire; ainsi l'identification autotranscendante au héros de l'écran déclenche une agressivité à l'égard du traître; ainsi encore l'identification au groupe ou au dogme déclenche la sauvagerie du comportement de masse.

* Voir annexe III.

3

J'ai parlé du mobile fondamental du chercheur scientifique : la pulsion exploratrice. Mais tout grand artiste a aussi quelque chose de l'explorateur : le poète ne manipule pas des mots (comme le croient les behavioristes), il explore les potentiels affectifs et descriptifs du langage; le peintre consacre son existence à apprendre à voir (et à enseigner aux autres à voir le monde comme lui). Ainsi la pulsion créatrice a-t-elle une source biologique unique, mais qui peut se canaliser en diverses directions.

C'est le premier point à retenir si l'on veut s'épargner le déplorable divorce des « deux cultures » — dont la Renaissance n'a pas plus souffert que l'Antiquité — et réaffirmer la continuité qui doit régner entre les volets du triptyque. Il va sans dire que continuité ne signifie pas uniformité, mais passage nuancé, sans divisions, sans ruptures, d'une couleur à l'autre de l'arc-en-ciel.

Les lignes horizontales qui traversent le triptyque de la créativité veulent indiquer la continuité de certains schémas combinatoires caractéristiques : processus bissociatifs fondamentaux que l'on retrouve sur les trois volets. Ces schémas sont trivalents : ils servent à l'humour, à la découverte scientifique, à l'art. On peut en donner d'autres exemples.

Nous avons vu qu'une caricature, un graphique et un portrait utilisent la même technique bissociative qui consiste à placer des grilles sélectives sur une apparence optique. Pourtant, dans le langage de la psychologie behavioriste, il faudrait dire que Cézanne en regardant un paysage reçoit un « stimulus » auquel il réagit par un coup de pinceau sur la toile — et rien de plus. En réalité percevoir et recréer le paysage sont deux activités qui ont lieu simultanément sur deux plans différents, dans deux environnements différents. Le stimulus provient d'un vaste environnement à trois dimensions, le paysage lointain. La réponse agit sur un autre environnement : une petite toile rectangulaire. Chacun des deux a ses règles d'organisation : un coup de pinceau sur la toile ne représente pas un détail du paysage. Il n'y a pas de correspondance point par point entre les deux plans, qui sont bissociés comme des totalités dans la création de l'artiste et dans le regard du spectateur.

La création d'une œuvre d'art comporte une série de processus

qui agissent pratiquement tous en même temps et que l'on ne peut
décrire sans les appauvrir et les déformer. L'artiste, comme
l'homme de science, s'efforce de projeter sa vision du réel dans un
médium particulier, qui peut s'appeler peinture, marbre, phrases ou
équations mathématiques. Mais le produit de son travail ne saurait
être une représentation exacte, une copie du réel, même s'il a la naïveté de l'espérer. En premier lieu il doit lutter avec les singularités
et les limitations du médium qu'il a choisi. Mais surtout sa perception, sa conception du monde ont également leurs singularités et
leurs limites, dues aux conventions implicites de son temps, de son
école et de son tempérament individuel. Ces conventions contribuent
à la cohérence de sa vision, mais elles risquent aussi d'aboutir aux
formules figées, aux stéréotypes, aux clichés visuels et littéraires.
L'originalité du génie, dans l'art comme dans la science, consiste à
fixer l'attention sur des aspects de la réalité auparavant négligés, à
découvrir des rapports cachés, à voir sous un jour nouveau des
objets ou des événements familiers.

Après une conférence que je venais de faire dans une université
américaine en exposant les thèses du présent ouvrage, l'un des
« peintres résidents » déclara d'un ton courroucé : « Moi, je ne
bissocie pas. Je m'assois, je regarde le modèle, et je le peins. »

En un sens, il avait raison. Il avait trouvé son « style », son vocabulaire visuel, quelques années auparavant, et il se contentait de
l'employer avec les variations convenables, pour exprimer tout ce
qu'il avait à dire. Le processus créateur s'était stabilisé en routine
technique. On aurait grand tort de sous-estimer cette pratique,
capable de belles choses dans un laboratoire de chimie comme dans
un atelier de peintre. Mais la virtuosité technique est une chose,
l'originalité créatrice en est une autre, et c'est de cette dernière qu'il
s'agit ici.

4

La trinité de la caricature, du graphique et du portrait stylisé
donne une des lignes horizontales qui réunissent les trois volets du
triptyque. Nous avons cité plus haut d'autres structures trivalentes.
Ainsi la bissociation du son et du sens, sous sa forme élémentaire,
produit le calembour. Mais la rime est souvent un noble calembour,
ou le son fait résonner le sens; et pour l'anthropologue comme pour

le linguiste le son fournit de bons indices pour trouver le sens. De même quand le rythme et la mesure s'emparent du sens ils peuvent produire soit un sonnet de Shakespeare, soit des vers de mirliton; et sur le panneau central l'étude des pulsations rythmiques joue un rôle essentiel, depuis les ondes alpha jusqu'aux diastoles et systoles, ïambes et trochées de la vie. Il n'est guère surprenant que la prosodie fasse encore écho au tambour du chamane et que selon Yeats elle « berce l'âme jusqu'à l'extase ».

Le caractère trinitaire d'un grand nombre de combinaisons bissociatives devient presque trop évident lorsqu'on saisit le principe sous-jacent et que l'on perçoit comme un *continuum* les trois domaines de la créativité. Ainsi la poursuite des analogies cachées donne l'image poétique, la découverte scientifique, ou l'imitation comique, selon les motifs de la recherche. Des dichotomies comme celles de l'esprit et de la matière, du pur esprit et (ou) du singe nu donnent lieu à d'infinies variations scientifiques, esthétiques ou comiques.

Moins évident, le rôle trivalent de l'illusion. L'acteur ou l'imitateur sur scène se dédouble. Si le résultat est péjoratif ou dégradant, l'illusion s'effondre, le public rit. Si le spectateur est amené à s'identifier au héros, il va lui-même se dédoubler pour succomber à la magie du théâtre. Mais, outre le parodiste et le comédien, il existe un troisième type d'imitateur qui utilise délibérément la faculté humaine du dédoublement : c'est l'analyste ou le guérisseur qui se projette dans le psychisme du patient et en même temps joue un rôle de mage ou de père. Le mot empathie *(Einfühlung)* est un terme poli pour désigner ce processus assez mystérieux par lequel on entre dans une sorte de symbiose mentale avec autrui, comme si l'on sortait de soi-même pour se mettre dans la peau d'un autre. L'empathie est à l'origine de notre compréhension instinctive — plus immédiate que le langage — des pensées et des sentiments d'autrui; c'est le point de départ de la science et de l'art du diagnostic et de la psychanalyse. Le sorcier ancien ou moderne entretient avec le patient une relation qui va dans les deux sens : il s'efforce de ressentir ce que ressent le patient et simultanément il se présente en personnage doué de clairvoyance divine, de pouvoirs magiques, de savoir secret. Le comédien crée l'illusion; l'humoriste la dissipe; le thérapiste s'en sert.

On peut décrire la *coïncidence* comme la rencontre fortuite de deux séries causales indépendantes qui fusionnent — comme par miracle — en un événement signifiant. C'est un parfait paradigme de la bissociation de deux contextes distincts, une bissociation qui serait agencée par le sort. Les coïncidences sont les calembours du destin.

Dans le calembour deux fils de pensée se trouvent attachés par un nœud acoustique; dans la coïncidence, deux séries d'événements se trouvent enchaînées par des mains invisibles.

La coïncidence peut d'ailleurs servir d'exemple pour montrer la trivalence des schémas bissociatifs, puisqu'elle se manifeste sur chacun des trois volets. Elle est à la base des farces et des comédies de boulevard qui dépendent de situations équivoques créées par l'intersection de deux séries d'événements indépendantes, de sorte que la situation sera comprise à la lumière de l'une ou de l'autre, ce qui aboutit aux erreurs d'identité et aux confusions de temps et de lieu. Mais dans la tragédie classique la coïncidence apparemment fortuite est le *deus ex machina* qui vient s'ingérer dans la destinée des hommes. C'est une erreur d'identité qui pousse Œdipe, pris au piège, à tuer son père et à épouser sa mère. Et finalement on sait que les hasards heureux jouent un rôle considérable dans l'histoire des découvertes scientifiques.

Cependant à un niveau plus élevé du triptyque le schéma se modifie quelque peu. La comédie de situation fait place à la comédie de mœurs qui n'utilise plus les gros effets de la coïncidence, mais plutôt le choc de *codes incompatibles* de raisonnement ou de conduite, ce qui aboutit à faire éclater l'hypocrisie ou l'absurdité de l'un des codes, ou les deux. Le théâtre contemporain témoigne d'un changement analogue; le destin n'agit plus de l'extérieur, mais de l'intérieur des personnages qui ne sont plus des marionnettes suspendues à des ficelles et manipulées par les dieux, mais des victimes de leurs propres passions absurdes et contradictoires : « Ce n'est pas la faute des astres, cher Brutus, c'est la nôtre... »

La littérature romanesque, comme le théâtre, vit de conflits, qui d'ailleurs peuvent demeurer implicites, mais qui doivent exister : sans eux les personnages glisseraient dans un univers sans frictions. Il peut y avoir conflit dans le cœur divisé d'un seul être, ou entre plusieurs personnages, ou entre l'homme et son destin. Entre des personnalités le conflit peut provenir de diverses oppositions d'idées, de tempéraments, de systèmes de valeurs ou de codes de conduite, comme dans la comédie. Mais si dans des ouvrages comiques la collision aboutit à l'incrédulité malicieuse, le conflit peut atteindre à la dignité tragique si le public est amené à accepter comme valables, chacune dans son système, les attitudes de deux protagonistes. Si l'auteur y réussit, le conflit se projettera dans l'esprit du lecteur ou du spectateur et il sera ressenti comme un choc entre deux identifications simultanées et incompatibles. « De nos querelles avec autrui nous faisons de la rhétorique, de nos querelles avec nous-mêmes de

la poésie », écrit Yeats. L'auteur comique nous fait rire aux dépens
de la victime; l'auteur tragique nous fait souffrir avec elle et nous
rend complices; le premier joue sur les émotions assertives, le second
sur les émotions autotranscendantes. Entre les deux, dans la zone
affectivement « neutre », le psychologue, l'anthropologue, le socio-
logue travaillent à *résoudre* les conflits en analysant les facteurs qui
les provoquent.

5

Il nous reste à examiner brièvement une bissociation fondamentale : la confrontation du tragique et du futile.

Bien que, selon Shakespeare, le monde soit tout entier une scène
de théâtre, on peut dire que la vie du commun des mortels se joue
sur deux scènes alternantes, placées à deux niveaux, que nous appellerons le plan banal et le plan tragique. La plupart du temps nous
piétinons sur le plan banal; mais à de rares occasions, si nous
sommes confrontés à la mort ou submergés par le sentiment océanique, il semble qu'une trappe s'ouvre sous nos pieds et que nous
passions soudain au plan tragique, au niveau de l'absolu. Alors les
routines quotidiennes apparaissent toutes futiles et superficielles.
Mais lorsque nous revenons, bien en sécurité, au niveau du banal
nous écartons les expériences de l'autre scène comme autant de
fantasmes de nos nerfs survoltés.

S'efforcer de réunir ces deux plans, c'est la forme la plus haute de
la créativité humaine. L'artiste et le savant sont également doués
(ou affligés) de la faculté de percevoir les événements banals de l'expérience quotidienne sous l'angle de l'éternité, *sub specie aeternitatis,*
et inversement, d'exprimer l'absolu en langage humain, de le refléter
en images concrètes. Le commun des mortels n'a pas assez de ressources intellectuelles ni de richesses affectives pour vivre plus que
de brefs passages sur le plan tragique. L'Infini est trop inhumain et
trop fugace pour qu'on puisse l'affronter, à moins qu'on ne le
contraigne à se mêler au monde tangible et fini. L'Absolu des existentialistes ne se réalise affectivement que s'il est bissocié à quelque
chose de concret, chevillé à l'univers familier. C'est à quoi s'emploient le savant et l'artiste, sans en être toujours conscients. Quand
ils parviennent à réunir les deux plans, le mystère cosmique s'huma-
nise, il se laisse attirer dans l'orbite des humains dont les mornes
expériences se transfigurent et s'auréolent.

Il va sans dire que les romans ne sont pas tous des « romans à problèmes » qui soumettraient le lecteur à un bombardement continu de rébus existentialistes. Mais indirectement, implicitement, toute grande œuvre concerne à certains égards les problèmes les plus profonds. Une fleur, même l'humble pâquerette, a des racines; une œuvre d'art, si gaie ou si sereine qu'elle soit, se nourrit en dernière analyse, par des tubes capillaires d'une infinie délicatesse aux archétypes enfouis de l'expérience.

Parce qu'il vit sur les deux plans à la fois l'artiste ou le savant créateur peut quelquefois capter un instant d'éternité à la fenêtre du temps. Que cette fenêtre soit un vitrail médiéval ou bien la loi de Newton définissant la gravitation universelle, c'est une question de tempérament et de goût.

6

Nous avons donc passé en revue la continuité des domaines du comique, de la découverte et de l'art; le climat affectif qui, dans chacun de ces domaines, dérive de la polarité des émotions; et enfin les « lignes horizontales » que l'on peut tracer sur notre triptyque pour indiquer les affinités structurelles entre les schémas bissociatifs de l'activité créatrice toujours dans les trois domaines. Il faut aller plus avant dans la psychologie de l'acte créateur lui-même.

Toute action, toute pensée cohérente, obéit à des « règles du jeu » qui le plus souvent nous gouvernent à notre insu. Dans les conditions artificielles du laboratoire de psychologie les règles sont énoncées clairement; par exemple : « Quel est le contraire de...? » Le psychologue dit « sombre », le sujet répond « clair ». Mais si la règle est de donner des synonymes, le sujet répondra « noir », ou « nuit » ou « ombre ». On remarque que même dans un jeu aussi simple le sujet a le choix entre plusieurs réponses, bien que la règle soit fixe. Il n'y a donc aucun sens à parler comme les behavioristes de stimuli et de réponses formant une chaîne dans le vide : La réponse provoquée par un stimulus donné dépend *a)* des règles du jeu et *b)* des stratégies souples autorisées par ces règles et guidées par l'expérience, le tempérament et autres facteurs.

Mais les jeux de la vie quotidienne sont plus compliqués que ceux des laboratoires où l'on proclame impérieusement les règles. Dans les processus normaux de la pensée et du langage les règles agissent implicitement bien au-dessous du niveau de la conscience claire. Ce ne sont pas seulement les codes de la grammaire qui opèrent entre chaque mot, mais aussi les codes de la simple logique ainsi que des structures mentales plus complexes, « cadres de perception » ou « contextes associatifs » qui contiennent tous nos préjugés et toutes nos inclinations affectives. Même si nous essayons consciemment de définir les règles qui gouvernent notre pensée nous trouverons la tâche extrêmement difficile et n'en viendrons pas à bout sans l'aide des spécialistes : linguistes, sémanticistes, psychologues, etc. Nous jouons les jeux de la vie en obéissant à des commandements écrits à l'encre invisible ou rédigés en code secret. Mais il est des situations critiques où il ne suffit pas de jouer le jeu et d'où l'on ne sort qu'en suivant les signaux de l'originalité créatrice.

Dans *Le Cri d'Archimède* j'ai proposé le mot « matrice » pour désigner globalement ces structures cognitives : habitudes, routines et techniques mentales régies par un code invariable (explicite ou implicite) mais capables de stratégies diverses en attaquant un problème ou une tâche. En d'autres termes les « matrices » sont des holons mentaux : des holons elles ont toutes les caractéristiques que nous avons examinées précédemment. Elles sont régies par des règles préétablies, mais guidées par des rétroactions de l'environnement extérieur et intérieur; elles vont de la rigidité pédante à l'adaptation souple, dans les limites permises par le code; elles s'ordonnent selon des hiérarchies abstractives « verticales » qui s'entrelacent en résilles et références croisées associatives « horizontales * ».

Tout problème, toute tâche que nous propose la vie sera abordé conformément aux règles qui nous ont permis de traiter des situations analogues dans le passé. Il serait absurde de minimiser la valeur des bonnes habitudes conformistes, qui assurent la cohérence, la stabilité du comportement, et l'ordre bien structuré du raisonnement. Mais quand la difficulté ou la nouveauté d'une tâche dépasse le seuil critique, les habitudes et les précédents ne suffisent plus. Le monde change, des situations entièrement nouvelles apparaissent; aux questions posées, aux défis lancés on ne peut plus répondre à l'aide des références conventionnelles, en s'appuyant sur les règles établies. Dans les sciences ces situations naissent de l'impact de nouvelles données qui ébranlent les fondations des théories admises. Le défi vient souvent de l'intérieur, à cause de l'insatiable pulsion exploratrice qui oblige le génie à poser des questions inouïes et lui interdit de se contenter des vieilles réponses. Chez l'artiste, le défi

---

* Cf. *Arborisation et réticulation,* chapitre premier.

est presque permanent, en raison des limitations du moyen d'expression, du besoin d'échapper aux contraintes et aux déformations qu'imposent les styles et les techniques de l'époque, et de l'espoir toujours en lutte d'exprimer l'inexprimable.

Quand l'intelligence est au bout de son rouleau il arrive (rarement, il est vrai) qu'elle se montre capable d'exploits étonnants et quasi acrobatiques qui aboutissent aux percées révolutionnaires, dans les arts comme dans les sciences, ouvrent des horizons nouveaux, bouleversent radicalement les façons de voir. Mais les révolutions n'ont pas seulement un aspect constructif. Quand nous parlons d'une découverte révolutionnaire, ou d'une révolution dans la peinture, nous sous-entendons l'aspect destructif*. La destruction consiste à jeter par-dessus bord des doctrines sacro-saintes et des axiomes que l'on croyait évidents, ancrés dans le confort intellectuel. C'est ce qui nous permet de distinguer l'originalité créatrice du labeur routinier. Un problème résolu ou une tâche accomplie selon d'anciennes règles du jeu laissent la matrice spécifique intacte-saine et sauve et peut-être enrichie par l'expérience. En revanche l'originalité créatrice oblige toujours à désapprendre et à rapprendre, à défaire et à refaire. Elle comporte la rupture de structures mentales pétrifiées, le rejet de matrices devenues inutiles, le regroupement d'autres matrices dans une synthèse nouvelle : autrement dit, c'est une opération complexe de dissociation et de bissociation dans laquelle interviennent plusieurs niveaux de la holarchie mentale.

Tous les témoignages biographiques [4] indiquent que cette opération de rebrassage radical demande l'intervention de processus mentaux qui agissent sous la surface du raisonnement clair, dans la pénombre de la conscience. Dans la phase décisive du processus créateur les contrôles rationnels se relâchent et l'intelligence paraît *régresser* de la pensée disciplinée à des formes d'idéation moins spécialisées, plus fluides. On en trouve une forme fréquente dans une sorte de recul de la pensée logique qui laisse place à l'imagination visuelle vague. On croit naïvement que les savants parviennent à leurs découvertes à force de raisonner en termes clairs, précis et rigoureux. Les témoignages recueillis montrent qu'il n'en est rien. L'enquête menée aux États-Unis en 1945 [5], par Jacques Hadamard

---

* Cf. Karl POPPER : « Pour qu'une nouvelle théorie constitue une découverte ou un pas en avant elle doit être en conflit avec celle qui l'a précédée; elle doit conduire au moins à des résultats conflictuels. Mais cela signifie au point de vue logique qu'elle contredise celle qui la précédait : elle doit la renverser. En ce sens le progrès scientifique — du moins le progrès manifeste — est toujours révolutionnaire [6]. »

sur les méthodes de travail des mathématiciens aboutit à la conclusion frappante qu'à deux exceptions près les mathématiciens en question ne pensaient ni en mots ni en signes algébriques : ils recouraient à des images, principalement visuelles, et fort vagues. C'est ainsi qu'Einstein écrivit : « Je ne crois pas que les mots du langage, écrit ou parlé, jouent le moindre rôle dans le mécanisme de ma pensée, qui s'appuie sur des images plus ou moins claires de type visuel et parfois musculaire. Il me semble que ce que vous appelez pleine conscience est un cas limite qui ne peut jamais être pleinement atteint car la conscience est chose étroite [7]. »

La plupart des hommes de science qui ont décrit leurs méthodes de travail sont apparemment des visuels qui approuveraient le conseil de Woodworth : « Il faut souvent s'écarter du langage afin de penser clairement. » Le raisonnement verbal occupe l'échelon le plus élevé de la hiérarchie mentale, mais il peut dégénérer en une rigidité pédante qui fait écran entre le penseur et la réalité. La créativité commence bien souvent où s'arrête le langage, en retournant à des niveaux pré-verbaux et apparemment pré-rationnels de l'activité mentale qui sont peut-être comparables à certains égards au rêve, et plus proches sans doute des états transitoires entre la veille et le sommeil.

Cette régression suppose que soient momentanément suspendues les « règles du jeu » qui gouvernent nos habitudes de pensée; l'esprit en travail est pour un temps libéré de la tyrannie des schémas trop stricts et trop précis, des axiomes et des préjugés qui leur sont incorporés; il est amené à désapprendre, à acquérir une innocence du regard, une fluidité de la pensée, qui lui permettent de découvrir des analogies cachées et d'audacieuses combinaisons d'idées qui seraient inacceptables dans un état de sobre lucidité. Les biographies des grands savants fournissent d'innombrables exemples de ce phénomène; l'insistance qu'ils mettent presque tous à parler d'illuminations spontanées et d'intuitions venues d'on ne sait où fait penser qu'il y a toujours de vastes pans d'irrationalité dans le processus créateur — et cela non seulement dans les arts, où la chose semble aller de soi, mais tout autant dans les sciences exactes.

7

Dans des livres précédents [8] j'ai avancé quelques hypothèses sur la manière dont peut opérer cette inspiration inconsciente, dont une régression temporaire à des niveaux de pensée moins raffinés peut produire l'heureuse combinaison d'idées, la bissociation focale qui aboutit à la solution d'un problème. Tout le monde a fait l'expérience, en se réveillant, d'essayer de retenir le souvenir d'un rêve, qui s'écoule comme du sable et échappe à la conscience. On peut donner à ce phénomène le nom d'*oneirolyse* (*oneiros,* rêve, *lysis,* dissolution). Le rêve lui-même, et dans une certaine mesure le rêve éveillé, passe sans effort d'un scénario à l'autre, en roue libre, indifférent aux lois de la logique et aux limites conventionnelles de l'espace, du temps et de la causalité; il établit des connexions bizarres et fabrique des analogies aberrantes qui se désintègrent au réveil du dormeur, lequel sera incapable de les décrire avec précision, et se contentera de dire qu'une chose lui en rappelait une autre et qu'il ne sait plus quoi. Or, dans les labeurs de l'obsession créatrice, quand tous les niveaux de la hiérarchie mentale y compris les couches inconscientes, sont saturés du problème, ce phénomène banal de l'oneirolyse peut s'inverser et devenir une sorte d'oneiro-synthèse dans laquelle ces connexions vaguement perçues forment une analogie naissante. Il peut s'agir d'une aurore encore brumeuse, comme les « images de type visuel ou musculaire » d'Einstein, ou les « lignes de force » que Faraday croyait voir autour des aimants; il peut s'agir de formes mouvantes comme celles du nuage de Hamlet. Les profondeurs inconscientes des esprits féconds doivent grouiller de ces analogies naissantes, de ces affinités secrètes, des formes vagues des « choses inconnues ». Mais il faut se rappeler que les nuages s'entassent et se dissipent, et que les éclairs sont rares.

8

Reculer pour mieux sauter — telle est la démarche ou le schéma du processus : régression temporaire à des niveaux d'idéation primitifs et sans inhibition, suivie d'un bond en avant dans l'innovation. Désintégration et réintégration, dissociation et bissociation, c'est encore le même schéma.

La cogitation au sens créatif est une co-agitation, une manière de secouer et mêler ce qui était séparé auparavant; mais l'esprit rationnel pleinement conscient n'est pas le meilleur brasseur d'idées, même s'il est extrêmement précieux dans la pensée quotidienne. Les percées révolutionnaires de la science et de l'art obéissent toujours au principe : reculer pour mieux sauter.

On pourrait même dire qu'il s'agit d'un archétype, car ce schéma a des équivalents dans d'autres domaines. La psychothérapie par exemple, depuis le chamanisme jusqu'à l'analyse contemporaine, s'est toujours fondée sur ce processus particulier de destruction et reconstruction qu'Ernst Kris appelle « régression au service de l'ego ». Le névrosé bardé de phobies, de manies et de mécanismes de défense obéit à des « règles du jeu » excentriques mais très strictes. Le but de la cure est de provoquer une régression temporaire, d'amener le malade à rebrousser chemin pour retourner à la cause de ses troubles, et de remonter métamorphosé dans une sorte de nouvelle naissance.

C'est encore le thème de la mort et de la résurrection, ou de la retraite et du retour, que l'on retrouve perpétuellement dans les mythes. Joseph est jeté au fond d'un puits, Jonas sortira du ventre de la baleine, Jésus ira au tombeau pour ressusciter des morts.

Enfin, nous le verrons plus loin, en dehors du domaine de la créativité intellectuelle, on peut parler aussi de reculer pour mieux sauter à propos de l'évolution créatrice des formes supérieures de la vie. L'évolution biologique nous apparaîtra comme une série d'évasions hors des impasses de la stagnation, de l'ultra-spécialisation et de l'inadaptation, dans un processus du défaire et du refaire qui est fondamentalement analogue aux phénomènes de l'évolution mentale et qui à certains égards les annonce. Mais avant d'entreprendre ce voyage, il nous reste à combler certaines lacunes dans notre examen de la créativité scientifique et esthétique.

9

Je me suis efforcé jusqu'ici de bien souligner que l'artiste et le savant n'habitent pas des univers séparés, mais seulement des zones différentes d'un même spectre continu, que leur arc-en-ciel va de l'infrarouge de la poésie à l'ultraviolet de la physique, et que les nuances intermédiaires sont nombreuses dans des vocations hybrides comme l'architecture, la photographie, le jeu d'échecs, la cuisine, la psychologie, la science-fiction et l'art du potier. Mais pour éviter de trop simplifier, après avoir signalé les affinités, il faut parler brièvement des différences quelquefois apparentes, quelquefois réelles, entre les deux extrémités du continuum.

La différence la plus évidente paraît tenir à la nature des critères

selon lesquels on juge la découverte scientifique et l'œuvre d'art.
Entre les deux il existe une barrière imaginaire : on croit généralement que l'homme de science, à la différence de l'artiste, est en
mesure d'atteindre à la « vérité objective » en soumettant ses théories
à l'expérience. En fait l'expérimentation peut confirmer des hypothèses fondées sur une théorie, mais non pas la théorie elle-même.
Il arrive souvent que les mêmes données expérimentales puissent
s'interpréter de plusieurs façons, — et c'est pourquoi l'histoire des
sciences abonde en controverses aussi venimeuses que l'histoire de la
critique littéraire. Nous retrouvons donc ici une gradation continue
entre les méthodes relativement objectives qui mettent une théorie
scientifique à l'épreuve de l'expérience et les critères relativement
subjectifs de la valeur esthétique. Mais il faut insister sur cette
« relativité ». En fait, comme une piste antique dans le désert, le progrès de la science est jonché des squelettes blanchis de théories
abandonnées que l'on avait cru immortelles. L'histoire de l'art
connaît les mêmes révisions déchirantes, les mêmes rejets de valeurs
admises, de critères et de styles. Au cours des deux derniers siècles
la littérature européenne a successivement encensé et abandonné
le classicisme, le romantisme, le naturalisme, le surréalisme, le
dadaïsme, le roman social ou populiste, l'existentialisme, le nouveau
roman. Dans l'histoire de la peinture les changements ont été bien
plus radicaux encore. Mais des lignes tout aussi brisées caractérisent
la démarche des sciences, qu'il s'agisse de l'histoire de la physiologie
et de la médecine (sans parler de la psychologie), de la biologie
évolutionnaire ou des volte-face de la physique, d'Aristote à
Newton et de Newton à Einstein. Les données peuvent être parfaitement nettes, comme les contours d'une tache de Rorschach,
mais pour ce qu'on y déchiffre c'est une autre affaire. Il y a évidemment une différence de précision et d'objectivité qui est considérable entre les méthodes qui servent à juger un théorème de
physique d'une part et d'autre part une œuvre d'art. Mais encore
une fois c'est une différence de degré : il y a transition sans disconti-
nuité.

Il faut se rappeler aussi que la mise à l'épreuve et l'appréciation
d'une découverte interviennent après coup, alors que le moment
décisif de l'acte créateur est, pour le savant comme pour l'artiste, un
saut dans l'inconnu, dans les zones d'ombre de la conscience où
tout homme dépend de ses intuitions très faillibles. La fausse inspiration et la théorie extravagante sont aussi abondantes dans l'histoire des sciences que les œuvres ratées dans l'histoire de l'art; pourtant elles provoquent dans l'esprit de leurs victimes la même robuste

conviction et la même euphorie que les heureuses trouvailles qui, après coup, se révèlent réelles et valables*. A cet égard le savant n'est pas en meilleure posture que l'artiste : dans les affres du processus créateur la vérité n'est pas un guide plus sûr ni moins subjectif que la beauté. Et de très grands savants ont avoué qu'au moment crucial ce n'est pas la logique qui les guidait, mais un sens du beau qu'ils étaient incapables de définir.

Une vierge de Botticelli et un théorème de Poincaré ne font pas penser à la moindre ressemblance entre les mobiles ou les aspirations de leurs auteurs. Mais c'est Poincaré qui a écrit que ce qui le guidait dans ses tâtonnements inconscients vers les « heureuses combinaisons » qui produisent les découvertes était « le sentiment de la beauté mathématique, de l'harmonie des nombres, des formes, de l'élégance géométrique. C'est un véritable sentiment esthétique que connaissent tous les mathématiciens ». Le doyen des physiciens anglais, Paul Dirac, est allé encore plus loin dans sa phrase fameuse : « Il est plus important d'avoir de la beauté dans ses équations que de les faire s'accorder aux expériences. » Propos hardis, qui ne l'ont pas empêché de recevoir le prix Nobel.

Réciproquement, les peintres, les sculpteurs et les architectes ont toujours été guidés et même obsédés par des théories scientifiques ou pseudo-scientifiques : section d'or des Grecs; géométrie de la perspective et du raccourci; « lois ultimes de la proportion parfaite » pour Dürer et Léonard de Vinci; doctrine de Cézanne sur la réduction de toutes formes naturelles aux sphères, cônes et cylindres; et ainsi de suite. La contrepartie de l'apologie du mathématicien qui met la beauté avant la logique se trouve dans la déclaration de Seurat : « On voit de la poésie dans ce que je fais. Non, j'applique ma méthode, c'est tout. »

Des deux côtés on reconnaît la continuité du triptyque : l'homme de science, en avouant qu'il dépend d'intuitions pour avancer dans la voie de sa théorie; l'artiste, en attribuant une valeur extrême, quelquefois excessive, aux principes abstraits qui disciplinent ses intuitions. Les deux facteurs sont complémentaires; la proportion dans laquelle ils se combinent dépend avant tout du domaine où la force créatrice trouve à s'exprimer.

On peut faire les mêmes observations à propos des règles de l'harmonie et du contrepoint et en général des aspects théoriques de la

---

* Selon Albert Szent-Györgyi, inventeur de la vitamine C, prix Nobel : « Il n'y a qu'une façon d'éviter les erreurs : ne rien faire ou du moins éviter de faire du neuf... L'inconnu n'est jamais sûr et si l'on s'y aventure tout ce que l'on peut espérer c'est que l'échec possible sera honorable [9]. »

musique; et naturellement à propos de la littérature. Un romancier, un poète, un auteur dramatique, ne créent pas dans le vide; leur conception du monde est influencée, qu'ils le sachent ou non, par le climat philosophique et scientifique de leur époque. John Donne, poète mystique, fut des premiers à comprendre toute l'importance des découvertes de Galilée :

> *L'homme a tissé un grand filet puis l'a jeté*
> *Sur les cieux, et les cieux maintenant sont à lui...*

Newton eut une influence comparable; et de même, bien entendu, Darwin, Marx, le Frazer du *Rameau d'or,* Freud, Einstein.

L'*Ode sur un vase grec,* de Keats, se termine par ces vers célèbres :

> *Le beau c'est le vrai, le vrai c'est le beau, voilà tout*
> *Ce que vous saurez sur terre, et tout ce qu'il faut savoir.*

C'est là sans doute une exagération poétique, mais c'est aussi une touchante profession de foi dans l'unité essentielle des deux cultures, artificiellement séparées par les fantaisies de nos systèmes éducatifs et sociaux. Pour un esprit sans préjugés, toute découverte scientifique est source de satisfaction esthétique, parce que la solution d'un problème troublant change une dissonance en harmonie; et à l'inverse le sentiment du beau ne peut naître que si l'intelligence admet la validité de l'opération — quelle qu'elle soit — qui a été conçue pour susciter ce sentiment. L'illumination intellectuelle et la catharsis affective récompensent l'une et l'autre l'acte de création, ainsi que l'écho qui le recrée dans l'esprit de celui qui le contemple. La première constitue la minute de vérité, la réaction Aha, la seconde apporte la réaction Ah... de l'expérience esthétique. Ensemble, ce sont des aspects complémentaires d'un processus indivisible.

10

Il est une autre différence, plus fondamentale apparemment, entre l'histoire des sciences et l'histoire de l'art.

Dans *Le Premier Cercle* de Soljenitsyne, des prisonniers discutent du progrès scientifique. L'un d'eux, Gleb Nerjine, s'écrie d'une voix passionnée : « Le progrès! Qu'est-ce que ça nous fait, le progrès? C'est justement ce qui me plaît dans l'art, c'est qu'il ne peut pas « progresser ». » Et il passe en revue les formidables innovations qui se sont produites dans la technologie depuis cent ans, pour conclure sur cette question : « Mais est-ce qu'on a fait mieux qu'*Anna Karenine?* »

C'est le contraire de ce que disait Sartre dans son essai *Qu'est-ce que la littérature?* en comparant les romans aux bananes, qui ne sont bonnes que lorsqu'elles sont fraîches. En ce cas, *Anna Karenine* doit être gâté depuis longtemps.

Le héros de Soljénitsyne reflète l'opinion traditionnelle selon laquelle la science s'édifie de manière cumulative, pierre à pierre, à la façon d'une tour, tandis que l'art, intemporel, ne cesse de broder des variations sur des thèmes éternels. Dans une certaine limite, en un sens très relatif, cette opinion traditionnelle est sans doute juste. Dans les grandes découvertes scientifiques, la bissociation de contextes précédemment séparés (électricité et magnétisme, matière et énergie, etc.) produit une synthèse nouvelle qui fusionnera à son tour avec d'autres synthèses à un nouvel échelon plus élevé de la hiérarchie. En général l'évolution de l'art ne suit pas ce schéma. L'artiste choisit les cadres conceptuels de son travail pour leurs qualités sensuelles et leur potentiel affectif; son acte bissociatif consiste en leur juxtaposition, plutôt qu'en une fusion intellectuelle à laquelle, de par leur nature même, ils ne se prêtent guère.

Mais là aussi, la différence n'est pas absolue, elle est relative. Si l'on accepte sans réserve le jugement de Gleb Nerjine, il est vain de chercher des critères objectifs de « progrès » en littérature, en peinture ou en musique; l'art n'évolue pas, il se borne à formuler et reformuler les mêmes expériences archétypiques dans les styles et les costumes de l'époque; et bien que le vocabulaire soit sujet au changement — ce qui est vrai aussi du vocabulaire visuel du peintre — le contenu d'une grande œuvre reste valable, invulnérable au temps, insensible aux mutations vulgaires du progrès.

Mais si l'on y regarde de plus près cette conception devient historiquement intenable. On connaît des périodes durant lesquelles une forme donnée manifeste une nette évolution cumulative, comparable au progrès scientifique. Citons le grand historien de l'art Ernst Gombrich :

Dans l'Antiquité la critique de la peinture et de la sculpture portait inévitablement sur l'imitation [de la nature], la mimesis. On peut même dire que le progrès de l'art dans cette direction était pour les anciens ce que le progrès technique est pour les modernes : le modèle du progrès en soi. C'est ainsi que Pline raconte l'histoire de la sculpture et de la peinture comme une histoire des inventions, en attribuant tels et tels perfectionnements dans le rendu de la nature à tels et tels artistes : le

peintre Polygnote a été le premier à représenter les hommes la bouche
ouverte et les dents visibles, le sculpteur Pythagoras a été le premier
à rendre les veines et les tendons, le peintre Kikias à s'intéresser à la
lumière et aux ombres. L'histoire de ces siècles (entre le vi[e] avant notre
ère et le ive après) telle que la rapportent Pline et Quintilien s'est transmise comme une épopée de la conquête et comme une histoire des inventions... A la Renaissance, c'est Vasari qui appliqua cette méthode à
l'histoire des arts en Italie du xiiie au xvie siècle. Vasari ne manque
jamais de rendre hommage aux artistes du passé qui ont apporté une
contribution particulière, à son avis, à la maîtrise de la représentation.
   « Après d'humbles débuts l'art s'est élevé aux sommets de la perfection, écrit Vasari, parce que des génies tels que Giotto ont ouvert la voie
et donné ainsi à d'autres les moyens de poursuivre leur œuvre [10].

   « Si j'ai pu voir plus loin que les autres, disait Newton, c'est que
j'étais monté sur des géants. » De son côté Léonard de Vinci avait
écrit : « C'est un misérable élève que celui qui ne dépasse pas son
maître. » Dürer en jugeait de même, et bien d'autres à son époque.
Ce qu'ils voulaient dire, évidemment, c'est que durant la période
de développement explosif qui avait commencé avec Giotto vers l'an
1300, chaque génération de peintres avait découvert de nouvelles
techniques, de nouveaux procédés — raccourci, perspective, traitement
de la lumière, des couleurs, des matières, rendu du mouvement et
de l'expression — qui étaient autant d'inventions que l'élève pouvait
prendre au maître pour s'en servir lui-même et aller de l'avant.
   Quant à la littérature il n'est guère besoin de souligner que les
écoles et les modes n'ont jamais été statiques, et que durant leur
brève existence elles ont toujours évolué vers le raffinement et la
perfection technique — ou vers la décadence. Sur l'atome les physiciens d'aujourd'hui en savent plus que Démocrite, cela va de soi;
mais l'Ulysse de Joyce en sait davantage aussi sur la condition
humaine que celui d'Homère. Sur une période bien plus courte les
films d'il y a vingt ans nous semblent aujourd'hui — à quelques
exceptions près, bien sûr — étonnamment vieillis : simplistes, grandi-
loquents, trop explicites. On n'imagine guère un écrivain qui ne
croirait pas que son style et ses procédés d'écriture sont plus proches
du réel, intellectuellement et affectivement, que ceux du passé.
Avouons-le : dans le respect que nous portons à Homère ou à
Goethe il y a pour nous rassurer un peu de condescendance, à peu
près comme dans notre attitude à l'égard des enfants prodiges. Ils
étaient vraiment bons pour leur âge.
   Nous pouvons rejeter sans crainte les vues simplistes de Gleb Nerjine d'après qui la science est aussi cumulative qu'un travail de

maçon, et l'art aussi intemporel que des ballons multicolores qui danseraient perpétuellement sur un jet d'eau. L'histoire de l'art aussi enregistre des progrès cumulatifs, au moins à certaines époques. Dans l'histoire de la peinture européenne, par exemple, se détachent deux périodes durant lesquelles on constate un progrès cumulatif rapide et soutenu dans la représentation de la nature, progrès aussi tangible que celui des techniques. La première va en gros du milieu du VIe siècle avant J.-C. au milieu du IVe après, la seconde du début du XIVe au milieu du XVIe. Chacune a duré six ou huit générations dont chacune a véritablement monté sur les épaules de la précédente pour voir plus loin. Ce ne sont certainement pas les seules époques de progrès cumulatif, mais il est vrai qu'entre ces moments privilégiés d'évolution rapide s'étendent de très longues périodes de stagnation et de déclin. D'autre part il faut compter avec les géants solitaires qui, de temps à autre, semblent sortir de nulle part et qu'on ne saurait ranger dans la pyramide où les équilibristes s'élèvent les uns sur les autres.

La conclusion paraît évidente. Les bibliothèques et les musées prouvent qu'il existe bien une progression cumulative dans tous les arts — en un sens limité, dans une direction limitée, pendant des périodes limitées. Mais ces pistes lumineuses s'enfoncent tôt ou tard dans l'ombre et la confusion, et la quête reprend, pour de nouveaux départs, dans d'autres voies.

Mais contrairement à l'opinion courante l'évolution des sciences n'offre pas une image plus cohérente. C'est seulement depuis trois cents ans que le progrès est continu et cumulatif, et si l'on connaît mal l'histoire des sciences (ce qui est le cas d'un grand nombre d'hommes de science) on risque d'imaginer que l'acquisition du savoir a été une montée régulière sur un chemin bien droit, vers les cimes.

En fait les sciences n'ont pas évolué à une cadence plus continue que les arts. Whitehead disait qu'en l'an 1500 l'Europe était moins savante que la Grèce au temps d'Archimède, lequel mourut en 212 avant notre ère. Rétrospectivement, il n'y a qu'un pas d'Archimède à Galilée, ou d'Aristarque de Samos (père du système héliocentrique) à Copernic. Mais pour faire ce pas il a fallu près de deux mille ans, pendant lesquels la science s'est trouvée en état d'hibernation. Après les trois siècles glorieux de la science hellénique, qui coïncident à peu près avec la période cumulative de l'art hellénique, il y a une sorte de sommeil qui dure six fois plus longtemps; puis un réveil fougueux, qui ne remonte qu'à une dizaine de générations.

Le progrès dans la science comme dans l'art n'est ni régulier ni absolu; encore une fois c'est une progression en un sens limité, dans certaines directions, pendant un certain temps; ce n'est pas une belle courbe, c'est une ligne brisée, grattée, griffonnée.

Il y a un temps pour pêcher et un temps pour sécher les filets, dit un proverbe chinois. Que l'on survole l'histoire d'une discipline scientifique quelconque, on remarquera une sorte d'alternance entre des périodes d'évolution relativement paisible et de brusques éruptions plus ou moins révolutionnaires. C'est seulement aux époques calmes qui suivent les grandes percées que le progrès scientifique s'opère de manière continue et cumulative au sens strict. C'est le temps où l'on renforce les nouvelles frontières, où l'on vérifie et assimile, où l'on élabore et élargit les nouvelles synthèses — le temps du séchage des filets. Cela peut durer quelques années, ou des générations; mais tôt ou tard l'apparition de nouvelles données, ou un changement de climat philosophique, provoque la stagnation, le durcissement de la matrice qui devient un système clos, l'avènement d'une nouvelle orthodoxie. S'ensuit une crise, une période d'anarchie féconde au cours de laquelle les théories rivales prolifèrent — jusqu'à la formation d'une nouvelle synthèse, et le cycle recommence. Mais cette fois il va dans une autre direction, il suit d'autres paramètres, il pose d'autres questions.

Ainsi peut-on déceler une structure récurrente dans l'évolution des sciences comme dans celle des arts. En général le cycle commence par la révolte, le refus de l'école ou du style dominant, la volonté d'ouvrir de nouvelles frontières, c'est la première phase. La seconde se caractérise par un climat d'optimisme et d'euphorie; sur les pas des géants qui ont montré la voie, suiveurs et imitateurs pénètrent dans les terres vierges pour en exploiter les richesses. C'est la phase par excellence du progrès cumulatif qui élabore et perfectionne les idées neuves, les techniques neuves de la recherche, les styles neufs. La troisième phase apporte la saturation, qui entraîne frustrations et impasses. La quatrième et dernière phase est celle de la crise et du doute, comme au temps de l'effondrement de la cosmologie aristotélicienne pleurée par John Donne : « Tout est en miettes, plus de cohésion... » Mais c'est aussi le moment des folles expériences (fauvisme et dadaïsme ont leurs équivalents dans les sciences) et de l'anarchie créatrice, le moment de reculer pour mieux sauter; la prochaine révolution va éclore, de nouveaux horizons s'ouvrent, et le cycle peut reprendre.

A certains égards ce rythme est analogue aux étapes successives du processus de la découverte, selon le schéma proposé par Helmholtz et Graham Wallas : préparation consciente — incubation inconsciente — illumination — vérification et consolidation. Mais alors qu'à l'échelle de l'individu ce processus s'achève sur la dernière étape, à l'échelle de l'histoire le dernier stade d'un cycle se confond avec le premier du cycle suivant.

Une théorie plus récente (qui est très proche de la conception des cycles que je viens de résumer et que j'avais exposée dans *Le Cri d'Archimède*) a été donnée par Thomas Kuhn dans son essai *The Structure of Scientific Revolutions*. Kuhn appelle « science normale » les phases cumulatives, et « changements de paradigmes » les périodes de percées révolutionnaires. A part le vocabulaire, il y a des ressemblances frappantes entre ces schémas, le sien et le mien, qui d'ailleurs ont été conçus indépendamment l'un de l'autre. Dans les deux cas on s'écarte radicalement de la vénérable théorie de George Sarton qui affirme que l'histoire des sciences est la seule qui connaisse un progrès cumulatif et qu'en conséquence le progrès scientifique procure les seuls jalons qui permettent de mesurer le progrès de l'humanité.

Mais en fait le progrès scientifique qui à cet égard ne diffère guère de l'histoire de l'art, avance en zigzag. Ce qui ne veut pas dire naturellement, qu'il n'y a pas de progrès mais que, dans un domaine comme dans l'autre, la marche en avant est imprévisible et souvent erratique.

Depuis cent ans l'histoire s'accélère comme une fusée au décollage, et les découvertes se succèdent à couper le souffle, mais en franchissant plus de crises, plus de volte-face, plus de remises en cause que jamais auparavant. C'est ce qui apparaît dans toutes les branches de la science et de l'art — en peinture et en littérature, en physique et en physiologie du cerveau, en génétique, en cosmologie. Dans tous les domaines les équipes de démolition se sont activées aussi fiévreusement que les constructeurs, mais il faut du temps pour bien voir l'œuvre des seconds, et pour oublier les fières citadelles de l'orthodoxie qui ont été démolies. Sans aucun doute, au cours des prochaines décennies nous verrons des réussites encore plus spectaculaires de l'art de défaire et de refaire. A ce sujet on pourra trouver quelques conjectures dans les chapitres qui suivent.

TROISIÈME PARTIE

L'ÉVOLUTION CRÉATRICE

CHAPITRE IX

Citadelles croulantes

Nous venons de faire allusion aux citadelles de l'orthodoxie qui menacent ruine. L'une d'elles est la théorie néo-darwiniste (appelée aussi « théorie synthétique »), dont W. H. Thorpe a bien résumé la situation en révélant l'existence d'un « courant caché de pensée dans les esprits de vingtaines, peut-être de centaines de biologistes, depuis vingt-cinq ans, qui rejettent le dogme néo-darwiniste * ». En fait, les contradictions et les tautologies de la théorie synthétique sont connues depuis bien plus longtemps, c'est une sorte de secret de Polichinelle; mais le dogme a toujours été défendu vigoureusement par la science officielle qui a toujours su condamner les hérétiques à un ostracisme discret, mais efficace. Deux raisons semblent expliquer ce paradoxe : en premier lieu l'attachement à une théorie scientifique peut être aussi affectif qu'une croyance religieuse, c'est un fait dont l'histoire des sciences donne une foule d'exemples; en second lieu, comme on ne voit pas d'autre solution cohérente, et donc pas d'alternative, de nombreux biologistes estiment qu'une mauvaise théorie vaut mieux que pas de théorie du tout. Est-ce là une bonne stratégie scientifique? C'est une question d'opinion.

* C'est de cette remarque du professeur Thorpe qu'est venue l'idée du colloque « Au-delà du réductionnisme » (Cf. Chapitre premier).

Pour expliquer l'essentiel de la théorie, le plus simple est sans doute d'établir un parallèle entre le néo-darwinisme et le behaviorisme. L'un et l'autre ont tiré leur inspiration du *Zeitgeist* de philosophie réductionniste qui a régné pendant la première moitié de ce siècle. Le behaviorisme, fondé par John Broadus Watson à la veille de la Première Guerre mondiale, a remporté un succès extraordinaire en proclamant surtout que « conscience » et « esprit » sont des mots creux, qui ne correspondent à rien de réel. Cinquante ans plus tard B. F. Skinner, de l'université Harvard — qui est probablement le professeur de psychologie le plus influent de notre époque — soutenait les mêmes thèses avec encore plus de force. En lisant son ouvrage le plus répandu, *Science and Human Behaviour,* le brave étudiant en psychologie apprend d'emblée qu' « intelligence » et « idées » sont des mots vides « inventés dans le seul but de fournir des explications fausses... Puisque l'on affirme que les événements mentaux ou psychiques ne se prêtent pas aux mesures de la physique, nous avons une raison de plus pour les rejeter [1] ». (En suivant le même raisonnement le physicien peut nier l'existence des ondes hertziennes, parce qu'elles consistent en vibrations qui se propagent dans un vide dénué de toute propriété physique.)

J'ai eu souvent des difficultés à convaincre des amis non spécialistes que cette doctrine manifestement absurde domine encore la psychologie universitaire. Un critique écrivait récemment à ce propos :

> C'est un exercice intéressant de se recueillir pour tenter de prendre conscience de ce que signifie cette déclaration : la conscience n'existe pas. L'histoire ne nous dit pas si ce tour de force a été tenté par les premiers behavioristes. Mais elle a parfaitement enregistré d'autre part l'énorme influence qu'a exercée sur la psychologie du xxe siècle la doctrine selon laquelle la conscience n'existe pas [2].

On aborde ici un problème crucial à l'égard duquel le behaviorisme et le néo-darwinisme ont des attitudes très semblables. Il s'agit de leur manière d'envisager les forces qui peuvent expliquer d'une part l'évolution biologique, d'autre part l'évolution culturelle. Commençons par celle-ci. Comment expliquer une découverte scientifique ou une création artistique dans l'univers sans conscience du behavioriste? Voici la réponse de Watson (et il faut préciser que le passage cité est rigoureusement le seul, dans tout le livre, où il soit question de créativité). Les italiques sont de lui.

> Une question toute naturelle que l'on pose souvent est de savoir comment nous pouvons obtenir de nouvelles créations verbales comme un

poème ou un brillant essai. *La réponse est que nous les obtenons en manipulant des mots, en les battant comme un jeu de cartes jusqu'à ce qu'on tombe sur une forme nouvelle...* Comment croyez-vous que Patou dessine une nouvelle robe? est-ce qu'il a une « image dans l'esprit » de ce que représentera sa robe quand elle sera finie? Pas du tout... Il fait venir son modèle, prend une pièce de soie, l'en enveloppe, tire par-ci, tire par-là... Il manipule l'étoffe jusqu'à ce qu'elle ressemble à une robe... Tant que la création n'aura pas suscité admiration et approbation, chez lui et chez autrui, la manipulation ne sera pas achevée : c'est l'équivalent de la découverte de la nourriture par le rat... Le peintre fait son métier de la même façon, et le poète ne peut se targuer d'aucune autre méthode [3].

Les deux points à retenir sont *a)* que la solution est trouvée *fortuitement* après une série d'essais au hasard, et *b)* qu'elle est retenue parce qu'elle a été *récompensée* par l'approbation.

Trente ans après la publication du livre de Watson, Skinner aboutissait à la même conclusion à propos des découvertes scientifiques — mais entre-temps le behaviorisme avait perfectionné son jargon :

> Le résultat du solutionnement d'un problème est l'apparition d'une solution sous forme de réponse... L'apparition de la réponse dans le comportement de l'individu n'est pas plus surprenante que l'apparition de n'importe quelle réponse dans le comportement de n'importe quel organisme [4].

Les organismes dont il s'agit sont principalement les rats de laboratoires placés dans la boîte dite de Skinner, qui est pour les behavioristes l'instrument le mieux conçu pour les recherches psychologiques *. Cette boîte est équipée d'un plateau et d'une tringle qui peut s'abaisser comme un levier de machines à sous pour faire tomber une boulette de nourriture sur le plateau. Un rat appuiera sur la tringle par hasard et en sera automatiquement récompensé par une boulette; tôt ou tard il apprendra que pour avoir à manger il doit appuyer sur la tringle. Ce protocole est un « conditionnement opérant »; appuyer sur la barre, c'est « émettre une réponse opérante »; le nombre des pressions exercées sur la barre en un temps donné fournit le « taux de réponse », qui est automatiquement enregistré sur un graphique. La nourriture est un stimulus de renforcement, mais si elle ne se présente pas, le renforcement est « négatif ». Ce genre d'expériences a pour but de permettre au behavioriste de réa-

---

* Dans les titres pompeux de Skinner, *Comportement des organismes, Science et Comportement humain* rien n'indique que les données utilisées viennent uniquement d'expériences sur les pigeons et les rats.

liser son ambition : « mesurer, prédire et contrôler le comportement » de tous les animaux, y compris les humains.

Nous n'avons pas à nous occuper ici des détails de la ratologie behavioriste *, mais ce qui nous intéresse c'est que lorsque l'animal découvre le secret du levier sa trouvaille est due simplement au *hasard* et que la technique de l'enfoncement du levier s'ajoute à son répertoire parce qu'il a été « renforcé » par des « gratifications ».

Or, si l'on considère la réponse du darwinisme à la question de savoir comment l'homme a évolué à partir du limon primordial, on s'aperçoit que c'est à peu près la réponse de Watson au problème de la création d'une robe de Patou : « Il tire par-ci, il tire par-là... il manipule l'étoffe jusqu'à ce qu'elle ressemble à une robe... » L'évolution darwinienne est censée opérer selon le même principe, c'est-à-dire en manipulant *au hasard* le matériau organique brut — une queue par-ci, des ailes par-là — jusqu'à ce qu'une structure convenable apparaisse et soit *retenue* en raison de son aptitude à survivre.

En d'autres termes le behaviorisme et le néo-darwinisme, qui l'un et l'autre occupent des situations éminentes dans les sciences de la vie, expliquent l'évolution biologique et culturelle en s'appuyant essentiellement sur le même modèle qui fonctionne en deux temps : la première étape est régie par le hasard, la seconde par les gratifications sélectives. L'évolution biologique ne serait *pas autre chose* que l'aboutissement *a)* de mutations fortuites (le singe qui tape sur les touches d'une machine à écrire) *b)* conservées par la sélection naturelle (qui récompense l'aptitude); et le progrès culturel ne serait *pas autre chose* que l'aboutissement *a)* d'essais au hasard retenus par *b)* renforcements (le bâton et la carotte).

Évolution biologique	*Évolution culturelle*
a) mutations fortuites	essais au hasard
b) sélection naturelle	renforcements

Il est étrange que l'on n'ait pas remarqué ce parallélisme. C'est peut-être que les psychologues ne s'intéressent pas à l'évolution, et que les évolutionnistes ne s'intéressent pas à la psychologie.

Laissons de côté *a)* le rôle du hasard, dont nous parlerons plus loin. On a montré il y a longtemps que les concepts *b)* — « renforcements » et « sélection naturelle » — n'ont aucune valeur explicative. Pour commencer par le renforcement écoutons encore le professeur Skinner :

---

* Cf. *Le Cheval dans la locomotive,* chapitres premier — III et annexe II.

Le stimulus verbal « à table » est une occasion dans laquelle l'action d'aller à table et de s'asseoir est habituellement renforcée par de la nourriture. Le stimulus arrive à être effectif en augmentant la probabilité de ce comportement et il est produit par le locuteur à cause de cela[5].

Au cas où le lecteur aurait des doutes, cela n'est pas une parodie, c'est une citation de l'ouvrage intitulé *Verbal Behaviour* (« Comportement verbal ») publié en 1957. Et le professeur Skinner nous enseigne aussi que « l'homme se parle à lui-même... à cause du renforcement qu'il reçoit[6] », que penser est en réalité « une manière de se comporter qui affecte automatiquement le comportement et qui est renforçante à cause de cela[7] »; que « de même que le musicien joue et compose ce qui le renforce par l'ouïe, ou que l'artiste peint ce qui le renforce visuellement, de même le locuteur engagé dans une fantaisie verbale dit ce qui le renforce auditivement ou écrit ce qui le renforce par la lecture[8] », et enfin que l'artiste créateur est « entièrement contrôlé par les contingences du renforcement[9] ».

Quand on dressait un rat à enfoncer un levier dans la boîte ou à sortir d'un labyrinthe, le mot « renforcement » avait un sens concret : son comportement étant récompensé ou non, le rat pouvait être effectivement conditionné par l'expérimentateur. Mais les héroïques efforts du behavioriste pour passer de la boîte de Skinner à l'atelier du peintre en brandissant partout son « renforcement » le conduisent à des absurdités hilarantes. Seulement sa philosophie l'oblige à faire tout ce qu'il peut pour prouver que le comportement humain n'est *pas autre chose* qu'une forme plus raffinée de celui des rats. C'est ce que montrera parfaitement une dernière citation de Skinner. Le « comportement verbal » de l'écrivain « peut toucher des siècles ou bien des milliers d'auditeurs ou de lecteurs en même temps. Il se peut que l'écrivain ne soit pas renforcé souvent ni immédiatement, mais son renforcement net peut être grand[10] ».

Si ces phrases ont un sens elles veulent dire que tout auteur aimerait bien écrire un chef-d'œuvre immortel. Il persiste dans ses efforts à cause du renforcement qu'il reçoit, et on appelle renforcement tout ce qui le fait persister dans ses efforts[11]. Chomsky entre autres l'a fait remarquer[12] : le concept de renforcement se fonde sur une tautologie, et sa valeur d'explication est rigoureusement nulle.

2

Le même sort menace le fameux concept darwiniste de sélection naturelle ou de survivance des plus aptes, équivalent évolutionniste du « renforcement » behavioriste.

Au temps jadis, tout paraissait si simple! La nature récompensait les aptes à l'aide de la carotte de la survivance et punissait les inaptes en les condamnant au bâton de l'extinction. Les difficultés ont commencé seulement quand on a voulu définir l'« aptitude ». Les pygmées sont-ils plus aptes que les géants, les brunes plus aptes que les blondes, les gauchers plus aptes que les droitiers? Quels sont exactement les critères de l'aptitude? La première réponse qui vient à l'esprit est que les plus aptes sont ceux qui survivent le plus longtemps. Mais quand on parle de l'évolution des *espèces,* la durée de vie des individus n'a aucune importance (elle peut être d'un jour pour certains insectes, d'un siècle pour les tortues); ce qui compte c'est la *quantité de descendants* que les individus peuvent produire durant leur vie. La sélection naturelle veille à la survivance et à la reproduction des plus aptes, et les plus aptes sont ceux qui ont le taux de reproduction le plus élevé : c'est un cercle vicieux qui ne répond absolument pas à la question de savoir ce qui fait évoluer l'évolution. Cette faille mortelle de la théorie a été reconnue par de grands évolutionnistes (Mayr, Simpson, Waddington, Haldane, etc.) il y a des dizaines d'années [13]; c'est comme je le disais, un secret de Polichinelle. Mais comme on n'entrevoyait aucune autre solution, il fallait défendre l'édifice lézardé. Par exemple Julian Huxley en 1953 :

> Autant que nous sachions, la sélection naturelle est non seulement inévitable, elle est non seulement *un* agent effectif de l'évolution, mais elle est *le* seul agent effectif de l'évolution. [Italiques de Huxley [14]]

Il faut comparer cette déclaration solennelle aux terribles commentaires de Waddington (qui était lui-même un membre éminent de la direction néo-darwiniste, mais adonné au doute méthodique) :

> La survivance n'est évidemment pas la longévité d'un individu qui vivrait plus vieux que Mathusalem. Elle suppose, dans l'interprétation moderne, la perpétuation en tant que source de générations futures.

L'individu qui « survit » le mieux est celui qui laisse le plus de descendance. Donc quand on dit d'un animal qu'il est « le plus apte » on ne veut pas dire nécessairement qu'il est très robuste, ou qu'il a la meilleure santé, ou qu'il gagnerait un concours de beauté. Essentiellement le mot ne dénote rien de plus que la descendance la plus nombreuse. Le principe général de sélection naturelle, en fait, équivaut simplement à dire que les individus qui laissent le plus de descendance sont ceux qui laissent le plus de descendance. C'est une tautologie [15].

Von Bertalanffy a été encore plus net. Toujours à propos de la théorie orthodoxe il écrivait : « On voit mal pourquoi l'évolution a jamais progressé au-delà du lapin, du hareng ou même de la bactérie, dont rien ne surpasse les capacités de reproduction [16]. »

Évitons les malentendus : il est bien évident que des êtres qui seraient biologiquement des handicapés incapables de faire face aux besoins de la vie seraient éliminés au cours de l'évolution. Mais l'élimination des difformités n'explique pas l'évolution de formes supérieures. L'action d'un herbicide peut être bénéfique, elle n'expliquera pas l'apparition de nouvelles espèces végétales. Or c'est un sophisme courant chez les évolutionnistes de confondre le processus d'*élimination* des inaptes avec le processus d'*évolution* vers un idéal indéfinissable d' « aptitude ». Les défenseurs de la théorie synthétique mettraient fin sans difficulté à cette confusion en remplaçant le terme discrédité de « sélection naturelle » par « élimination sélective ». Mais jusqu'ici ils se sont contentés de remplacer le slogan « survivance des plus aptes » par l'expression moins offensante de « reproduction différentielle » — qui, nous venons de le voir, ne les a pas aidés le moins du monde à sortir du labyrinthe des tautologies.

Il n'a pas été plus utile de recourir aux synonymes et de dire « adaptabilité » au lieu d'aptitude. Von Bertalanffy encore a résumé la situation :

A mon avis il n'y a pas l'ombre d'une preuve scientifique pour prétendre que l'évolution au sens d'une progression d'organismes moins compliqués à organismes plus compliqués ait eu le moindre rapport avec une meilleure adaptation... ou production de descendance plus nombreuse. L'adaptation est possible à n'importe quel niveau... Une amibe, un ver, un insecte, un mammifère non placentaire sont aussi bien adaptés que les placentaires; s'ils ne l'étaient pas ils auraient disparu depuis longtemps [17].

En d'autres termes personne ne conteste le truisme qu'une espèce ne survit que si elle peut s'adapter à l'environnement, mais il y a mille façons de s'adapter à un environnement, et quelquefois ces façons sont si compliquées, si bizarres, que le mot « adaptation » n'a plus de sens. Qu'on songe à cet exemple, donné par Alister Hardy, dans *The Living Stream :*

> Il existe certaines variétés d'orchidées dont les fleurs imitent la couleur, la forme et l'odeur des femelles de certains insectes et attirent ainsi sexuellement les mâles de ces espèces; excités, ceux-ci viennent s'y poser et sans le vouloir, en transportant le pollen, réalisent au contraire le processus sexuel de la fleur [18].

Ou cet autre exemple, emprunté à von Bertalanffy :

> Quant à moi je ne comprends toujours pas pourquoi il y a avantage sélectif pour les anguilles de Comacchio à faire le dangereux voyage de la mer des Sargasses, ni pourquoi *Ascaris* doit parcourir tout le corps de son hôte au lieu de s'installer confortablement dans l'intestin, qui est son milieu; ni quelle a été la valeur de survivance des estomacs de la vache, quand le cheval, également végétarien et de taille comparable, se tire parfaitement d'affaire avec un seul estomac [19].

Et comment l'« adaptation » explique-t-elle les aventures fantastiques de la chenille qui devient chrysalide — en s'enveloppant dans un cocon où elle subit une transformation complète, les organes et les tissus larvaires se dissolvant pour un remodelage total? Les livres d'histoire naturelle donnent d'innombrables exemples de ces extravagantes manières de vivre en tant qu'espèces; mais on n'en parle guère dans les ouvrages sur l'évolution parce qu'elles montrent trop bien que la théorie repose sur des pétitions de principes. Comme *deus ex machina* de la « sélection naturelle » l'« adaptation » ne vaut pas mieux que la « survivance des plus aptes » ni que la « reproduction différentielle ».

3

D'après la doctrine néo-darwiniste le matériau sur lequel opère la magie de la sélection naturelle provient de mutations fortuites, c'est-à-dire de changements génétiques dans les gènes, porteurs d'hérédité. Ces changements sont déclenchés par des radiations, des composés chimiques nuisibles, des chaleurs excessives, et elles sont « fortuites » en ce sens qu'elles n'ont aucun rapport avec les besoins et le bien-être de l'animal, ni avec son environnement naturel : elles sont de la même nature que les accidents qui interfèrent avec le fonctionnement normal de l'organisme. En conséquence la grande majorité des mutations a des effets soit dommageables soit inutiles; mais de temps en temps, dit la théorie, il y a un coup de chance dont le résultat sera conservé par sélection naturelle, parce qu'il se trouve qu'il apporte un petit avantage au porteur du gène mutant; et avec assez de temps, « il peut se produire n'importe quoi », comme disait Julian Huxley. « La vieille objection de l'improbabilité qu'un œil, une main, un cerveau évoluant « par hasard » a perdu sa force » — parce que « la sélection naturelle opérant à l'échelle géologique [20] » explique tout.

Ces propositions sont à comparer à celles de Waddington :

> Supposer que l'évolution de mécanismes biologiques merveilleusement adaptés n'a dépendu que d'une sélection dans une série fortuite de variations toutes produites par pur hasard, revient à suggérer qu'en lançant des briques sur un tas de briques nous finirons par obtenir la maison de nos rêves [21].

Mais cela n'a pas empêché Jacques Monod (prix Nobel 1965) de désigner l'évolution comme une « énorme loterie [22] », et de parler de « la roulette de la nature [23] », et de conclure :

> ...le hasard *seul* est à la source de toute nouveauté, de toute création dans la biosphère. Le hasard pur, le seul hasard, liberté absolue mais aveugle, à la racine même du prodigieux édifice de l'évolution : cette notion centrale de la biologie moderne n'est plus aujourd'hui une hypothèse, parmi d'autres possibles ou au moins concevables. Elle est la *seule* concevable, comme seule compatible avec les faits d'observation et d'expérience. Et rien ne permet de supposer (ou d'espérer) que nos conceptions sur ce point devront ou même pourront être révisées [24].
> ... L'univers n'était pas gros de la vie, ni la biosphère de l'homme, notre numéro est sorti au jeu de Monte-Carlo [25].

Mais l'analogie de la roulette dissimule plus qu'elle ne révèle la fantastique improbabilité de tout progrès de l'évolution causé par des mutations fortuites. Pour qu'un tel événement se produise il ne suffirait pas qu'un nombre donné, par exemple le 17, apparaisse dans un jeu de roulette; il faudrait qu'il apparaisse simultanément à une douzaine d'autres tables dans le même établissement, et qu'il soit suivi de 18, 19 et 20 à toutes les tables en même temps.

Donnons-en quelques exemples. Le premier, très simple, très banal, ne demande que quatre roulettes. Le panda géant a six doigts aux pattes de devant. Ce pourrait être un cas typique de déformation provoquée par une mutation nuisible; en fait, ce doigt supplémentaire est très utile au panda pour manier les pousses de bambou, mais il serait évidemment une gêne inutile s'il n'avait l'équipement nécessaire de muscles, de nerfs et d'irrigation sanguine. Pour que parmi toutes les modifications génétiques possibles, celles qui ont produit les os, nerfs, muscles et artères supplémentaires se produisent *simultanément* et *indépendamment* les unes des autres, les chances sont infinitésimales. Il n'y a pourtant dans ce cas que quatre facteurs principaux, quatre roulettes en jeu. Quand il s'agit de merveilles aussi composites que l'œil des vertébrés — classique pierre d'achoppement de la théorie darwinienne — avec sa rétine, ses bâtonnets et ses cônes, ses lentilles, son iris, sa pupille, etc., la probabilité d'une évolution harmonieuse de ses composants par mutations fortuites indépendantes, autrement dit par « hasard pur, liberté aveugle », est proprement absurde, n'en déplaise à Huxley. Darwin l'avait bien vu lui-même quand il écrivait à Asa Gray en 1860 : « Je me rappelle bien l'époque où j'étais tout glacé dès que je pensais à l'œil[26]. » L'œil a toujours le même effet sur les tenants de la doctrine, c'est pourquoi ils évitent d'en parler, ou l'éludent savamment *.

Une idée non moins refroidissante est que des reptiles ancestraux se soient transformés en oiseaux par petites modifications progressives causées par des mutations fortuites affectant divers organes. En fait, on a la chair de poule en pensant seulement au nombre de roulettes de Monod qui doivent tourner sans arrêt pour produire la transformation simultanée d'écailles en plumes, d'os homogènes en tubes creux, l'excroissance de poches d'air en plusieurs endroits du corps, le développement athlétique des os et des muscles de l'épaule, etc. Et cette refonte de structure s'accompagne de changements radicaux dans les systèmes internes. Par exemple les oiseaux n'urinent pas. Au lieu de diluer les déchets azotés dans l'eau, qui est un lest pesant, ils l'extraient des reins à l'état semi-solide et les évacuent par un cloaque. Il y a aussi le petit problème du passage du sang froid au sang chaud par « hasard aveugle ». On n'en finirait pas d'énumérer les spécifications à observer pour faire voler notre reptile ou pour construire un œil à partir du logiciel vivant.

Pour conclure, voici un autre exemple d'évolution, moins sensationnel : le progrès, modeste apparemment, qui a présidé à la transformation de l'œuf des amphibies en œuf reptilien. C'est un processus dont j'ai parlé dans *Le Cheval dans la locomotive* et que je voudrais encore décrire ici, parce que son explication au moyen du

---

* Sur les problèmes que pose l'évolution de l'œil, on peut lire GRASSÉ, 1973, pp. 176-181 et WOLSKY, 1976 pp. 106 et sq.

schéma darwinien n'est pas seulement improbable, elle est logiquement impossible.

La conquête de la terre ferme par les vertébrés a commencé à l'évolution des reptiles à partir d'une forme amphibienne primitive. Les amphibiens se reproduisaient dans l'eau, leurs jeunes étaient aquatiques. L'innovation décisive des reptiles fut de déposer leurs œufs sur la terre ferme; ils ne dépendaient plus de l'eau, ils devenaient libres de parcourir les continents. Mais le reptile à naître, à l'intérieur de l'œuf, avait encore besoin d'un milieu aquatique; sans eau il se serait desséché bien vite. Il lui fallait aussi de la nourriture : les amphibies éclosent à l'état de larves capables de pourvoir à leurs besoins, tandis que les reptiles éclosent pleinement développés. L'œuf de reptile dut recevoir par conséquent une grosse masse de jaune pour servir d'aliment, et un albumen pour fournir l'eau. Ni le jaune ni le blanc n'auraient eu en soi de valeur sélective. De plus, le blanc d'œuf, dont l'humidité risquait de s'évaporer, nécessitait un contenant : d'où la production d'une coquille à l'aide d'un matériau ressemblant soit à du cuir soit à du calcaire. Mais ce n'est pas fini. L'embryon reptilien enfermé dans sa coquille ne pouvait se débarrasser de ses excréments comme l'embryon amphibien qui a tout l'étang à sa disposition : il lui fallait donc une sorte de vessie — la membrane allantoïde qui, à certains égards, annonce le placenta des mammifères. Mais ce problème résolu, il restait que l'embryon, emprisonné dans une coquille dure, avait encore besoin d'un outil pour en sortir. Les embryons de certains poissons et amphibiens dont les œufs sont enveloppés d'une membrane gélatineuse ont des glandes qui, le moment venu, sécrètent une substance chimique qui dissout la membrane. Mais les embryons entourés d'une coquille dure ont besoin d'un outil mécanique : ainsi les serpents et les lézards profitent d'une dent qui se transforme en ouvre-boîte, et les oiseaux ont une caroncule, excroissance rigide au sommet du bec, qui généralement disparaît ensuite au cours de la croissance de l'animal [27].

D'après le schéma darwinien tous ces changements ont été obligatoirement progressifs, chaque modification étant provoquée par une mutation fortuite. Mais il est bien évident que chaque étape, même minime, a exigé des changements interdépendants et simultanés affectant *tous* les facteurs en jeu. Ainsi la provision de liquide dans l'albumen ne peut se conserver s'il n'y a pas de coquille. Mais la coquille serait inutile et même létale sans allantoïde et sans dent spécialisée. Chacun de ces changements se produisant isolément aurait été nuisible, et les organismes affectés par eux auraient succombé à la sélection naturelle (ou pour mieux dire à l'élimination naturelle). On ne saurait avoir une mutation A se produisant seule, la conserver par sélection naturelle, puis attendre un nombre incalculable de générations pour que la mutation *B* vienne la rejoindre, suivie par *C* beaucoup plus tard, et par *D*. Chaque mutation isolée disparaîtrait avant de pouvoir se combiner à d'autres. Elles sont toutes indépendantes au sein de l'organisme, — lequel est un tout fonctionnel et non pas une mosaïque. La doctrine qui enseigne que l'assemblage de tous les changements requis a été dû à une série de coïncidences est un affront non seulement au bon sens mais aux principes fondamentaux de l'explication scientifique. Dans son grand ouvrage sur l'évolution Pierre Grassé (qui a enseigné trente ans à la Sorbonne sans rien perdre de son ironie) pose la question essentielle:

Quel joueur, si passionné fût-il, serait assez fou pour miser à la roulette de l'évolution aléatoire? La construction par les poussières que porte le vent, d'un dessin reproduisant la *melancholia* de Dürer a une probabilité moins infinitésimale que celle de la construction de l'œil par les erreurs de la molécule d'A.D.N., erreurs, d'ailleurs, *sans aucun rapport* avec la fonction que l'œil aura à jouer ou commence à jouer.

Les rêveries sont permises, mais la science ne doit pas s'y abandonner [28].

4

Quand on parle d'évolution des espèces on pense surtout à l'apparition de formes et de structures physiques nouvelles, telles qu'on les voit exposées dans les musées d'histoire naturelle. Mais l'évolution ne crée pas seulement des formes; elle crée aussi des types de comportement, de nouvelles techniques instinctives, innées et héréditaires. Or, si les forces qui président à l'apparition de structures nouvelles sont obscures, celles qui expliqueraient l'évolution des instincts sont vraiment plongées dans les ténèbres. Niko Tinbergen s'est plaint du retard de l'éthologie dans ce domaine : « Il reste encore à développer une génétique du comportement [29]. »

La raison en est simple : le néo-darwinisme n'a pas les outils théoriques nécessaires pour aborder le problème. La seule explication qu'il peut offrir des instincts incroyablement complexes des animaux, c'est qu'ils sont dus aussi à des mutations affectant d'une manière ou d'une autre les circuits nerveux de l'animal et préservées ensuite par la « sélection naturelle ». Pour les diplômés en biologie ce serait un bon exercice que de répéter cette formule explicative comme un mantra sanscrit en regardant une araignée tisser sa toile, une mésange construire son nid, un castor bâtir une digue, un oiseau huîtrier s'élever dans les airs pour précipiter sa proie sur un rocher, ou des abeilles s'affairer aux activités sociales de la ruche, etc. Il faudrait toute une bibliothèque pour énumérer les structures extra-ordinairement complexes d'activités instinctives qui défient toute explication conforme à la formule darwinienne. J'emprunte à Tinbergen quelques exemples peu connus :

La femelle de cette espèce [la guêpe fouisseuse] creuse un trou quand elle est prête à pondre, tue ou paralyse une chenille, la transporte dans le trou et l'y fourre après avoir pondu un œuf dessus (phase *a*). Cela fait, elle creuse un autre trou et pond encore un œuf sur une autre chenille. Entre-temps le premier œuf a éclos, la larve a commencé à consommer ses provisions. La guêpe revient donc au premier trou (phase *b*) pour y apporter de nouvelles larves de papillon; puis elle fait de même pour le second trou. Elle retourne ensuite une troisième fois au premier trou avec une dernière fournée de six ou sept chenilles (phase *c*), après quoi elle ferme le trou pour ne plus y revenir. Elle opère de cette façon pour deux ou même trois trous, dont chacun est à une phase différente de développement. Baerends a étudié le moyen par lequel la guêpe apporte la juste quantité de nourriture à chaque trou. En modifiant le contenu du trou et en observant le comportement de la guêpe, il a constaté que *a)* si on cambriole un trou on oblige la guêpe à apporter beaucoup plus de nourriture que normalement, et *b)* si l'on ajoute des larves au contenu du trou on l'oblige à en apporter moins que normalement [30].

Une autre guêpe, *Eumenes amedei* fait mieux encore. J'emprunte cette description assez horrible au livre de Norman Macbeth, *Darwin Retried**.

L'œuf n'est pas pondu sur ni parmi des chenilles, comme chez de nombreuses espèces voisines. Les chenilles ne sont que partiellement paralysées, elles peuvent encore remuer leurs pinces et serrer les mâchoires. Si elles sentaient le grignotement de la minuscule larve, elles pourraient se débattre et lui faire mal. Il faut donc que l'œuf et ensuite la larve soient protégés, et c'est pourquoi l'œuf est suspendu à un petit fil de soie attaché au plafond. Les chenilles peuvent se tordre et se débattre, elles ne peuvent pas l'atteindre. Quand la larve sort de l'œuf elle en dévore la coquille, puis se tisse une petite écharpe de soie dans laquelle elle s'enveloppe à partir de la queue, la tête pendante. Dans cette

---

* Cet excellent traité d'un juriste de Harvard souligne les insuffisances et les incohérences de la théorie néo-darwiniste. C'est, d'après Karl Popper, « une contribution très méritoire et vraiment importante au débat ».

retraite, elle se trouve suspendue au-dessus du tas de nourriture vivante. Si celle-ci bouge trop violemment la larve se renfonce dans son écharpe, attend que le mouvement s'apaise et redescend se mettre à table. A mesure qu'elle grandit et prend des forces elle s'enhardit; la soyeuse retraite n'est plus nécessaire; la larve peut s'aventurer jusqu'en bas et vivre à son aise dans les restes de nourriture[31].

Quand on en est là, il me semble, le mantra perd son pouvoir hypnotique même sur de pieux néo-darwinistes. Comme dit Tinbergen : « Il reste encore à développer une génétique du comportement. » Mais ce n'est pas la théorie synthétique qui nous y aidera.

5

Comment une doctrine qui finalement ne répond à aucune question fondamentale a-t-elle pu se faire accepter par les biologistes et passer pour vérité d'évangile dans le public? (On pourrait s'interroger de la même façon à propos du behaviorisme.) Von Bertalanffy répond en partie à la question :

> Qu'une théorie si vague, si insuffisamment vérifiable, si éloignée des critères habituellement appliqués aux sciences expérimentales, soit devenue un dogme, cela n'est explicable, à mon avis, que par des raisons sociologiques. La société et la science ont tellement baigné dans les idées du mécanisme, de l'utilitarisme et de la libre concurrence économique, que la sélection a remplacé Dieu comme ultime réalité[32].

L'explication est bonne, sans nul doute, mais il y a d'autres facteurs. En premier lieu, la théorie contenait une vérité essentielle : la paléontologie a montré que l'évolution est un fait, que Darwin avait raison et que l'évêque Wilberforce avait tort, de sorte que le darwinisme fut bientôt une profession de foi pour les esprits cultivés et progressistes, qui d'ailleurs laissaient les détails aux spécialistes.

Mais les spécialistes, à commencer par Darwin lui-même, ne tardèrent pas à rencontrer des difficultés. Un épisode peu connu de l'histoire ancienne du darwinisme touche directement à notre propos*. En 1867, huit ans après la parution de l'*Origine des espèces* un professeur à l'école d'ingénieurs d'Edimbourg, Fleeming Jenkin,

---

* Je résume le récit que j'ai donné de cet épisode dans *L'Étreinte du crapaud*, pp. 66 et sq.

publia un article qui équivalait à une réfutation complète de la théorie de Darwin [33]. Il démontrait par une déduction logique étonnamment simple qu'*aucune espèce nouvelle ne pourrait jamais sortir de variations fortuites* au moyen du mécanisme de l'hérédité communément accepté. C'est qu'à l'époque la théorie de l'hérédité se fondait sur l'idée que l'équipement du nouveau-né était une mixture, un alliage de caractères parentaux auquel chacun des parents contribuait approximativement pour moitié. C'est ce que Francis Galton, cousin de Darwin, avait appelé la « loi de l'hérédité ancestrale », dont il avait même donné la formule mathématique. Or en admettant qu'un individu muni d'une variation (appelée plus tard mutation fortuite) apparaisse dans une espèce et s'accouple avec un partenaire normal (autrement dit, l'un quelconque de la vaste majorité de la population), ses rejetons n'hériteraient que 50 % du nouveau caractère utile, ses petits-enfants n'en auraient que 25 %, ses arrière-petits-enfants 12,5 % et ainsi de suite, l'innovation disparaissant comme une goutte d'eau dans l'océan bien avant que la sélection naturelle ait une chance de la généraliser.

Il est remarquable, comme l'a noté Alister Hardy [34], que « les grands cerveaux de l'époque victorienne » n'aient pas décelé l'erreur de logique que signalait Jenkin. Darwin en fut si fortement ébranlé qu'il inséra un nouveau chapitre dans la sixième édition de l'*Origine des espèces,* pour y ressusciter la théorie de Lamarck de l'évolution par hérédité des caractères acquis, qu'il avait traitée de « tas de bêtises » et qui est toujours maudite chez les darwinistes. Ses lettres à Wallace montrent qu'il ne voyait pas d'autre solution*. Mais les disciples ne tinrent pas compte de cette rechute dans l'hérésie lamarckienne (qui, de toutes façons, ne répondait pas à la question) et pendant tout le dernier tiers du XIXe siècle le darwinisme fut dans un cul-de-sac — à l'insu du public, d'ailleurs. Le plus grand darwiniste anglais de l'époque, William Bateson, devait écrire à ce propos : « Les recherches sur l'évolution s'étaient arrêtées ou peu s'en faut. Les plus vigoureux, peut-être les plus prudents, avaient délaissé cette discipline [36]... »

Mais en l'an 1900, grâce à un rebondissement inattendu et théâtral, la crise se dénoua, au moins pour un temps les nuages s'effacèrent, le darwinisme se transforma en néo-darwinisme.

L'événement fut la redécouverte d'un article intitulé *Expériences*

---

* Son fils, Francis Darwin, a écrit à ce propos : « Il est assez remarquable que les critiques de sa théorie qui ont paru à mon père les mieux fondées soient venues non pas d'un naturaliste de métier mais d'un professeur de mécanique, M. Fleeming JENKIN [35]. » Mais ce nom ne figure pas dans la sixième édition.

d'hybridation végétale, publié en 1865 par le moine augustin Gregor Mendel dans les annales de la Société d'histoire naturelle de Brünn (Brno) en Moravie. Trente-cinq ans plus tard, et seize ans après la mort de Mendel, cette étude fut exhumée indépendamment et presque en même temps par trois biologistes : Tschermak à Vienne, de Vries à Leyde, Correns à Berlin. Chacun d'eux avait fouillé les archives, cherchant un indice qui permît d'échapper au cul-de-sac, et chacun vit immédiatement l'importance révolutionnaire des pois hybrides de Mendel qui allaient bientôt entrer au panthéon de la science comme la pomme de Newton. Les expériences de Mendel montraient en effet que les « unités d'hérédité » — que l'on devait nommer « gènes » — qui déterminaient la couleur, les dimensions et les autres caractéristiques de ses plantes, ne se mélangeaient pas et ne pouvaient donc se diluer; comparables à de petits cubes de marbre qui, combinés mais intacts, forment une foule de dessins dans la mosaïque, les gènes conservent leur identité et sont transmis inchangés d'une génération à l'autre — même si l'effet de gènes « récessifs » doit être masqué par celui de gènes « dominants ».

On avait donc enfin la réponse à la terrible objection de Jenkin. On pouvait penser désormais qu'une mutation ne s'effrite pas, ne se perd pas dans des mélanges, mais qu'elle se conserve intacte de générations en générations, donnant ainsi à la « sélection naturelle » une chance d'être vraiment sélective.

Toutes choses s'ordonnaient. Chaque facteur déterminant un trait héréditaire était incorporé dans un gène mendélien, et chaque gène avait sa place sur les chromosomes du noyau cellulaire, tous bien arrangés comme les grains d'un collier. L'évolution n'avait plus de secrets — apparemment du moins. Bateson, guéri instantanément de son désespoir en lisant un matin dans le train l'étude de Mendel, appela son dernier fils Gregory en l'honneur du moine tchèque. « Il faut avoir connu les ténèbres qui précédaient l'aurore mendélienne, écrivait-il vingt ans plus tard, pour pouvoir apprécier ce qui s'est passé [36]. »

Il serait superflu d'exposer ici les détails de la découverte de Mendel. Rappelons seulement que l'effet sur la théorie de l'évolution a été décisif. Bateson fut le premier à démontrer que les lois de Mendel s'appliquent à l'hérédité animale comme à l'hérédité végétale. Il expérimenta surtout sur les gallinacés, mais l'animal favori de la nouvelle science, la génétique, fut bientôt la mouche *Drosophila melanogaster,* qui se propage très rapidement et qui n'a que quatre paires de chromosomes. C'est ainsi que dans des populations très nombreuses de cette mouche on a pu appliquer les méthodes statistiques à l'étude des variations héréditaires dues à des mutations spontanées ou provoquées (par irradiation, chaleur, etc.). Dans son domaine, qui est limité, la génétique a remporté d'immenses succès, et continue. Mais il a fallu longtemps aux plus réfléchis de ses praticiens pour voir que leurs travaux, si utiles pour mieux comprendre les mécanismes des *variations* héréditaires, ont peu de rapports avec le problème fondamental de *l'évolution* : origine, causes, modalités des grandes étapes ascendantes du développement, apparition de formes vivantes supérieures et de nouvelles manières d'exister. Les citations suivantes, de Pierre Grassé, sont parfaitement claires à cet égard (les italiques sont de lui).

> *Varier est une chose, évoluer en est une autre,* on ne saurait trop l'affirmer [37]...
>
> Les mutations n'expliquent ni la nature ni l'ordonnance temporelle des faits évolutifs; elles ne sont pas des pourvoyeuses en nouveautés; l'agencement précis des parties constituant les organes et l'ajustement des organes entre eux dépassent leurs possibilités [38].
>
> Les mutations produisent le changement, mais non le progrès [39].

L'ensemble des mutations, ou spectre mutatif, d'une espèce n'a rien à voir avec l'évolution. Les « jordanons » (équivalents de mutants) de la drave printanière *(Erophila verna),* de la pensée des champs *(Viola tricolor),* des plantains *(Plantago),* des corbeilles d'argent *(Iberis)* qui constituent de riches collections bien inventoriées, en fournissent une preuve irréfutable : ces mutants ne dérivent pas les uns des autres et sont indéfiniment stables.

Au total, *Erophila verna, Viola tricolor...* en dépit de leurs très nombreuses mutations n'évoluent point. *C'est un fait.*

Le catalogue des races de chiens, comme celui de tout autre animal domestique, n'est pas autre chose que le spectre mutatif de l'espèce, soumis au crible de la sélection artificielle. On peut en dire autant de la liste des variétés présentées par les plantes cultivées. Rien de tout cela ne représente une évolution [40].

Et d'ailleurs les petits pois de Mendel ou les mouches des généticiens n'ont pas non plus de rapports réels avec « l'évolution par sélection naturelle ». Les observations de Mendel ont porté sur des traits particuliers (graines vertes ou jaunes, fleurs violettes ou blanches, etc.) qui dépendent d'un gène unique et qui sont « indifférents » en ce sens qu'ils n'ont aucune importance au point de vue de l'évolution. De même, toutes les mutations observées ou provoquées en plus d'un demi-siècle d'expériences sur la drosophile ont été soit nuisibles, soit indifférentes : variations dans la disposition des soies, dans la couleur des yeux, etc. De telles caractéristiques isolées qui n'interagissent ni n'interfèrent avec le fonctionnement de l'organisme peuvent certainement et sans inconvénient être laissées aux caprices de la roulette. En fait, aucune des mutations observées sur des millions de drosophiles n'a produit une descendance manifestant un avantage quelconque au point de l'évolution.

Une fois de plus, malgré cette réconfortante injection de mendélisme, la théorie darwiniste aboutissait à une impasse. Bateson qui avait été le premier en Angleterre à saluer « l'aube mendélienne », fut aussi un des premiers à exprimer sa déception. Deux ans avant de mourir en 1926 il confia à son fils Gregory qu'il avait eu tort de consacrer sa vie aux lois de Mendel, qui ne pouvaient apporter aucune lumière sur la différenciation des espèces ni sur l'évolution en général [41].

Mais déjà, dans *Problems of Genetics,* il avait écrit :

> Toutes les données convergent si nettement vers le fait central de l'origine des formes de la vie due à un processus d'évolution que nous sommes contraints d'accepter cette déduction. Mais quant à presque tous les traits essentiels... nous devons confesser une ignorance quasi totale. La transformation de masses de population par degrés imperceptibles guidés par la sélection, la plupart d'entre nous le voient maintenant, s'applique si mal aux faits, qu'il s'agisse de variation ou de spécificité, que l'on ne peut qu'admirer à la fois le manque de pénétration des apôtres de cette proposition et le talent publicitaire qui l'a rendue acceptable un certain temps [42].

Le pionnier danois du néo-darwinisme, Wilhelm Johannsen, à qui l'on doit le mot « gène » comme on doit « génétique » à Bateson, s'aperçut aussi, en 1923, que les données expérimentales allaient à l'encontre de la théorie. « Il ne semble pas que le problème des espèces, l'évolution, soit abordé sérieusement au moyen du mendélisme ni des expériences modernes qui s'y rattachent sur les mutations [43]. »

Mais les tenants de la théorie, imbus de tradition mécaniste, ont été apparemment incapables de voir que des mutations fortuites de facteurs distincts — atomes d'hérédité — sont étrangères au problème central du progrès évolutionnaire, lequel suppose des changements simultanés et coordonnés de tous les éléments pertinents de la structure et de la fonction de la holarchie organique. Entre l'obsession du généticien fasciné par les soies de la drosophile et l'obsession du behavioriste enchaîné au levier de ses rats, l'analogie n'est sans doute pas superficielle : de part et d'autre une philosophie réductionniste regarde l'être vivant soit comme une collection de fragments élémentaires d'hérédité (les gènes de Mendel), soit comme des fragments de comportement (réflexes conditionnés ou réponses opérantes).

6

J'ai cité quelques dissidents, tous biologistes très éminents. Il y en a eu beaucoup d'autres, non moins éminents et non moins critiques de la doctrine orthodoxe, même s'ils n'ont pas toujours été aussi francs, et ils sont de plus en plus nombreux. Mais si ces critiques ont fait plus d'une brèche dans les murailles, la citadelle est toujours debout — et cela principalement, comme nous l'avons dit, parce que l'on ne voit pas d'autre solution satisfaisante. L'histoire des sciences montre qu'une théorie établie peut résister à tous les assauts et s'embrouiller dans toutes les contradictions (c'est la quatrième phase du cycle historique, « Crise et doute * »), toujours officiellement soutenue jusqu'au moment où se produit une percée annonçant un nouveau départ, le commencement d'un nouveau cycle.

Cet événement n'est pas encore en vue. Entre-temps le public cultivé continue à croire que Darwin a donné toutes les réponses pertinentes grâce à la formule magique, mutation fortuite-sélection naturelle, sans se douter que la mutation fortuite, en fait, n'est pas pertinente et que la sélection naturelle est une tautologie.

Vers la fin du siècle dernier Samuel Butler, autre darwiniste désenchanté, écrivait dans ses *Carnets :*

> J'ai attaqué les fondements de la morale dans *Erewhon,* et on s'en est soucié comme d'une guigne. J'ai déchiré les plaies du Rédempteur cloué à la croix dans *The Fair Heaven* et ma foi, les gens ont bien aimé ça. Mais quand j'ai attaqué M. Darwin ils ont sauté sur leurs armes [44].

Il y a de cela près d'un siècle, et si aujourd'hui on commet ce crime de lèse-majesté les réactions émotives sont à peu près les mêmes.

---

* Cf. ci-dessus, chapitre VIII.

7

Dans les années 1950 un nouveau symbole populaire est venu s'ajouter à la pomme de Newton et aux pois de Mendel : l'hélice double. Le déchiffrage de la structure chimique de l'A.D.N., acide nucléique des chromosomes porteurs du « plan héréditaire », a été en soi une découverte remarquable qui a attiré l'attention sur la discipline nouvelle de la biologie moléculaire ou génétique moléculaire. On y a vu d'abord un don du ciel qui allait sauver le néo-darwinisme, comme jadis les lois de Mendel; en fait c'était plutôt un cheval de Troie : les découvertes de la biochimie infiniment complexe qui régit la « stratégie des gènes » allaient démolir le modèle trop simpliste de la génétique mendélienne.

Dans les anciennes versions du modèle les chromosomes se présentaient comme des millions de touches formant le clavier d'un immense piano *. L'œuf fécondé avait tout le clavier à sa disposition. Au cours du développement de l'embryon, quand chaque cellule se différenciait, la plus grande partie du clavier était immobilisée par du sparadrap, ne demeurant actives que les touches qui servaient aux fonctions spécialisées de la cellule. En termes de génétique le sparadrap est un « répresseur ». L'agent frappant la touche qui active le gène au moment voulu est un inducteur ou « opérateur ». Un gène mutant est une touche désaccordée. Quelquefois, quand il y a ainsi un grand nombre de notes vraiment fausses, le résultat est une nouvelle mélodie bien plus belle qu'avant : un oiseau au lieu d'un reptile, un homme au lieu d'un singe **. Voilà du moins ce que l'on nous priait de croire; la théorie s'était certainement fourvoyée quelque part.

Or, l'erreur s'était produite, nous l'avons vu, à partir de la concep-

* Cf. ci-dessus, chapitre premier, IX.
** Méchante caricature, dirait-on. Mais j'avais employé cette métaphore musicale dans *Le Cheval dans la locomotive* (1957) et trois ans plus tard Monod semblait la reprendre à son compte : « Beaucoup d'esprits distingués, aujourd'hui encore, paraissent ne pas pouvoir accepter ni même comprendre que d'une telle source de bruit la sélection ait pu, à elle seule, tirer toutes les musiques de la biosphère [45]. » Une autre métaphore de généticien compare les mutations à des erreurs de copie ou des fautes de frappe [46]. Mais Grassé : « Les moines du Moyen Age ont fait des erreurs de copie qui ont corrompu les textes qu'ils avaient à reproduire. Qui oserait prétendre que ces erreurs constituent les œuvres [47]?

tion atomiste du gène. Au moment où s'est développée la génétique, l'atomisme du XIXᵉ siècle était abandonné par les physiciens mais restait très florissant dans les sciences de la vie : les réflexes étaient des atomes de comportement, les gènes des unités atomiques d'hérédité. Tel gène était responsable de la nature des cheveux plats ou frisés, tel autre de l'hémophilie; et l'organisme passait pour une mosaïque composée de ces unités élémentaires. Cependant dès le milieu de notre siècle les concepts rigoureusement atomistes de la génétique mendélienne s'étaient considérablement assouplis; ils étaient même devenus fluides. On comprit qu'un seul gène peut affecter une grande variété de caractéristiques différentes (pléïotropie), et réciproquement qu'un grand nombre de gènes peuvent contribuer à la production d'une seule caractéristique (polygénèse). Il arrive que des caractères mineurs, comme la couleur des yeux, dépendent d'un unique gène, mais la configuration héréditaire des traits fondamentaux de l'organisme dépend de la totalité des gènes : le matériel génétique, ou génome, dans son ensemble. Ainsi, dès 1957, pouvait-on lire des propositions de ce genre dans de respectables traités de biologie :

> Tous les gènes du message total hérité tendent à agir ensemble en tant que tout intégré dans le contrôle du développement... Il est facile de succomber à la vieille tentation de croire qu'un organisme possède un nombre déterminé de caractéristiques dont chacune est contrôlée par un seul gène. C'est tout à fait faux. L'expérience montre clairement que les gènes ne travaillent jamais tout à fait séparément. Les organismes ne sont pas des rapiéçages où un seul gène contrôlerait chacune des pièces. Ce sont des totalités intégrées, dont le développement est contrôlé par tout l'ensemble des gènes agissant en coopération [48].

On est bien loin des premières versions de la théorie. Aux débuts de la génétique un gène pouvait être « dominant » ou « récessif », c'était à peu près tout ce qu'on pouvait en savoir. Mais à l'avènement de la biologie moléculaire des phénomènes d'une complexité inouïe ont pénétré dans le modèle (tout comme en physique nucléaire) de sorte qu'il a fallu inventer de plus en plus de termes : il y a des gènes répresseurs, corépresseurs et aporépresseurs; des gènes modifiants et commutateurs, des gènes opérateurs qui en activent d'autres, des cistrons et opérons (Monod) qui constituent des sous-systèmes de gènes en interaction (et que l'on pourrait appeler « holons génétiques »), et même des gènes qui régularisent le taux des mutations dans les gènes. Alors qu'à l'origine on avait conçu les activités des chromosomes comme le déroulement d'une séquence linéaire, à la manière d'une bande enregistrée, on aurait dû s'apercevoir graduellement que les contrôles génétiques dans les cellules de l'embryon en développement opèrent comme une *micro-hiérarchie autorégulatrice,* équipée de dispositifs de rétroaction à partir d'une hiérarchie d'environnements* qui entoure chacune des cellules.

Cette hiérarchie, qui ne ressemble ni à une bande enregistrée ni à un « plan », est à concevoir comme quelque chose de stable et de flexible. Mais il faut aussi qu'elle soit, dans une grande mesure, autorégulatrice et capable de se réparer elle-même. Non seulement elle doit protéger l'embryon en croissance contre les périls auxquels il est exposé, elle doit défendre aussi l'espèce contre les dangers évolutionnaires de la phylogénèse : contre les mutations fortuites qui peuvent apparaître dans les gènes de ses chromosomes.

Le concept de « micro-hiérarchie génétique** » se heurte encore au scepticisme ou à l'hostilité des tenants rigoureux de la théorie synthétique, d'autant peut-être que si elle était admise elle conduirait à modifier de manière décisive nos idées du processus de l'évolution, comme nous le verrons aux chapitres suivants.

8

A la différence de l'image courante de « plan génétique » qui fait penser à une carte topologique à copier mécaniquement, le concept de « hiérarchie génétique » implique que les contrôles sélectifs et régulateurs de l'organisme opèrent à plusieurs niveaux.

Aux niveaux inférieurs il s'agit d'*éliminer* les variations nocives du matériel génétique; aux niveaux supérieurs, de *coordonner* les effets de changements acceptables. Comme nous le verrons, le mystère réside dans l'opération des niveaux les plus élevés : la coordination ou l'orchestration des changements qui font d'un œuf d'amphibie un œuf de reptile, et d'un reptile un oiseau. Mais disons d'abord quelques mots de l'opération des niveaux inférieurs.

Divers biologistes (dont von Bertalanffy, Darlington, Spurway, Lima-de-Faria et plus récemment Monod) ont suggéré que le processus de triage évolutionnaire — l'action de l'« herbicide sélectif » — pourrait commencer à l'intérieur de l'organisme, au niveau de la

---

* Cf. ci-dessus, chapitre premier, XIX.
** Autant que je sache, l'expression est de L. L. Whyte.

chimie moléculaire du génome. Les mutations sont des altérations dans la séquence des unités chimiques des chromosomes (les quatre lettres de l'alphabet génétique); on les a comparées aux erreurs des copistes qui au Moyen Age ont pu corrompre des manuscrits antiques [49]. Le concept de « sélection interne » lancé par ces biologistes suppose une hiérarchie de correcteurs qui travaille à éliminer les erreurs. Dans la théorie orthodoxe la sélection naturelle obéit uniquement aux pressions de l'environnement *externe* qui anéantit les inaptes et bénit les aptes en leur accordant une abondante progéniture. Selon les nouvelles conceptions, au contraire, toute modification chromosomique, quelle qu'en soit la cause, doit passer des épreuves de sélection *interne* en matière d'aptitude physique, chimique et biologique avant d'être lancée comme innovation évolutionnaire. Ainsi le concept de micro-hiérarchie génétique impose des limites strictes à l'étendue et à l'effet des mutations fortuites et *réduit au minimum l'importance du facteur hasard*. Le singe proverbial qui cogne sur une machine à écrire travaille en réalité sur une machine très raffinée, programmée par ses fabricants pour n'imprimer que les mots qui ont un sens et effacer automatiquement les syllabes absurdes *. Le modèle hiérarchique nous permet donc enfin de nous débarrasser du singe typographe et de la roulette de Monod. Elle ne répond pas à la grande question de savoir qui ou quoi a programmé la prodigieuse machine à écrire, mais elle pose la question là où il faut et nous permet d'aborder le problème graduellement à mesure que nous nous élevons aux échelons supérieurs de la hiérarchie génétique.

Le premier de ces échelons nous conduit aux remarquables pouvoirs de régénération et d'autoguérison qui résident dans le génome ou dans un sous-ensemble substantiel du génome. Ces pouvoirs sont mis en évidence par l'embryologie expérimentale; on se rappelle (chapitre premier, IX) que si aux premiers stades du développement d'un triton embryonnaire, le tissu qui normalement formerait la queue est transplanté à l'emplacement d'une future patte, ce tissu formera une patte et non une queue. Ce genre de magie n'est pas le propre de l'ontogénèse; on l'observe aussi dans la phylogénèse. J'en ai donné un exemple parmi bien d'autres dans *Le Cheval dans la locomotive* :

La drosophile a un gène mutant récessif : accouplé à un gène normal il n'a pas d'effet discernable... Mais si deux de ces gènes

---

* Métaphore presque littéralement applicable aux erreurs qui se produisent dans la formation protéinique de micro-organismes et qui sont dues à des « syllabes sans signification » apparaissant dans l'A.R.N. [50]

mutants forment une paire dans l'œuf fécondé, il en sortira une mouche sans yeux. Si ensuite on obtient par croisement une race pure de mouches sans yeux, cette race tout entière n'aura plus que le gène mutant « sans yeux »... Cependant en quelques générations *il apparaît dans cette race de « sans yeux » des mouches munies d'yeux parfaitement normaux.* L'explication traditionnelle de ce remarquable phénomène est que les autres éléments du génome ont été « redistribués et recombinés de manière à se substituer au gène normal manquant [51] ».

Mais aucun biologiste n'a eu la perversité de laisser entendre que ces nouveaux yeux se seraient développés par pur hasard en reproduisant en quelques générations un processus d'évolution qui avait pris des millions d'années. D'ailleurs le concept de sélection naturelle n'apporte ici aucune aide. La recombinaison de gènes destinés à remplacer le gène manquant a dû être coordonnée conformément à un plan ou à un code régissant l'action du génome dans son ensemble. C'est cette activité de coordination apparaissant au sommet de la hiérarchie génétique qui assure *à la fois* la stabilité génétique de l'espèce au cours de millions d'années, et ses modifications évolutionnaires dans des directions biologiquement acceptables. *Le problème central de la théorie de l'évolution est celui du fonctionnement de cette activité vitale de coordination.* C'est ici que se place le grand point d'interrogation. A l'image du croupier devant la table de jeu il faut substituer celle du chef d'orchestre.

Cette substitution avait été annoncée déjà par certains fondateurs du néo-darwinisme, devenus dissidents, comme Bateson et Johannsen. Ce dernier (l'inventeur du mot « gène ») écrivait que lorsqu'on a pris en considération tous les effets minimes des mutations mendéliennes il doit encore rester « un grand quelque chose de central » qui recélerait la clef de l'énigme [52].

Waddington avait une attitude ambiguë à l'égard de la théorie officielle. J'ai cité ses propos ironiques sur l'évolution par mutations fortuites. Mais d'un autre côté il voulut éviter de rompre complètement avec le darwinisme. Pour échapper au dilemme il avança, dans une allocution radiodiffusée très souvent citée, que dans l'évolution d'un organe complexe, comme l'œil humain, une mutation fortuite pourrait « affecter tout l'organe d'une manière harmonieuse ». Cela suppose que la mutation affectant un élément unique, par exemple la rétine, agit comme déclencheur sur un système complexe pré-établi, programmé pour réagir « d'une manière harmonieuse » (notre machine à écrire programmée); et que cette programmation est également héritée, c'est-à-dire représentée à un échelon supérieur de la hiérarchie génétique. De plus, l'évolution harmonieuse d'organes apparemment sans relations entre eux (par exemple les ailes, le squelette, le système digestif, chez les oiseaux) est coordonnée à un niveau encore plus élevé : le « grand quelque chose de central » au sommet de la hiérarchie.

Jacques Monod s'est heurté au même dilemme. La bravoure avec laquelle il a tenté, dans *Le Hasard et la Nécessité,* de défendre la citadelle assiégée est certainement digne des plus grands éloges. Il ne cesse d'y répéter que « le hasard seul est à la source de toute création dans la biosphère », etc., mais les données de sa propre discipline l'obligent à reconnaître l'existence du « grand quelque chose de central » en postulant, après le hasard, un deuxième principe fondamental de l'évolution qu'il nomme « téléonomie ». (Les italiques sont de lui) :

> « ...l'une des propriétés fondamentales qui caractérisent tous les êtres vivants sans exception : celle d'être des *objets doués d'un projet* qu'à la fois ils représentent dans leurs structures et accomplissent par leurs performances [53]...
>
> La pierre angulaire de la méthode scientifique est... le refus *systématique* de considérer comme pouvant conduire à une connaissance « vraie » toute interprétation des phénomènes donnée en termes de causes finales, c'est-à-dire de « projets »... L'objectivité cependant nous oblige à reconnaître le caractère téléonomique des êtres vivants, à admettre que dans leurs structures et performances ils réalisent et poursuivent un projet [54].

On peut se demander quelle est la différence entre cette téléonomie et la bonne vieille téléologie d'Aristote, que tous les dictionnaires définissent comme « doctrine selon laquelle le monde obéit à une finalité ». Ce qui est encore plus choquant c'est que ce passage de Jacques Monod rappelle l'hérésie lamarckienne qui voulait que l'évolution fût la réponse de la nature aux besoins de l'organisme. Grassé écrit à ce sujet :

> Les darwiniens ont forgé les mots pseudo-téléologie, téléonomie, pour désigner la finalité tout en la reniant. Les apparences sont trompeuses, disent-ils, les matériaux de la vie sont toujours les fruits du hasard; ce qu'on prend pour de la finalité *, n'est que le résultat de

---

* « Finalité : caractère de ce qui est ordonné à une fin, c.-à-d. à un but. Téléologie. La science (logos) ou l'étude des fins (*telos,* plur. *tele*) ou la finalité. Par ext. : la finalité, c.-à-d. l'action directrice que la fin exerce sur les moyens. » (FOULQUIÉ, *Dictionnaire de la langue philosophique.*)

la mise en ordre des matériaux fortuits par la sélection naturelle... En vérité les termes pseudo-téléologie, téléonomie rendent hommage à la finalité, à la façon dont l'hypocrisie rend hommage à la vertu [55].

Jacques Monod n'avait certes rien d'un hypocrite. Mais si brillant qu'il fût dans son domaine il s'est montré d'une naïveté désarmante dans des théories qui ont fait de lui ce que ses compatriotes appellent un *terrible généralisateur**. Il en va de même pour un bon nombre de ses éminents confrères de l'establishment néodarwiniste. Guidés, inconsciemment peut-être, par la maxime qu'une mauvaise théorie vaut mieux que pas de théorie, ils ne peuvent pas ou ne veulent pas comprendre que la citadelle qu'ils défendent est en ruine.

* En français dans le texte.

CHAPITRE X

Retour à Lamarck

1

L'ATOMISME génétique est mort. Aussi mort que l'atomisme de la physique du XIXe siècle qui croyait que les atomes étaient de petits cubes invisibles mais solides. L'organisme vivant n'est pas une mosaïque dont chaque élément serait régi par un gène distinct, et l'évolution ne procède pas en remplaçant au hasard des éléments individuels jusqu'au jour, admirez, bonnes gens, où à l'image de l'amphibie succède celle du poisson. Dans *Le Cheval dans la locomotive* j'ai comparé la crise actuelle de la théorie de l'évolution à l'écroulement de la cosmologie médiévale. Les pages qui suivent prolongent cette proposition.

2

Dans son livre *L'Évolution ancienne et nouvelle*, paru en 1879, Samuel Butler écrivait : « On a systématiquement ridiculisé Lamarck à tel point que c'est presque un suicide philosophique que de vouloir le défendre. » Près de cinquante ans plus tard le biologiste Paul Kammerer, le plus célèbre lamarckien de son temps fut effectivement poussé au suicide, physique cette fois, par l'hostilité et les sarcasmes de ses confrères *. Encore un demi-siècle, au moment où j'écris ces lignes le lamarckisme est toujours un terrain émotivement miné sur lequel des hommes de science ne peuvent s'aventurer sans risquer de détruire leur réputation et leur carrière **.

Le terrible fond du problème était (est encore) l'hypothèse apparemment inoffensive de « l'hérédité des caractères acquis » que Lamarck a formulée au début du xixe siècle dans sa *Philosophie zoologique*. Les caractères acquis sont dans ce contexte des perfectionnements de structure corporelle, de techniques, de comportements ou de modes de vie, que les individus acquièrent en s'efforçant de s'adapter au milieu et d'en exploiter les possibilités. En d'autres termes il s'agit de changements progressifs qui *correspondent aux besoins vitaux de l'espèce* et qui (voilà où le bât blesse), selon Lamarck, se transmettent par hérédité aux descendants. Ainsi chaque génération profiterait des labeurs et des combats de ses prédécesseurs par héritage physique direct (et non seulement de manière indirecte par imitation et apprentissage).

Au début, certains lamarckiens pensèrent vraiment que le fils du forgeron naîtrait avec de gros biceps sans avoir à les développer en recommençant à zéro les exercices paternels et que la fille du pianiste hériterait au moins un peu de la virtuosité de son père. Mais il y a longtemps que les néo-lamarckiens ont abandonné cette naïveté; ils soutiennent que seuls des caractères essentiels acquis en réponse à des défis intenses et persistants de l'environnement, poursuivis *pendant des générations,* peuvent éventuellement devenir héréditaires, c'est-à-dire s'incorporer au génome. Toutefois, à la base, le lamarckisme croit que les efforts des parents ne sont pas entièrement vains, que certaines de leurs réussites peuvent être transmises à leur descendance, et que telle est la cause principale de l'évolution « de l'amibe à l'homme ».

Selon cette conception l'évolution est donc un processus *cumulatif,* aboutissement des projets des êtres vivants (ce qui n'est pas très différent de la téléonomie de Monod), tandis que pour le néo-darwinisme l'évolution est un processus *accidentel,* au cours duquel les parents ne peuvent transmettre par hérédité que ce qu'ils ont

---

* J'ai raconté sa vie et les controverses provoquées par ses travaux dans *L'Étreinte du crapaud.*

** A cet égard on est plus tolérant en France; il est vrai que Lamarck était français, et Darwin anglais.

hérité eux-mêmes, plus quelques aberrations (généralement nuisibles) qui se seraient produites dans le matériau génétique. Ainsi au point de vue de la descendance, les travaux et les jours des parents passeraient en pure perte, « vanité et course du vent », comme dit l'Ecclésiaste. Deux citations peuvent résumer ces attitudes opposées. La première est de Kammerer, lamarckien :

> Ce n'est pas l'impitoyable sélection qui façonne et perfectionne les mécanismes de la vie; ni la lutte désespérée pour l'existence qui gouverne le monde à elle seule. C'est bien plutôt l'effort spontané de toute créature qui s'élève vers la lumière et la joie de vivre, n'enterrant que l'inutile dans les cimetières de la sélection [1].

La seconde citation est de G. G. Simpson, de Harvard, néo-darwiniste éminent :

> Il semble bien que le problème [de l'évolution] est aujourd'hui essentiellement résolu et que l'on connaît le mécanisme de l'adaptation. Il se trouve qu'il est foncièrement matérialiste, sans le moindre signe de finalité en tant que variable agissant dans l'histoire de la vie... L'homme est l'aboutissement d'un processus matérialiste sans finalité [2].

Il n'est pas surprenant que des attitudes aussi diamétralement opposées aient pu exciter des passions comparables à celles des disputes théologiques d'autrefois. J. A. Thomson écrivait en 1908 :

> La question de la transmissibilité de caractère acquis pendant sa vie par l'organisme du parent... est beaucoup plus qu'un problème technique de biologistes. La décision que nous prendrons à son sujet affecte non seulement toute notre théorie de l'évolution organique, mais même notre conduite quotidienne. La question devrait intéresser les parents, les médecins, les enseignants, les moralistes, les réformateurs sociaux, bref, tout le monde [3].

Au reste, le fait que Darwin lui-même ait été toute sa vie à demi darwiniste, à demi lamarckien, n'est pas seulement une curiosité historique. Dans sa *Variation des animaux et des plantes, sous l'action de la domestication,* publiée en 1868, comme dans ses carnets, il énuméra toute une série de prétendus exemples de l'hérédité des caractères acquis : « La chatte a eu la queue coupée à Shrewsbury et ses petits ont tous eu la queue courte... » ou encore « un homme perd un bout du petit doigt, tous ses fils naissent avec des petits doigts déformés », et autres contes de bonne femme auxquels il croyait sérieusement. En 1875, vers la fin de sa vie, il écrivit à Galton qu'il se voyait de plus en plus obligé de revenir à l'hérédité des caractères acquis parce que les variations fortuites et la sélection naturelle ne suffisaient pas, apparemment, à expliquer les phénomènes de l'évolution. Sans aucun doute ses exemples ne valaient rien, mais ils prouvent que si le lamarckisme est « une vieille superstition déshonorante » (comme disait Darlington) Darwin était superstitieux [4]. Et Herbert Spencer, le grand apôtre du darwinisme, l'était aussi, lui qui écrivait dans ses *Principes de biologie* (1893) :

> L'observation attentive des faits m'impose plus fortement que jamais l'alternative : *ou il y a eu hérédité des caractères acquis, ou il n'y a pas eu d'évolution* [italiques dans l'original [5]].

A cette époque il était donc possible, et même courant chez les évolutionnistes d'être à la fois lamarckien et darwiniste. A l'avènement du néo-darwinisme cette coexistence pacifique prit fin, Lamarck fut excommunié, l'éclectisme des premiers évolutionnistes se changea en intolérance sectaire.

La raison avouée de ce schisme fut une doctrine proposée en 1885, trois ans après la mort de Darwin, par le zoologiste allemand August Weismann : la doctrine de la « continuité et inaltérabilité du plasma germinatif ». Le plasma de Weismann est le porteur du patrimoine héréditaire (le « plan génétique »); il est localisé dans les cellules génitales — sperme et ovules — qui dès les premiers stades du développement embryonnaire sont mises à part, isolées des cellules somatiques qui formeront le reste de l'organisme; il se transmet à la génération suivante par le « canal germinatif continu », inaltéré, invulnérable à tout ce qui peut arriver aux individus fugaces qui hébergent l'immortel plasma dans leurs ovaires et dans leurs testicules. Aucun « caractère acquis » ne peut franchir la barrière qui protège le plasma germinatif et altérer le patrimoine héréditaire : cette doctrine est devenue partie intégrante du credo néo-darwiniste, d'autant plus qu'elle a été mise à jour par le fameux « dogme central » de Crick et Watson. Ce dogme enseigne que les chaînes d'A.D.N. dans les chromosomes se tiennent, comme dans une tour d'ivoire, à l'écart de l'organisme, que ce sont des structures moléculaires virtuellement immortelles, à l'abri des tracas de l'existence, et qu'elles passent inaltérées de génération en génération, à l'infini, à moins que n'intervienne une méchante radiation. Vraie ou fausse, c'est une doctrine déprimante. D'ailleurs il ne semble pas qu'elle soit vraie.

En tout cas, le néo-darwinisme a certainement poussé à l'extrême le matérialisme du XIXe siècle en proclamant que l'évolution humaine est le résultat d'un « processus matérialiste sans finalité » et régi par « le hasard aveugle ». Et son vicieux attrait philosophique tient précisément à ce refus intransigeant de toute trace de finalité dans les manifestations de la vie; à cette décision austère de réduire les valeurs éthiques et les phénomènes mentaux aux lois élémentaires de la physique; à ce mépris des aspects de la biologie qui ne peuvent s'y réduire et que l'on déclare en conséquence indignes de la science.

C'est une opinion métaphysique, qui a influencé et souvent déformé la méthode scientifique, comme le montre un épisode comique dont les manuels ne parlent guère. Pour prouver que le « plasma germinatif » est imperméable aux caractères acquis, Weismann entreprit de couper la queue à vingt-deux générations successives de rats : on verrait bien si à la fin il naîtrait un rat sans queue. Or cela n'arriva pas, donc Lamarck était réfuté. Comme l'a fait remarquer un lamarckien impénitent, Weismann aurait pu tout aussi bien étudier l'hérédité d'une jambe de bois. Car la thèse de Lamarck était que seuls deviennent héréditaires les caractères acquis en réponse à des nécessités naturelles et vitales; se faire couper la queue n'est pas précisément un besoin vital du rat.

3

Ni Weismann ni personne n'a pu prouver l'inexistence de l'hérédité lamarckienne parce qu'il y a une difficulté inhérente à prouver une négation : les lamarckiens pourraient toujours prétendre à juste titre que l'évolution travaille à une échelle temporelle infiniment plus vaste qu'une équipe de recherche, si patiente qu'elle soit. C'est ce qu'ont admis des darwinistes même fort rigoureux, comme J. B. S. Haldane :

> Il faut se rappeler que malgré toutes les expériences qui échouent il est toujours possible que les effets de caractères acquis... imprègnent une espèce à une cadence qui n'est pas susceptible de vérification expérimentale, et cependant assez rapide pour avoir de l'importance à l'échelle géologique [6].

Il est amusant de noter que Julian Huxley, nous l'avons vu, employait exactement le même argument pour défendre l'hérédité darwinienne : la « vieille objection » de l'improbable évolution de l'œil, de la main ou du cerveau due au seul hasard avait « perdu sa force » parce que la sélection naturelle « opère à l'échelle géologique [7] ».

Or s'il était impossible de prouver par l'expérience la fausseté de la théorie lamarckienne comme de la théorie darwiniste, il s'est révélé également impossible de prouver la vérité de l'une ou de l'autre. Du côté lamarckien l'illustre Pavlov à Leningrad et Mac-Dougall à Harvard essayèrent de démontrer que les résultats du conditionnement, chez des souris et des rats, sont héréditaires, — et n'y parvinrent pas*. De l'autre côté les patients travaux des généticiens darwinistes sur des milliers de générations de *Drosophila* n'ont pas réussi à produire le moindre perfectionnement évolutionnaire. Pour ce qui est des preuves expérimentales directes, les deux camps étaient à égalité.

Si néanmoins les néo-darwinistes l'ont emporté (pour le moment) c'est que, à part le préjugé métaphysique, ils ont paru capables d'apporter des explications scientifiques et « modernes », ce que les lamarckiens n'ont pas pu faire. La découverte des lois de Mendel, l'application des statistiques à la génétique, et enfin le déchiffrage du code génétique sont apparus chaque fois comme de nouvelles confirmations des vues prophétiques de Darwin (dont on oubliait les rechutes dans le lamarckisme). Le mécanisme de l'évolution qu'il avait proposé était sans doute grossier, rudimentaire, il avait besoin de modifications et de raffinements; mais les lamarckiens ne pouvaient offrir aucun mécanisme conforme à la biochimie moderne. Des mutations fortuites dans les chromosomes, déclenchées par la radio-activité ou par des toxines, étaient à première vue scientifiquement acceptables comme bases de la sélection naturelle. Mais aucune hypothèse admissible ne se présentait pour expliquer comment un caractère acquis, physique ou mental, pouvait altérer le « plan génétique » contenu dans la microstructure des chromosomes. De sorte qu'une fois de plus a prévalu le principe selon lequel une mauvaise théorie vaut mieux que pas de théorie du tout, et le lamarckisme s'est fait une réputation de « superstition déshonorante » parce qu'il postulait un principe naturel sans pouvoir l'expliquer par un mécanisme énoncé dans les termes de la science contemporaine.

C'est pourtant une situation qui ne manque pas de précédents dans l'histoire des sciences. Lorsque Kepler écrivit que les marées sont sans doute causées par l'attraction de la lune, Galilée lui-même repoussa cette idée, cette « fantaisie occulte », parce qu'il n'existait aucun mécanisme concevable qui pût expliquer l'action à distance.

* Des preuves ont pu être frôlées par les expériences controversées de KAMMERER (Cf. *L'Étreinte du crapaud)* et par celles de J. McCONNELL sur les planaires[8].

Plus tard, de très savants contemporains de Newton refusèrent de croire à la gravitation universelle parce que, selon son expression, « elle tendait des doigts de fantômes vers de lointains objets » et contredisait donc les lois de la mécanique. *Mutatis mutandis* on a rejeté le lamarckisme parce que la proposition selon laquelle les expériences acquises par un organisme vivant pourraient influencer la structure de ses chromosomes héréditaires contredisait les lois de la génétique résumées dans le « dogme central ».

En fait, moins de vingt ans après sa proclamation le dogme central allait succomber sous le poids de nouvelles données qui s'accumulent rapidement. Le 25 juin 1970 le *New Scientist* (qui n'a pas l'habitude des gros titres à sensation) annonçait : « Le dogme central de la biologie est mis à l'envers », et la page scientifique du *Times* reprenait : « Gros revers pour le dogme de la biologie [9]. » Nous ne saurions ici entrer dans le détail des expériences qui devaient provoquer pareil bouleversement (et mériter à leurs auteurs le prix Nobel cinq ans plus tard *); qu'il suffise de dire qu'elles établissent avec certitude que chez certaines bactéries le « plan héréditaire » peut être altéré par l'incorporation d'agents externes (des virus) dont les effets sont nuisibles ou favorables [10]. Ou en d'autres termes, selon Grassé :

> Ces travaux montrent qu'il existe un mécanisme moléculaire qui, dans certaines circonstances, apporte une information extérieure à l'organisme et l'insère dans l'A.D.N. du code génétique. Ce qui est, pour un évolutionniste, d'une immense importance [11].

En effet. C'est pourquoi j'ai écrit que la génétique moléculaire était un cheval de Troie introduit dans la citadelle.

Parce que des virus peuvent produire des changements héréditaires dans une cellule, il serait évidemment absurde de conclure que les parents qui font des gammes toute leur vie auront des petits pianistes prodiges. Néanmoins les découvertes de la génétique moléculaire au cours des dix dernières années ont finalement démoli la doctrine weismannienne de « l'inaltérabilité du canal germinatif » et en ont modifié la version moderne : le « dogme central ». Ajoutées aux critiques résumées plus haut, elles signalent peut-être le commencement de la fin du néo-darwinisme tel qu'on le présente encore dans les manuels. Sans nul doute la sélection darwinienne joue un rôle dans le processus de l'évolution, mais un rôle subordonné (comparable à l'action d'un herbicide sélectif) et on admet de plus en plus

---

* TEMIN, BALTIMORE et DULBECCO.

que dans l'immense tableau des phénomènes de l'évolution il doit y avoir à l'œuvre d'autres principes et d'autres forces. Autrement dit, les données indiquent que l'évolution est l'aboutissement de toute une gamme de facteurs convergents, dont certains sont connus, d'autres vaguement devinés, et d'autres encore complètement inconnus.

4

Dans *L'Étreinte du crapaud* j'avançais que dans toute cette gamme de facteurs pourrait se trouver « une petite place pour une sorte de mini-lamarckisme modifié expliquant certains phénomènes limités et rares de l'évolution [12] ». A la lumière des recherches récentes je ne suis plus sûr que cette place doive être si petite, et les phénomènes si rares. Certes, il serait ridicule de revenir à la version naïve du lamarckisme à laquelle croyait Darwin lui-même. Comme je l'ai dit, le lamarckisme n'a de sens que si l'hérédité des caractères acquis se borne à des propriétés physiques et instinctives que les organismes acquièrent en réponse à des pressions et défis de l'environnement qui persistent pendant de nombreuses générations.

C'est une limitation essentielle, pour des raisons qu'une analogie simple fera comprendre. Les organes de la vue et de l'ouïe sont des fentes fort étroites qui n'admettent qu'une gamme très réduite d'ondes électro-magnétiques et d'ondes sonores. Mais si réduit que soit cet apport il est encore trop fort. L'intelligence cesserait de fonctionner si nous devions prendre garde à chacun des millions de stimuli qui bombardent constamment nos organes récepteurs dans « une foisonnante et bourdonnante confusion », comme disait William James. C'est pourquoi le cerveau et le système nerveux fonctionnent à la manière d'un assemblage hiérarchisé d'appareils de filtrage et de classement qui élimine, comme « bruit » inutile, une grande proportion de l'apport extérieur et traite l'information pertinente pour lui donner une forme présentable à la conscience qui doit l'admettre *. Un exemple typique de ce processus de filtrage est ce que les psychologues appellent le « phénomène des cocktails » : notre remarquable capacité d'isoler une voix en particulier dans un énorme brouhaha.

Or ce que signifie réellement la doctrine de Weismann, ou le dogme

---

* Cf. Chapitre premier, [13].

central, c'est qu'il fallait un appareil de filtrage analogue pour protéger la substance héréditaire de la foisonnante et bourdonnante
confusion des incursions biochimiques qui, sans cela, bouleverse-
rait la continuité et la stabilité des espèces. Mais cela n'exclut pas
nécessairement la possibilité que certaines acquisitions vitales et
persistantes faites par un très grand nombre de générations successives puissent graduellement s'infiltrer et devenir héréditaires. Il
existe en tout cas des exemples classiques, maintes fois cités dans la
littérature, qui paraissent réclamer une explication lamarckienne
puisque le darwinisme n'en propose aucune.

Tel est par exemple le vénérable problème de la peau de la plante
des pieds, qui est beaucoup plus épaisse que partout ailleurs. Si
l'épaississement se produisait après la naissance, en conséquence
du frottement, il n'y aurait pas de problème. Mais la peau de la plante
est épaissie déjà dans l'embryon qui n'a jamais marché pieds nus
ni autrement. Phénomènes semblables, plus frappants encore, les
callosités des poignets du phacochère, qui s'y appuie pour manger;
celles des genoux du chameau; et plus bizarres encore, les deux
grosseurs bulbeuses que l'autruche porte sous l'arrière-train à
l'endroit où elle s'assied. Toutes ces callosités apparaissent, comme
celles de la peau des pieds, *dans l'embryon. Ce sont des caractères
acquis.* Est-il concevable qu'elles aient évolué par mutations fortuites
exactement à l'endroit où l'animal en aurait besoin? Ou faut-il
admettre qu'il y a une connexion causale entre les besoins de l'animal et la mutation qui les lui procure [13]?

Depuis le début de la controverse les lamarckiens ont allégué
ces exemples et bien d'autres, trop techniques pour que je les rapporte
ici; et les darwinistes, incapables de fournir de réponse satisfaisante,
ont constamment éludé la question en « autruchant » les données,
comme disait Samuel Butler en jouant sur les mots anglais pour
« autruche » et « ostracisme ». Cent ans après Butler la tactique
évasive règne toujours *.

Certes, il est difficile de concevoir comment une callosité acquise
pourrait entraîner une modification des chromosomes. Mais comme
l'a fait remarquer Waddington lui-même dans un de ses premiers

---

* Les lecteurs curieux pourront en trouver un exemple récent dans le débat
qui, au colloque d'Alpbach, a suivi l'exposé du professeur Waddington sur « La
théorie de l'évolution aujourd'hui », lorsque je remis sur le tapis la vieille histoire
de l'autruche et du phacochère [16]. Il a été très intéressant de voir comment Waddington, qui pourtant s'était montré très critique à l'égard de la théorie synthétique, s'en est fait instantanément le défenseur dès qu'elle a été attaquée de l'extérieur.

livres [14], « même s'ils sont improbables, de tels processus ne seraient pas inexplicables théoriquement. C'est à l'expérience de décider s'ils ont lieu ou non ». Waddington a même calculé un « modèle hypothétique » pour montrer un procédé par lequel des modifications dans les activités des cellules somatiques pourraient affecter les activités génétiques des cellules germinales au moyen d'enzymes adaptatives. Il précise que ce modèle « n'a pour but que de suggérer qu'il est peut-être imprudent de vouloir écarter absolument *a priori* la possibilité d'une mutation dirigée liée à l'environnement [15] ».

5

On sait depuis longtemps que la « barrière de Weismann » qui est censée isoler du reste de l'organisme les cellules reproductrices, vecteurs de l'hérédité, n'existe pas dans les végétaux, ni chez certains animaux inférieurs comme les planaires et les hydres qui peuvent recréer un individu complet y compris ses organes de reproduction, à partir d'un segment quelconque, ou presque, de leur corps. Les biologistes ont à choisir : ou ils s'accrochent au dogme de la muraille impénétrable qui protège le « canal germinatif inaltérable » du reste du monde, et ils attribuent au pur hasard toutes les altérations qui le font évoluer, ou ils admettent que la muraille est poreuse, que c'est plutôt un système très fin de filtrage qui ne laisse pénétrer que des informations vitales sélectionnées dans le saint des saints de l'hérédité logé dans les cellules germinales. La génétique moléculaire n'explique pas le processus, — pas encore du moins; mais c'est une science neuve, très mouvante, qui n'exclut pas *a priori* la possibilité d'une mémoire phylogénétique d'expériences vitales récurrentes qui seraient codées dans les chromosomes. Comment, sinon par un processus d'apprentissage et de mémoire phylogénétiques, auraient pu se former des pratiques héréditaires aussi complexes que la nidification chez l'oiseau ou le tissage chez l'araignée? La théorie officielle, nous l'avons vu, ne donne aucune explication de la génétique de ces talents héréditaires.

Récapitulons : on peut établir une analogie entre l'appareil de filtrage qui opère dans le système nerveux pour protéger le cerveau des stimuli non pertinents, et la micro-hiérarchie génétique qui protège le patrimoine héréditaire contre les mutations fortuites nuisibles, et coordonne les effets des mutations utiles. Mais on peut étendre cette analogie et supposer qu'il existe aussi une micro-hiérarchie lamarckienne dans le processus de l'évolution, qui empêche les caractères acquis de s'ingérer dans le plan héréditaire, à l'exception d'un très petit nombre répondant à des besoins vitaux de l'espèce dus à des pressions continues de l'environnement répétées pendant des générations, — comme la peau de la plante des pieds d'un fœtus. Nous aurions ainsi une micro-hiérarchie quasi darwinienne responsable surtout de la fabuleuse richesse des *variations* qui se produisent à un même niveau de l'évolution, et une micro-hiérarchie lamarckienne, responsable surtout de l'*évolution* vers les niveaux supérieurs. Et sans aucun doute il existe d'autres facteurs, que nous n'entrevoyons pas.

Il faudrait être ignare pour nier l'influence révolutionnaire du darwinisme sur le XIXᵉ siècle, à l'époque où, selon le mot d'un biologiste [17], le public cultivé était confronté à l'alternative : « pour Darwin ou contre l'évolution ». Mais le sectarisme des néo-darwinistes d'aujourd'hui est une tout autre affaire; et dans un avenir peu éloigné les biologistes se demanderont probablement quel sort on avait jeté à leurs prédécesseurs. C'est aussi le pronostic de certains des critiques que j'ai cités; dans la jeune génération c'est sans doute celui de la majorité. Il est certainement significatif que pour l'édition du Centenaire de l'*Origine des espèces* de Darwin, publiée par Everyman Library, l'introduction signée d'un éminent entomologiste ait contenu des propos qui s'écartaient très nettement de l'orthodoxie :

> Cette situation dans laquelle des hommes de science se liguent pour défendre une doctrine qu'ils sont incapables de définir scientifiquement et moins encore de démontrer avec quelque rigueur scientifique, en essayant d'en maintenir la faveur auprès du public par le refoulement des critiques et l'élimination des difficultés, est une situation anormale et indésirable dans la science [18].

Peut-être est-il significatif aussi que dans les éditions suivantes de l'*Origine des espèces,* toujours chez Everyman, cette introduction ait disparu.

CHAPITRE XI

Stratégies et projets
dans l'évolution

1

J'AI cité au chapitre premier (10), l'exemple classique des membres antérieurs des vertébrés qui, chez les reptiles, chez les oiseaux, chez les baleines ou chez les humains, sont toujours construits sur le même plan du squelette, des muscles, des nerfs, etc. et sont considérés en conséquence comme des organes homologues. Des bras, des ailes, des nageoires ont des fonctions fort différentes, mais en fait ce sont des variations sur un thème : des modifications stratégiques d'une structure pré-existante : le membre antérieur de l'ancêtre reptilien commun à tous les vertébrés. Lorsque la nature a « pris un brevet » sur un organe vital, elle s'y tient, et cet organe devient un holon évolutionnaire stable. Sa conception fondamentale paraît régie par un *canon évolutionnaire* fixe, alors que son adaptation à la nage, à la marche ou au vol relève d'une *stratégie* souple de l'évolution.

Le principe est immédiatement applicable à tous les échelons de la hiérarchie de l'évolution, depuis le niveau infra-cellulaire jusqu'au cerveau primate. Quatre bases chimiques de l'acide nucléique des chromosomes — l'A.D.N. — constituent l'alphabet de quatre lettres de tous les codes génétiques dans la totalité du règne animal; la même « marque » d'organites fonctionne dans leurs cellules; le même carburant chimique — A.T.P. — leur fournit de l'énergie; les mêmes protéines contractiles servent aux mouvements de l'amibe et à ceux des muscles de l'homme. Les animaux et les plantes sont faits de molécules ou organites homologues, et de sous-structures homologues encore plus complexes. Ce sont les holons stables du flux de l'évolution, les nœuds de l'arbre de la vie.

Les théories de l'évolution dont nous avons parlé ci-dessus s'intéressent surtout à la nature des *stratégies* (darwinistes, lamarckiennes, etc.) de l'évolution qui à partir des racines à la base de la hiérarchie ont fait se ramifier des formes de vie supérieures. Mais éblouis par la prodigieuse *variété* des végétaux et des animaux les biologistes ont eu tendance à accorder moins d'attention à l'*uniformité* de ces unités de base, telles qu'on les remarque dans les phénomènes d'homologie, et aux *limites* qu'elle a imposées à toutes les formes existantes et possibles de la vie sur la planète. Après tout, l'uniformité foncière des organites qui constituent la cellule vivante provient elle-même des limites imposées par la chimie fondamentale de la matière organique : amino-acides, protéines, enzymes, etc. A un échelon plus élevé les micro-hiérarchies génétiques imposent de nouvelles contraintes aux variations héréditaires. Plus haut encore, le « grand quelque chose de central » règle nous ne savons comment la « coordination harmonieuse » des modifications génétiques, dont l'effet combiné est le canon de l'évolution qui autorise un grand nombre de variations, mais seulement dans des directions limitées *sur un nombre de thèmes limité.* L'évolution n'est pas une foire d'empoigne; pour reprendre notre formule, c'est un jeu à règles fixes et stratégies variables qui se joue sur des milliers de millénaires.

Pour illustrer ces considérations un peu abstraites je citerai l'exemple des marsupiaux d'Australie dont je me suis déjà servi dans un autre livre * en le présentant comme une énigme enveloppée d'un mystère. L'énigme est posée par les dessins de la page 212. Le mystère est que les évolutionnistes refusent de considérer l'énigme.

---

* Cf. *Le Cheval dans la locomotive,* pages 136-139.

2

La classe des mammifères se divise en marsupiaux et en placentaires * qui ont évolué séparément à partir d'un ancêtre commun (un reptile disparu auquel on donne le nom de thérapsidé). L'embryon de marsupial naît à peine développé et continue à se former dans la poche élastique que sa mère porte sur le ventre. Un kangourou nouveau-né est un produit à demi fini, long de trois ou quatre centimètres, aveugle, sans poils, les pattes postérieures à l'état de bourgeons embryonnaires. On peut se demander si les petits humains, mieux développés à la naissance, mais presque aussi faibles, seraient plus heureux aussi dans une poche maternelle, comme les petits Africains, Japonais, etc., attachés sur le dos de leur mère. Mais quels que soient les avantages et les inconvénients de la méthode marsupiale, le fait est que cette méthode est différente de la placentaire. La poche et le placenta sont en somme des variations stratégiques dans le schéma général de la reproduction mammifère.

Les deux lignées se sont séparées tout au début de l'évolution des mammifères, au crétacé supérieur, peu de temps avant que l'Australie soit coupée du continent asiatique. Les marsupiaux (qui avaient évolué à partir de l'ancêtre commun avant les placentaires) ont peuplé l'Australie avant la dérive de ce nouveau continent, ce que les placentaires n'ont pas pu faire. Les deux lignées ont donc évolué séparément pendant un million d'années. La question qui se pose est de savoir pourquoi de si nombreuses espèces de la faune australienne, appartenant à la lignée des marsupiaux qui a évolué indépendamment, ressemblent si étonnamment aux espèces placentaires correspondantes. La figure de la page suivante montre à gauche trois marsupiaux, à droite les mammifères correspondants. On dirait que deux dessinateurs partageant le même modèle sans se connaître ont fait des séries parallèles de portraits presque identiques.

L'Australie isolée, les seuls immigrants mammifères à avoir pu s'y installer à temps étaient de petits placentaires ressemblant à des souris analogues probablement à la souris placentaire à pattes

* En laissant de côté les monotrèmes en voie d'extinction, comme l'ornithorynque.

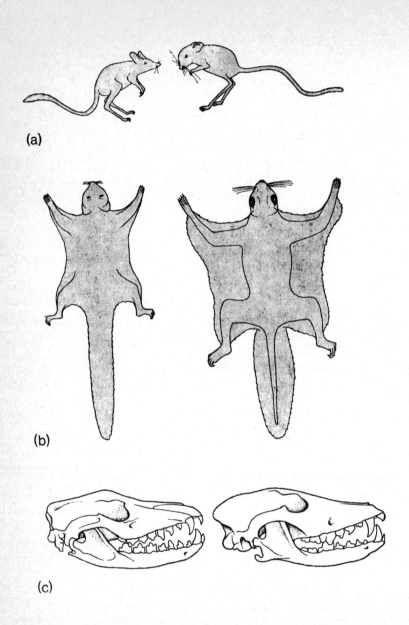

a) *Gerboise marsupiale et gerboise placentaire;* b) *Phalanger marsupial et écureuil volant;* c) *Crânes de loup de Tasmanie et de loup placentaire (d'après Hardy).*

jaunes, mais plus primitives. Or ces créatures archaïques confinées dans cette grande île se sont ramifiées pour donner naissance à des versions marsupiales de taupes, de fourmiliers, d'écureuils, de chats et de loups, chaque version évoquant une copie quelque peu maladroite du placentaire correspondant. Mais alors, si l'évolution est une foire d'empoigne, pourquoi l'Australie n'a-t-elle pas produit des espèces entièrement différentes, des monstres comme en invente la science-fiction? Les seules créations modérément fantaisistes de cette île ont été en cent millions d'années le kangourou et le wallabie; le reste de sa faune consiste en assez médiocres répliques de types placentaires plus efficaces : ce sont des variations sur quelques thèmes du répertoire du canon de l'évolution.

La seule explication que fournisse la théorie officielle pour résoudre cette énigme se trouve dans le passage suivant d'un ouvrage qui fait autorité en la matière :

> Le loup (marsupial) de Tasmanie et le loup véritable sont l'un et l'autre des coursiers prédateurs, se nourrissant d'autres animaux ayant à peu près mêmes tailles et mêmes habitudes. La similarité adaptative [l'adaptation à des milieux semblables] suppose similarité de structure et de fonction. Le mécanisme d'une telle évolution est la sélection naturelle [1].

Et G. G. Simpson, le spécialiste de l'université Harvard, conclut à propos du même problème à la « sélection de mutations fortuites [2] ».

C'est vraiment une manière grandiose de supposer le problème résolu. On nous demande de croire que cette phrase vague — « se nourrissant d'autres animaux ayant à peu près mêmes tailles et mêmes habitudes » (qui peut s'appliquer à des centaines d'espèces différentes) suffit à expliquer l'apparition des crânes presque identiques de la page 212. L'évolution d'une unique espèce de loup par mutations fortuites et sélection présente déjà des difficultés insurmontables. Que le même processus se répète ailleurs et indépendamment, ce serait la quadrature du miracle. Et l'on reste intrigué de voir que les darwinistes ne sont pas intrigués ou font semblant de ne pas l'être*.

---

* Pour nommer ce phénomène on a inventé plusieurs termes comme « convergence, parallélisme », « homéoplastie », qui sont purement descriptifs et n'expliquent rien.

3

Les Doppelgänger australiens viennent à l'appui de l'hypothèse de lois unitaires sous-jacentes à la diversité de l'évolution et permettant des variations virtuellement illimitées sur un nombre de thèmes limités. Ces thèmes comprennent, aux échelons inférieurs de la hiérarchie, les macro-molécules, les organites, les cellules, qui représentent des holons évolutionnaires; plus haut, les organes homologues tels que les membres antérieurs, les vertèbres, les poumons et les branchies, sans parler des yeux munis de lentilles qui ont évolué plusieurs fois indépendamment dans des lignées fort distinctes : mollusques, arachnides, vertébrés. Plus haut encore, nous devons ajouter à la liste les types de vertébrés plus ou moins standardisés dont nous venons de parler ci-dessus. Le « plus ou moins » s'explique par des variations de stratégie dans un environnement qui se modifie; mais la standardisation ne peut s'expliquer que par des règles incorporées aux micro-hiérarchies génétiques qui maintiennent les avancées de l'évolution dans certaines grandes avenues et éliminent le reste.

Ce concept de « formes archétypiques » remonte à Goethe et aux transcendantalistes du XVIIIe siècle (il remonte même à Platon); il a été remis à l'honneur par des biologistes qui jouent avec l'idée de « sélection interne » sans énoncer clairement ce qu'elle recèle et suppose *. Helen Spurway, par exemple, conclut de la récurrence universelle de formes homologues que l'organisme a « un spectre de mutations restreint » qui « détermine ses possibilités d'évolution[3] ». D'autres ont parlé de « lois organiques co-déterminant l'évolution », « d'influences formatrices guidant le changement évolutionnaire dans certaines voies[4] », Waddington revenant à « la notion d'archétypes... c'est-à-dire à l'idée qu'il n'existe qu'un certain nombre de structures fondamentales que puisse assumer la forme organique[5] ». Ce qu'ils veulent dire (sans parler si clairement) c'est qu'étant donné les conditions de notre planète, la gravitation et la température, la composition de l'atmosphère, du sol

---

* Cf. chapitre IX (7). Voir à ce sujet une excellente étude de L. L. WHYTE, *Internal Factors in Evolution,* et le compte rendu de cet ouvrage par W. H. THORPE dans *Nature,* 14 mai 1966.

et des océans, les matériaux et l'énergie disponibles, la vie depuis le premier caillot de boue vivante ne pouvait évoluer que *dans un nombre limité de directions et d'un certain nombre de manières.* Mais cela suppose alors que, de même que la structure fondamentale des loups jumeaux était annoncée, ou présente *in potentia,* dans leur ascendance commune, de même le reptile proto-mammifère a dû être présent en puissance dans le chordé ancestral et même bien avant, en remontant au protiste ancestral et à la première fibre d'acide nucléique capable de se reproduire.

Telle est apparemment la conclusion inéluctable à tirer des phénomènes d'homologie qu'Alister Hardy juge « absolument fondamentaux pour notre discours quand nous parlons d'évolution[6] ». Si ce raisonnement est juste il met fin aux monstres de science-fiction comme formes possibles de la vie sur la terre, ou sur d'autres planètes semblables. Mais d'autre part il ne signifie absolument pas que l'univers soit un mécanisme rigoureusement déterminé qui se déroulerait comme un ressort d'horlogerie. Il signifie, pour revenir à l'un de nos leitmotive, que l'évolution se joue conformément à des règles qui en limitent les possibilités, tout en lui laissant assez de champ pour un nombre virtuellement infini de variations. Les règles sont inhérentes à la structure fondamentale de la matière vivante; les variations proviennent de stratégies adaptables qui tirent profit des occasions offertes par les règles.

Autrement dit, l'évolution n'est ni une foire d'empoigne qui ne dépendrait que du hasard, ni l'exécution du programme rigidement prédéterminé d'un ordinateur. Elle serait comparable à une composition musicale de type classique dont les possibilités sont limitées par les règles de l'harmonie et par la structure de la gamme, règles et structure qui néanmoins permettent un nombre infini de créations originales; ou encore au jeu d'échecs, qui obéit à des règles fixes et comporte des variations également inépuisables. Enfin, je l'écrivais dans *Le Cheval dans la locomotive,* le grand nombre d'espèces animales vivantes (environ un million) et le petit nombre de classes (une cinquantaine) et de phylums (une dizaine) pourraient se comparer au grand nombre des ouvrages littéraires et au petit nombre des thèmes fondamentaux. La littérature est faite tout entière de variations sur un nombre limité de leitmotive, dérivés des expériences et conflits archétypiques de l'homme, et adaptés chaque fois à un nouvel environnement : coutumes, conventions, langage de l'époque. Il n'y a pas d'intrigues originales dans Shakespeare; et selon Carlo Gozzi, approuvé par Goethe, il n'existe au monde que trente-six situations dramatiques. Encore Goethe pensait-il qu'il y en a probablement moins, mais le nombre exact des intrigues demeure le secret bien gardé des romanciers et auteurs dramatiques. Un ouvrage littéraire est construit à partir de holons thématiques[7].

Mais les écrivains ont encore tout loisir de faire ce qu'ils peuvent des trente-six thèmes de Gozzi. Et les stratégies de l'évolution ont encore beaucoup à faire pour tirer profit des possibilités inhérentes à la structure physico-chimique de la matière vivante telle qu'elle existe sur terre —, et probablement sur d'autres planètes où les conditions seraient semblables à celles de la terre. Nous reviendrons plus tard à ces hypothèses.

4

On objectera peut-être qu'à parler de « stratégie de l'évolution » nous tombons dans le piège de l'anthropomorphisme : que nous attribuons à la nature des mobiles humains. En fait, il s'agit plutôt de « biomorphisme », puisque l'hypothèse se fonde sur les aspects d'orientation et de projet qui sont inhérents aux phénomènes de la vie, par opposition à la démarche « robotomorphique » du réductionnisme. La science n'a pas à trembler d'appliquer à l'évolution les termes de « projet » et de « stratégie »; ils ne supposent pas l'existence d'un divin stratège. Mais ce sont précisément ces craintes injustifiées qui ont embrouillé le débat et poussé les théoriciens orthodoxes à s'empêtrer dans les contradictions. Citons encore un de leurs représentants. Pour le professeur G. G. Simpson, l'évolution « est foncièrement matérialiste, sans le moindre signe de finalité,... toute cause finale se trouvant repoussée à l'incompréhensible position d'une cause première... L'homme est l'aboutissement d'un processus matérialiste sans finalité qui ne l'avait pas prévu. Il n'a pas été planifié[8] ».

Voilà mis en pleine lumière le sophisme, fondé sur une fausse alternative : l'évolution serait ou bien un processus sans finalité, ou bien l'œuvre d'un Grand Architecte. On se demande comment des biologistes, quand ils se spécialisent en génétique, peuvent devenir assez aveugles à la nature pour ne pas voir dans la finalité une caractéristique fondamentale de la vie, qui n'exige aucunement le postulat d'un Grand Architecte parce qu'elle est inhérente au concept même de la vie, ou, comme écrit Sinnott, parce que la finalité est « l'activité orientée d'organismes individuels qui distingue les choses vivantes des objets inanimés[9] ». Le terme de « finalité », appliqué à un organisme vivant, signifie activité orientée vers un but, au lieu d'agitation au hasard, stratégies souples au lieu de réponses mécaniques fixes, adaptation à l'environnement, mais aux conditions de l'organisme, et à sa manière souvent fantaisiste, comme dans le cas de l'orchidée ou du papillon; et adaptation de l'environnement à ses besoins propres. Ou encore, selon le prix Nobel H. J. Muller, « la finalité n'est pas importée dans la nature, et il n'y a pas lieu de s'interroger à son propos comme sur quelque chose d'étrange ou de divin qui viendrait s'introduire pour faire avancer la vie... Elle est simplement implicite dans le fait de l'organisation de la vie [10] ».

Il est donc devenu plus ou moins respectable de parler d'orientation et de finalité dans l'*ontogénèse,* dans le développement de l'individu; mais on juge encore hérétique d'appliquer ces termes à la *phylogénèse,* à l'histoire de l'évolution. L'ontogénèse serait orientée, la phylogénèse serait aveugle; l'ontogénèse serait guidée par la mémoire et l'apprentissage, lesquels n'affecteraient aucunement la phylogénèse. Cependant nous avons vu que les néo-darwinistes qui réfléchissent sont de plus en plus gênés de cette cassure artificielle et qu'ils se mettent à jeter des ponts par-dessus : la téléonomie de Monod par exemple, ou le concept de micro-hiérarchies génétiques filtrant et coordonnant les modifications héréditaires. Simpson lui-même a dû admettre malgré son dogmatisme que la phylogénèse est une abstraction si l'on n'y voit pas une suite d'ontogénèses et que « l'évolution se poursuit par des changements dans l'ontogénèse ». Mais si les ontogénèses sont orientées vers des fins, on voit mal pourquoi leur somme ne le serait pas, — à moins de souscrire au dogme du génome inaltérable selon Weismann et Crick (et ce serait l'unique exemple de processus biologique sans rétroaction).

On peut donc oublier la vieille devinette du Grand Architecte caché derrière la finalité. Le Grand Architecte, c'est depuis le commencement de la vie chaque organisme individuel qui a lutté pour tirer le meilleur parti possible de ses possibilités limitées; et la somme de toutes les ontogénèses reflète l'effort de la matière vivante orienté vers la réalisation optimale du potentiel évolutionnaire de la planète.

5

Le dernier paragraphe insiste sur « l'effort ». Quand les évolutionnistes orthodoxes parlent d' « adaptations » ils pensent (comme

les behavioristes quand ils parlent de « réponses ») à un processus
foncièrement passif, entièrement régi par « les contingences de
l'environnement ». Cette conception s'accorde peut-être avec leur
philosophie, mais certainement pas avec les faits qui prouvent,
comme écrit G. E. Coghill, que « l'organisme agit sur le milieu
avant de réagir au milieu [11] ». Presque à l'instant de son éclosion ou
de sa naissance l'animal attaque le milieu solide ou liquide à l'aide
de cils, de flagelles ou de muscles; il palpite, il rampe, il glisse, il
nage; il gigote, crie, respire, se nourrit de ce qui l'environne. Il ne
se borne pas à s'adapter au milieu, il adapte le milieu à ses besoins :
il mange et boit son milieu, lutte et s'accouple avec lui, fouille et
bâtit en lui; il ne se contente pas de « répondre » au milieu, il l'interroge et l'explore. Rappelons-nous (chapitre VII) que le besoin
d'explorer est un instinct primaire, aussi fondamental que la faim
et l'instinct sexuel, et parfois encore plus puissant qu'eux. D'innombrables expériences, à commencer par celles de Darwin, ont montré
que la curiosité est une pulsion instinctive chez les rats, les oiseaux,
les dauphins, les singes, etc.; et nous avons vu que c'est la principale force qui motive les artistes comme les hommes de science. Le
besoin d'explorer est ainsi un facteur dominant de l'évolution mentale de l'homme; mais on peut penser avec certains savants tels que
Hardy, que c'est aussi peut-être un facteur dominant de l'évolution
biologique. Selon cette conception le progrès évolutif est fondé sur
l'*initiative* de quelques individus entreprenants qui découvrent une
nouvelle manière de se nourrir ou de se protéger, une nouvelle
technique qui, en se propageant par imitation, s'incorpore aux
modes de vie de l'espèce. Pour montrer l'importance de ce processus Hardy cite l'exemple d'un des « pinsons de Darwin » des îles
Galapagos, *C. Pallidus.* Cet oiseau creuse des trous ou des cre-
vasses dans les écorces et « quand il a fini d'excaver, saisit une
épine de cactus ou une brindille de trois ou quatre centimètres qu'il
tient longitudinalement dans son bec pour l'enfoncer dans l'ouver-
ture avant de l'abandonner au moment d'attraper l'insecte qui
émerge... Quelquefois l'oiseau transporte la brindille et l'enfonce
dans les trous et les rainures de tous les arbres qu'il explore les uns
après les autres [12] ».

En s'appuyant sur une série d'exemples de ce genre Hardy estime
que le principal facteur du progrès de l'évolution n'est pas la pression sélective du milieu, mais l'initiative de l'organisme vivant :
« L'animal inquiet, perceptif, explorateur, qui découvre de nouveaux
modes de vie... Ce sont les adaptations dues au comportement
de l'animal, à son inlassable exploration de l'environnement, à son

initiative, qui distinguent les grandes lignes divergentes de l'évolution... pour donner des lignées de coureurs, de grimpeurs, de fouisseurs, de nageurs et de conquérants des airs [13]. »

C'est ce qu'on pourrait appeler la théorie du progrès-par-l'initiative. Les pionniers de l'espèce inventent une habitude, un changement de comportement qui se répand dans la population et que copient les générations successives, jusqu'au moment où une heureuse mutation fortuite la transforme en instinct héréditaire. Le processus commence donc par l'initiative de l'animal, l'heureuse mutation n'intervient qu'après, comme pour l'endosser génétiquement et incorporer la pratique nouvelle dans le plan génétique. Le rôle du hasard est donc très réduit; le singe à la machine à écrire n'a qu'à poursuivre ses essais jusqu'à ce qu'il frappe une touche spécifiée d'avance.

En écrivant *Le Cheval dans la locomotive* je trouvais cette théorie assez attrayante, mais à la réflexion j'y vois une faille importante puisqu'elle compte toujours (beaucoup moins, à vrai dire, que la théorie orthodoxe) sur les mutations fortuites pour réaliser les modifications terriblement complexes du système nerveux qui sont nécessaires pour insérer une habitude, une technique nouvelle, dans l'équipement inné d'un organisme. L'accent qui est mis sur l'initiative, sur le rôle actif de l'animal explorateur garde son attrait, mais l'énigme des callosités de l'autruche ou de la virtuosité architecturale de l'araignée demeure sans solution. Du point de vue méthodologique il semble préférable de supposer que la technique de chasse du pinson de Darwin a pénétré dans les chromosomes de cet oiseau selon un processus inconnu *parce qu'elle était utile* (c'est-à-dire par hérédité lamarckienne), plutôt que d'invoquer encore la pieuse formule darwinienne.

6

Au regard de l'homme l'évolution se présente comme un processus d'une prodigalité désastreuse. Les biologistes considèrent que pour chacune des espèces qui existent aujourd'hui au nombre d'un million, il a dû en périr des centaines; et les lignées survivantes paraissent stagner, comme si leur évolution s'était arrêtée il y a très longtemps. La principale cause de la stagnation comme de l'extinction est probablement l'excès de spécialisation et, de manière concomitante — la perte d'adaptation aux changements du milieu. Julian Huxley comparait l'évolution à un labyrinthe comportant « un nombre énorme d'impasses avec de rares voies de progrès... Toutes les lignées de reptiles ont abouti à des impasses, sauf deux : l'une qui s'est transformée en oiseaux, l'autre qui est devenue mammifères. Du tronc des oiseaux, toutes les lignées ont fini en cul-de-sac, et tous les mammifères aussi, sauf un, celui qui est devenu l'homme [14] ».

Le symbole humain de l'ultra-spécialisation est le pédant, esclave de l'habitude, dont la pensée et le comportement suivent toujours les mêmes ornières, victime prédestinée de toute calamité inattendue. Son équivalent dans le règne animal est le pathétique koala dont la spécialité est de se nourrir des feuilles d'une certaine variété d'eucalyptus et rien d'autre et qui a des crochets admirablement faits pour s'agripper à l'écorce, et rien d'autre. Toutes les orthodoxies ont tendance à faire des élevages de koalas humains.

Pour s'évader du labyrinthe il existe une issue particulièrement intéressante pour notre propos : c'est le phénomène nommé paedomorphose, décrit par Garstang dans les années 1920 et étudié depuis par plusieurs biologistes *. Bien que l'existence de ce phénomène soit généralement admise, elle a eu peu d'influence sur la théorie orthodoxe, et les livres en parlent peu. La paedomorphose indique qu'à certains stades critiques l'évolution peut *revenir en arrière*, pour ainsi dire, rebrousser le chemin qui l'avait conduite à une impasse et repartir dans une direction plus prometteuse. Ce qui est capital ici c'est l'apparition au stade embryonnaire, larvaire ou juvénile, d'une innovation évolutionnaire utile qui se transmet au stade adulte de la descendance de l'organisme. En voici un exemple.

Selon une hypothèse que les données semblent bien confirmer, les chordés — et par conséquent les vertébrés comme nous — descendent du stade larvaire d'un échinoderme primitif, probablement une sorte d'oursin ou d'holothurie. A vrai dire l'holothurie adulte ne serait pas un ancêtre bien encourageant; on dirait, gisante au fond de la mer, une saucisse de cuir mal farcie. Mais la larve de l'holothurie, qui flotte librement, paraît plus riche de promesses : elle possède une symétrie bilatérale comme les poissons, elle est munie d'une bande ciliaire qui annonce le système nerveux, et de beaucoup d'autres caractères raffinés que l'on ne trouve pas chez l'adulte. Il faut donc admettre que l'adulte sédentaire reposant au fond de l'eau a dû s'en remettre aux larves mobiles pour répandre l'espèce dans tout l'océan

---

* Notamment Hardy et de Beer en Angleterre, Koltsov et Takhtajan en U.R.S.S. [15]

comme les plantes qui égrènent au vent; que les larves, obligées de quêter leur nourriture, et exposées bien plus que les adultes à des pressions sélectives devinrent graduellement plus pisciformes, et qu'éventuellement elles atteignirent la maturité sexuelle sans quitter leur état larvaire ni leur liberté de mouvement — donnant ainsi naissance à un nouveau type d'animal qui ne devait plus s'installer au fond de la mer et qui allait éliminer entièrement de sa biographie le stade sédentaire et sénile [16].

Cet abaissement de l'âge de la maturité sexuelle est un phénomène évolutionnaire bien connu appelé *néoténie*. Il a deux aspects : l'animal commence à se reproduire quand il est encore au stade larvaire ou juvénile; et il n'atteint jamais le stade adulte complet désormais supprimé, éliminé du cycle vital. Les stades de développement juvéniles de l'ancêtre deviennent donc la condition définitive des descendants, les caractéristiques de la maturité de l'ancêtre se trouvant abandonnées. Il s'agit en somme d'un processus de « juvénilisation * » et de dé-spécialisation, d'une tentative réussie pour sortir d'une impasse du labyrinthe de l'évolution. « Le problème n'est pas de savoir comment les vertébrés se sont formés à partir d'échinodermes, écrit J. Z. Young en commentant Garstang; mais plutôt comment les vertébrés ont éliminé de leur histoire biologique le stade adulte de l'échinoderme. Il est parfaitement raisonnable de considérer que cela s'est accompli par paedomorphose [17]. »

Gavin de Beer a comparé le processus à une horloge biologique qui serait remontée au moment où l'évolution risque de s'arrêter : « Une espèce peut rajeunir en expulsant de la fin de leurs ontogénèses le stade adulte de ses individus et elle peut alors rayonner dans toutes les directions [18]. »

Les données de la paléontologie et de l'anatomie comparée laissent penser en effet que ce retour en arrière, avec cet affranchissement de l'ultra-spécialisation, s'est répété à tous les grands tournants de l'évolution. Nous venons de parler de l'évolution des vertébrés à partir du stade larvaire d'un échinoderme primitif. Hardy et Koltsov [19] ont donné beaucoup d'autres exemples et Takhtajan [20] a montré que la paedomorphose est également fréquente dans l'évolution des végétaux. Selon toute probabilité les insectes sont sortis d'une espèce de mille-pattes, — et non d'un mille-pattes adulte dont la structure est trop spécialisée, mais de sa forme larvaire. La conquête de la terre ferme a été commencée par des amphibiens dont la lignée remonte à un type primitif de poissons à respiration pulmo-

---

* Le terme a été proposé par Julian HUXLEY (1952), p. 532.

naire, alors que les embranchements ultérieurs, très spécialisés, de poissons à branchies ont abouti à l'impasse. On pourrait multiplier les exemples, mais le cas le plus frappant de paedomorphose se trouve dans l'évolution de notre espèce.

Depuis les travaux de Bolk, publiés en 1926, il est généralement admis que l'homme adulte ressemble plus à un embryon de singe qu'à un singe adulte.

> Chez l'embryon simien comme chez l'homme adulte le rapport du poids du cerveau au poids total du corps est extrêmement élevé. Chez l'un comme chez l'autre la fermeture des sutures du crâne est retardée pour permettre l'expansion du cerveau. L'axe longitudinal de la tête humaine — c'est-à-dire la direction de la vision — est à angle droit par rapport à la colonne vertébrale : c'est une condition qui, chez les singes et chez d'autres mammifères, ne se trouve qu'au stade embryonnaire. Il en est de même de l'angle formé par la colonne vertébrale et le canal uro-génital — ce qui rend compte de la singularité de l'accouplement humain face à face. Il y a d'autres traits embryonnaires (fœtalisés, pour parler comme Bolk) chez l'homme adulte : absence de visière frontale, rareté et apparition tardive de la pilosité, croissance tardive des dents, et bien d'autres... [21].

On ne trouvera sans doute jamais le « chaînon manquant » entre le chimpanzé et l'homme : c'était un embryon.

7

La paedomorphose (ou juvénilisation) semble donc jouer un rôle important dans la stratégie générale de l'évolution. Elle suppose un recul à partir de formes adultes spécialisées vers des stades antérieurs, moins engagés et plus plastiques du développement des organismes, — suivi d'une avance soudaine dans une nouvelle direction. Tout se passe comme si le fleuve de la vie renversait momentanément son cours pour remonter vers sa source, et se frayer ensuite un nouveau lit — en plantant là le koala sur son arbre comme une hypothèse abandonnée. Autrement dit, nous retrouvons le schéma « reculer pour mieux sauter » que nous avons rencontré aux tournants critiques de l'évolution des sciences et des arts. L'évolution biologique est dans une grande mesure une histoire d'évasions qui raconte comment la vie a échappé aux impasses de l'ultra-spécialisation, tandis que l'évolution des idées raconte comment l'intelligence s'est dégagée des servitudes successives de l'habitude et de la stagnation. Dans l'évolution biologique l'évasion est due à un recul du stade adulte au stade juvénile, point de départ d'une nouvelle lignée; dans l'évolution intellectuelle c'est une régression temporaire à des modes d'idéation plus primitifs et moins inhibés, suivie d'un bond en avant (équivalent d'un jaillissement soudain de « radiation adaptative »). Ces deux sortes de progrès : l'émergence d'innovations évolutives et la création d'innovations culturelles, suivent le même schéma : défaire et refaire, et apparaissent comme des processus analogues à des niveaux différents.

Ni l'évolution biologique ni le progrès culturel ne forment une courbe continue. Ni l'une ni l'autre n'est strictement cumulative au sens où l'édifice s'élèverait constamment sur l'œuvre laissée par la génération précédente. L'une et l'autre avancent en suivant la route en zigzag décrite au chapitre VIII. Le progrès de la science n'est continu que durant les périodes de consolidation et d'élaboration qui suivent une grande percée, un « changement de paradigmes ». Mais tôt ou tard la consolidation mène à la rigidité, à l'orthodoxie, aux impasses de l'ultra-spécialisation — élans d'Irlande ou koalas du savoir. Or la nouvelle structure théorique qui sortira d'une découverte ne sera pas simplement ajoutée au vieil édifice : elle se formera au point où l'évolution des idées s'était fourvoyée. Les grandes révolutions de l'histoire des sciences ont un caractère nettement paedomorphique. Dans l'histoire de la littérature et des arts les zigzags du développement sont encore plus marqués : les périodes de progrès cumulatif dans une technique ou au sein d'une école donnée aboutissent inévitablement à la stagnation, au maniérisme ou à la décadence, jusqu'au moment où la crise se résout dans une révolution de la sensibilité, de l'accent et du style.

8

On peut préciser encore davantage l'analogie entre évolution biologique et évolution culturelle en considérant l'un des attributs fondamentaux des organismes vivants : leur capacité d'autoréfection, telle qu'elle se manifeste dans les phénomènes de *régénération* (selon Needham, « l'un des tours de magie les plus spectaculaires du répertoire des organismes vivants * »). La régénération est aussi fondamentale que la reproduction, et dans certains organismes inférieurs qui se multiplient par fission ou bourgeonnement, ce sont bien souvent des processus indiscernables l'un de l'autre. Par exemple si l'on coupe en deux transversalement une planaire, le côté tête se fera une queue, le côté queue se fera une tête; on peut la tronçonner en cinq ou six, chaque tranche peut reformer un animal complet. Les planaires, les hydres, les holothuries, les étoiles de mer, toutes capables de régénérer un individu entier à partir d'un segment, seraient véritablement des hologrammes biologiques.

A un échelon plus élevé, les amphibiens sont capables de régénérer un membre ou un organe; et là encore le tour de magie obéit à la formule « défaire et refaire ». Les tissus cellulaires proches du moignon se dé-différencient et *régressent* vers un état quasi embryonnaire, puis se re-différencient et se re-spécialisent pour former la structure régénérée **

Le remplacement d'un membre ou d'un œil est un phénomène d'un tout autre ordre que la guérison. La *capacité régénératrice* d'une espèce lui procure un dispositif de sécurité supplémentaire au service de la survivance, une méthode d'autoréfection qui repose sur la plasticité génétique de cellules embryonnaires non spécialisées. Mais c'est plus qu'un dispositif de sécurité, puisque les grandes innovations évolutives, nous venons de le voir, sont dues à une semblable régression des niveaux adultes aux niveaux embryonnaires. En fait, on pourrait décrire les principales étapes de l'ascension qui a abouti à notre espèce comme une série d'opérations *d'autoréfection phylogénétique* : une série de tentatives réussies pour échapper aux impasses en défaisant et en remodelant des structures mal adaptées.

En gravissant les échelons des reptiles aux mammifères, on voit que la force régénératrice des structures corporelles diminue, remplacée peu à peu par une capacité croissante du système nerveux à

---

* Cf. *Insight and Outlook*, chapitre x; *Le Cheval dans la locomotive*, chapitre xiii.

** Un bon exemple de cette « métaplasie » est la régénération du cristallin de l'œil de la salamandre : « Si on enlève soigneusement le cristallin il est remplacé par une nouvelle lentille qui se forme à la marge supérieure de l'iris, partie pigmentée de l'œil comprenant la pupille. Le premier changement, après extirpation, est la disparition du pigment : processus de dé-différenciation. Puis les deux couches de tissu qui composent l'iris se séparent et s'étendent vers le bord où ils sont continus, et forment une vésicule. Celle-ci pousse vers le bas pour prendre la position normale d'un cristallin; pour finir elle se détache de l'iris et se différencie en cristallin typique [22]. »

réorganiser le comportement. Avant 1950 K. S. Lashley a démontré dans une belle série d'expériences que le système nerveux n'est pas un automatisme rigide. Des tissus du cerveau qui normalement ont une fonction spécialisée peuvent, dans certaines circonstances, prendre les fonctions d'autres tissus qui ont été endommagés. Lashley, par exemple, avait enseigné à des rats certains tours de discrimination visuelle. Ensuite il priva ces rats de leur cortex visuel et, naturellement, leur capacité disparut. Mais plus tard, contrairement à toute attente, les animaux mutilés surent rapprendre la même technique. C'est qu'une autre région du cerveau, non spécialisée normalement dans l'apprentissage visuel, dut assumer cette fonction et suppléer à la zone détruite. Pareils phénomènes de méta-adaptation, pourrait-on dire, ont été conservés chez des insectes, des oiseaux, des chimpanzés, etc. *.

Enfin dans notre espèce, la faculté de régénération physique est réduite au minimum, cette perte étant compensée par la capacité de remodeler les schémas de comportement et de pensée : de relever les défis critiques par des réponses créatrices. Et le cercle bouclé nous ramène de l'évolution biologique aux diverses manifestations de la créativité humaine, fondées sur le principe « défaire et refaire », constant leitmotiv, de la paedomorphose aux révolutions des sciences et des arts, aux régénérations mentales que cherchent à provoquer les techniques de psychanalyse, et pour finir, aux archétypes de toute mythologie : mort et résurrection, retraite et retour.

9

Une doctrine fondamentale des conceptions mécanistes du XIXe siècle était la fameuse Seconde Loi de la thermodynamique d'après laquelle l'univers s'achemine vers la dissolution finale, parce que son énergie se dégrade sans cesse inexorablement en mouvements fortuits de molécules, et à la fin il ne sera plus qu'une masse de gaz amorphe, de température uniforme juste au-dessus du zéro absolu : le cosmos sombrera dans le chaos.

Ce n'est que récemment que la science a commencé à secouer les effets hypnotiques de ce cauchemar et à se rendre compte que la Seconde Loi s'applique seulement au cas spécial des systèmes clos

* Voir *The Act of Creation*, livre II, chapitre III.

(comme celui d'un gaz dans un récipient hermétique), alors que les organismes vivants sont des « systèmes ouverts » qui maintiennent leur structure et leur fonction en puisant continuellement leurs matériaux et leur énergie dans l'environnement. Loin de « se dépenser » comme une horloge qui dissipe son énergie par frottement, l'organisme vivant construit constamment des substances plus complexes à partir des substances dont il se nourrit, des formes d'énergie plus complexes à partir de l'énergie qu'il consomme, et des structures d'information plus complexes — perceptions, savoir, souvenirs — à partir des sensations captées par ses organes récepteurs.

Mais bien que les faits fussent évidents pour tout le monde, les évolutionnistes orthodoxes ont eu beaucoup de mal à en accepter les conséquences théoriques. L'idée que les organismes, par contraste avec les machines, seraient principalement *actifs* au lieu d'être simplement *réactifs,* qu'au lieu de s'adapter passivement à l'environnement, ils seraient « créateurs en ce sens que de nouveaux schémas de structure et de comportement sont constamment fabriqués » (Judson Herrick), cette idée répugnait profondément aux darwinistes, behavioristes et réductionnistes en général [23]. Que la vénérée Seconde Loi, si utile en physique, ne s'applique pas à la matière vivante, qu'elle soit en un sens *renversée* par la matière vivante, c'était dur à admettre, en effet, pour une orthodoxie encore convaincue que les phénomènes de la vie doivent finalement se ramener aux lois de la physique.

Or c'est un physicien et non un biologiste, c'est Erwin Schrödinger qui a mis fin à la tyrannie de la Seconde Loi dans une phrase célèbre : « L'organisme se nourrit d'entropie négative [24]. » Le mot entropie désigne l'énergie dissipée par frottement et autres processus d'usure, et devenant irrécupérable. On peut énoncer la Seconde Loi en disant que l'entropie d'un système clos tend à augmenter vers un maximum où toute son énergie se sera dissipée dans le mouvement chaotique des molécules gazeuses; de sorte que si l'univers est un système clos il doit éventuellement se « défaire » et passer de l'état de cosmos à celui de chaos. Devenue un concept clef de la physique, l'entropie, autre nom pour Thanatos, s'est même introduite dans le concept freudien de pulsion de mort (cf. Chapitre II).

On emploie donc l'expression assez alambiquée d' « entropie négative » (ou « négentropie ») pour désigner, chez les êtres vivants, la faculté de construire au lieu de perdre l'énergie, de créer des structures complexes à partir d'éléments simples, des structures intégrées à partir de l'amorphe, de l'ordre à partir du désordre. La même tendance constructive se manifeste irrésistiblement dans le progrès de l'évolution, dans l'émergence de nouveaux degrés de la hiérarchie organique et de nouvelles méthodes de coordination fonctionnelle, aboutissant à une plus grande indépendance par rapport à un milieu de plus en plus maîtrisé.

J'ai parlé plus haut de l'effort de la matière vivante vers la réalisation optimale du potentiel évolutionnaire de la planète. Dans une même veine le biologiste Albert Szent-Györgyi, prix Nobel, a proposé de remplacer « négentropie », chargé de connotations négatives, par le terme positif de *syntropie,* qu'il définit comme un « mouvement inné dans la matière vivante tendant à la perfection de soi ». Il a également attiré l'attention sur l'équivalent au niveau psychologique : « Un mouvement vers la synthèse, vers la croissance, vers la totalité et la perfection [25]. »

En somme, pour parler franc, il s'agit là d'un retour au vitalisme, que l'orthodoxie réductionniste avait marqué au fer rouge des superstitions obscurantistes. L'origine du concept remonte aux entéléchies d'Aristote, principes, ou fonctions de vie qui de la substance tirent des êtres vivants et les poussent vers la perfection de leur être. Le concept de force vitale animant la substance animée a été repris depuis lors, sous des formes variées, par de nombreux penseurs : c'est la *facultas formatrix* de Galien et de Kepler, la « force de vie » de Galvani, les monades de Leibniz, la *Gestaltung* de Goethe, l'élan vital de Bergson. Au début du XXe siècle le mot « entéléchie » a été adopté en Allemagne par le biologiste Hans Driesch que ses expériences célèbres sur l'embryologie et la régénération avaient convaincu que de tels phénomènes ne peuvent pas s'expliquer uniquement par les lois de la physique et de la chimie — lesquelles devaient être suffisantes pour l'école des « mécanistes ». Avec les progrès de la biochimie, le vitalisme ne cessa de perdre du terrain : c'était devenu une hypothèse superflue, d'allure un peu mystique jusqu'au jour où le pendule est reparti dans l'autre direction. Le concept révolutionnaire de négentropie, proposé par Schrödinger en 1944 au milieu des applaudissements universels, réintroduisait le vitalisme, en quelque sorte, par la petite porte*. Il conviendrait pourtant de l'appeler néo-vitalisme pour le distinguer de ses prédécesseurs pré-scientifiques. Le message fondamental en a été résumé avec une admirable simplicité par Szent-Györgyi, que l'on ne saurait accuser d'attitude antiscientifique :

---

* On a forgé d'autres termes pour réinstaurer le vitalisme sous un déguisement respectable; le biologiste allemand Woltereck a proposé « anamorphose » pour désigner la tendance à l'émergence de formes de plus en plus complexes, que L.L. Whyte a appelée « principe morphique ».

Quand des particules élémentaires se rassemblent pour former un noyau atomique il se crée quelque chose de neuf que l'on ne peut plus décrire en termes de particules élémentaires. Il en va de même si l'on enveloppe ce noyau d'électrons et que l'on construit un atome, quand on rassemble des atomes pour former une molécule, etc. La nature inanimée s'arrête au niveau inférieur d'organisation de molécules simples. Mais les systèmes vivants continuent, ils combinent des molécules pour former des macromolécules, des macromolécules pour former des organites (noyaux, mitochondries, chloroplastes, ribosomes ou membranes) et finissent par rassembler tout cela pour former la plus grande merveille de la création, une cellule avec ses étonnantes régulations internes. Et puis se poursuit le rassemblement de cellules qui forment des « organismes supérieurs » et des individus de plus en plus compliqués, dont vous êtes un exemple. A chaque étape se créent des qualités plus complexes et plus subtiles, et pour finir nous rencontrons des propriétés qui n'ont aucun parallèle dans le monde inanimé, bien que les règles de base demeurent inchangées [26].

Les « règles de base » sont ici les lois de la physique et de la chimie qui restent valables dans le domaine des phénomènes biologiques, mais qui ne suffisent pas à les expliquer puisque ces phénomènes « n'ont aucun parallèle dans le monde inanimé ». D'où le postulat de la syntropie (ou négentropie ou élan vital), « mouvement inné dans la matière vivante tendant à la perfection de soi », ou à la réalisation optimale de son potentiel évolutionnaire.

Selon la théorie que je propose ce « mouvement inné » vient de la « tendance à l'intégration », expression plus spécifique que les termes cités plus haut, parce que cette tendance est inhérente à la conception d'ordre hiérarchique et qu'elle se manifeste à tous les niveaux, depuis la symbiose des organites au sein de la cellule jusqu'aux systèmes écologiques et aux sociétés humaines. Son pendant, la tendance assertive, est également omniprésent à tous les niveaux. Cette tendance aide à comprendre le curieux conservatisme du processus de l'évolution tel qu'il apparaît dans les phénomènes d'homologie, dans la stabilité des espèces, dans la lenteur des changements, dans la survivance des « fossiles vivants » (ou « types persistants »), et enfin quand elle n'est pas tenue en échec par la tendance intégrative, dans les impasses de la stagnation et de l'ultra-spécialisation. Nous avons vu en effet que la tendance assertive est bien conservatrice, attachée à préserver et à affirmer l'individualité du holon dans l'état des conditions actuelles, tandis que la tendance intégrative a la double fonction de coordonner les parties constituantes d'un système dans son état existant, *et* de former de nouveaux échelons d'organisation dans les hiérarchies en évolution, qu'elles soient biologiques, sociales ou cognitives. La tendance assertive est donc orientée vers le présent, elle est soucieuse de maintenir, alors que la tendance intégrative travaille, pourrait-on dire, à la fois pour le présent et pour l'avenir.

On a comparé l'évolution à un voyage dont on ignore le point de départ et la destination, une aventure sur un océan sans rivages; nous pouvons du moins tracer l'itinéraire qui nous a conduits du stade de l'holothurie à la conquête de la Lune, et l'on ne saurait nier qu'il y ait un vent qui gonfle la voile. Mais quant à dire que ce vent, venu du fond des âges, pousse le navire devant lui, ou qu'au contraire il le tire dans l'avenir, c'est une question de choix. L'intentionnalité de tous les processus vitaux, la stratégie des gènes et la force de la pulsion exploratrice chez les animaux et chez l'homme semblent indiquer que l'attraction de l'avenir est aussi réelle que la pression du passé. Causalité et finalité sont des principes complémentaires dans les sciences de la vie; si l'on ôte la finalité et l'intentionnalité on ôte la vie à la biologie comme à la psychologie*.

Est-ce du vitalisme? Si oui, je n'ai pas d'objection et je citerai une remarque profonde de l'illustre vitaliste Henri Bergson :

> Certes, il se peut que le principe vital explique peu de chose, mais c'est du moins une sorte d'étiquette fixée sur notre ignorance, pour nous en faire souvenir à l'occasion, alors que le mécanisme nous invite à ignorer cette ignorance.

Mais laissons le dernier mot à Pierre Grassé :

> Les efforts conjugués de la paléontologie et de la biologie moléculaire, celle-ci débarrassée de ses dogmes, devraient aboutir à la découverte du mécanisme exact de l'évolution, sans peut-être nous révéler les causes de l'orientation des lignées, de la finalité des structures, des fonctions, des cycles vitaux. Il est possible que dans ce domaine la biologie, impuissante, cède la parole à la métaphysique [27].

---

* L'insaisissable Waddington lui-même, dans un de ses derniers ouvrages, argumente en faveur d'une « conception quasi finaliste » [28].

QUATRIÈME PARTIE

NOUVEAUX HORIZONS

CHAPITRE XII

Le libre arbitre
dans un contexte hiérarchique

1

Pour paraphraser Pascal et son hypothèse sur le nez de Cléopâtre, disons que son contemporain René Descartes, s'il eût été le bon maître d'un caniche, la face de la philosophie en eût été changée. Le caniche aurait appris à Descartes que, contrairement à sa doctrine, les animaux ne sont pas des machines et que par conséquent le corps humain non plus n'est pas une machine à jamais séparée de l'âme que le philosophe croyait d'ailleurs pouvoir localiser dans la glande pinéale.

Bergson exprimait une conception radicalement opposée à celle de Descartes quand il marquait une nette différence entre l'inconscient d'une pierre qui tombe et celui d'un chou qui pousse. Il n'était pas loin d'une sorte de panpsychisme, cette doctrine selon laquelle il existe une sorte d'âme rudimentaire chez tous les vivants, d'un bout à l'autre des règnes végétal et animal. Aujourd'hui certains physiciens tentés par les spéculations audacieuses iraient jusqu'à attribuer un élément psychique aux particules nucléaires. Le panpsychisme postule ainsi un continuum qui va du chou à la conscience humaine, alors que le dualisme cartésien regarde la conscience comme l'apanage de l'homme uniquement, et élève un rideau de fer entre l'esprit et la matière.

Le panpsychisme et le dualisme cartésien occupent les deux extrémités opposées du spectre philosophique. Je ne m'étendrai pas sur les diverses élaborations auxquelles ils ont donné lieu : interactionnisme, parallélisme, épiphénoménalisme, hypothèse de l'identité, etc.; mais j'essaierai de montrer que le concept de holarchie à niveaux multiples peut servir à éclairer d'un jour *nouveau* ce très vieux problème. Comme nous le verrons, la conception hiérarchique, pour monter du chou à l'homme, remplace la courbe continue du panpsychisme par toute une série de degrés distincts : c'est un escalier au lieu d'une rampe; et quant au mur cartésien qui sépare le corps de l'esprit, elle le remplace, pour ainsi dire, par une série de portillons.

L'expérience de tous les jours nous démontre que la conscience n'est pas une question de tout ou rien, elle est *affaire de degrés*. Il y a des niveaux de conscience qui forment une série ascendante, depuis l'inconscience sous anesthésie et en passant par la somnolence, par les activités exécutées automatiquement ou « distraitement », jusqu'à la pleine conscience, à la conscience de soi, à la conscience consciente de soi-même, et ainsi de suite sans que l'on puisse jamais atteindre un sommet.

Dans la direction opposée on rencontre également une multiplicité de niveaux de conscience ou de sensibilité qui descendent bien au-dessous de l'humain. Les éthologistes qui connaissent bien les animaux refusent généralement de définir une limite inférieure de la conscience sur l'échelle de l'évolution, cependant que les neurophysiologues parlent de la « conscience spinale » des vertébrés inférieurs et même de la « conscience protoplasmique » des protozoaires. Pour ne citer qu'un exemple, les foraminifères, minuscules monocellulaires marins apparentés aux amibes, construisent des abris très compliqués avec des spicules provenant de squelettes d'éponges; Alister Hardy, qui a étudié ces animaux, écrit que ces « maisons sont des merveilles d'ingénierie [1] ». Or ces protozoaires primitifs n'ont ni organes visuels ni système nerveux, ce n'est qu'une masse gélatineuse de protoplasme flottant. Ainsi la hiérarchie semble-t-elle ouverte en bas comme en haut.

Les données paraissent indiquer, écrit l'éminent éthologiste W. H. Thorpe, qu'aux échelons inférieurs de l'échelle de l'évolution la conscience, si elle existe, doit être très généralisée et pour ainsi dire non structurée; et qu'avec le développement du comportement intentionnel et de la faculté d'attention la conscience associée à l'expectative doit devenir de plus en plus vive et précise [2].

Cependant il faut bien comprendre que ces gradations dans la structuration, la vivacité et la précision de la conscience se retrouvent non seulement de bas en haut de l'échelle de l'évolution et chez les membres d'une même espèce aux différents stades de leur ontogénèse, mais aussi chez les individus adultes selon les situations auxquelles ils sont confrontés. Je fais allusion au fait, qui n'est banal qu'en apparence, qu'une même activité — comme de conduire une voiture — peut s'exécuter soit *automatiquement,* sans que l'on pense le moins du monde à ses actes, soit consciemment, mais avec des *degrés de conscience* très variables. En conduisant sur une route connue, avec peu de circulation, je peux m'en remettre au « pilote automatique » de mon système nerveux et penser à autre chose. En d'autres termes l'exercice de direction et de coordination de la conduite automobile passe à un niveau inférieur de ma hiérarchie mentale. En revanche, pour doubler une autre voiture il faut que le contrôle s'élève à un niveau d'exercice semi-conscient; et si je prends des risques en doublant je dois encore monter d'un cran pour bien savoir ce que je fais.

Plusieurs facteurs déterminent le degré d'attention que l'on porte à une activité. Le plus important, dans le présent contexte, est la formation des habitudes. En apprenant une technique on doit se concentrer sur tous les détails. Nous apprenons laborieusement à reconnaître et nommer les lettres de l'alphabet, à monter à bicyclette, à enfoncer la bonne touche du piano ou de la machine à écrire. Mais quand elle a acquis assez de pratique la dactylo peut laisser ses doigts « taper tout seuls »; nous lisons, nous écrivons, nous conduisons « automatiquement », ce qui est une façon de dire que les règles qui gouvernent l'exercice de la technique en question s'appliquent désormais inconsciemment. On peut voir dans ce passage de l'apprentissage à l'habitude un processus qui *transforme des activités mentales en activités mécaniques,* — des processus d'intellect en processus de machine. Cela commence à la petite enfance et ne s'arrête jamais.

Cette tendance à l'automatisation progressive des habitudes a un côté positif : elle est conforme au principe d'économie. En maniant machinalement le volant, je peux tenir une conversation; et si les règles de la grammaire n'opéraient pas automatiquement je ne pourrais pas m'occuper du sens des phrases. Mais d'un autre côté l'automatisation des habitudes et des gestes menace de nous changer en automates. L'homme n'est pas une machine, mais la plupart du temps nous nous conduisons comme des machines, ou comme des somnambules, sans veiller mentalement aux activités que nous exécutons. Cela ne s'applique pas seulement aux manipulations machinales (maniement de la fourchette et du couteau à table, allumage d'une cigarette, signature d'une lettre), mais aussi aux activités mentales : on peut lire « distraitement » toute une page d'un livre ennuyeux sans absorber un traître mot. Karl Lashley cite un de ses confrères, professeur de psychologie, qui lui fit cet aveu : « Quand je dois donner un cours, je me laisse parler et je m'endors. »

Ainsi, pour donner une définition un peu alambiquée, dirait-on que la conscience est l'attribut spécial d'une activité qui *décroît en proportion directe de l'habitude*. La condensation de l'apprentissage en habitude s'accompagne d'un obscurcissement de la conscience. Il est donc prévisible que le processus inverse aura lieu quand l'habitude sera perturbée par un obstacle ou un problème inattendus, et que cette occurrence provoquera un transfert instantané du comportement « machinal » au comportement « attentif » ou « réfléchi ». Que soudain un chat traverse la route sur laquelle vous conduisez distraitement, votre pensée jusqu'alors absente reviendra immédiatement prendre les commandes, c'est-à-dire qu'elle aura à décider très vite d'écraser le chat ou de risquer la vie des passagers en freinant brusquement. Dans une crise de ce genre il y a transfert soudain des commandes d'une activité en cours à un échelon supérieur de la hiérarchie à niveaux multiples, parce que la décision à prendre dépasse la compétence du pilote automatique et doit être demandée à la « direction ». Dans la théorie proposée ici, ce passage subit du contrôle d'un comportement d'un échelon inférieur à un échelon supérieur de la hiérarchie (analogue au saut quantique des physiciens) constitue l'essentiel de la prise de décision consciente et de l'expérience subjective du libre arbitre.

Le processus contraire, nous l'avons vu, est la mécanisation des routines, l'asservissement à l'habitude. Nous en arrivons ainsi à une conception dynamique de circulation continue ascendante et descendante, dans les deux sens de la hiérarchie corporelle et mentale. L'automatisation des habitudes et des gestes suppose un mouvement descendant régulier d'escalier mécanique, qui dans les couches supérieures laisse la place à des activités plus raffinées, mais qui en même temps menace de nous changer en automates. Chaque degré à la descente est une transition du mental au machinal; chaque commutation vers le haut de la hiérarchie produit des états de conscience plus vifs et mieux structurés.

Encore une fois l'expérience nous fait voir tous les jours cette alternance des comportements de robot et des comportements lucides. Mais à de rares occasions les créateurs éprouvent une autre oscillation très rapide qui d'abord les fait « reculer pour mieux sauter » en descendant des couches trop précises et trop spécialisées de la hiérarchie cognitive à des niveaux plus primitifs et plus fluides, pour remonter à un niveau supérieur restructuré.

2

Le dualisme classique ne connaît qu'une seule barrière entre le corps et l'esprit. La méthode holarchique utilisée pour la théorie proposée ici suppose *une conception pluraliste, et non plus dualiste;* la transformation d'événements physiques en événements mentaux, et vice versa, s'opère non pas en un unique saut par-dessus une barrière unique, mais par toute une série de degrés qui passent en montant et en descendant à travers les portillons de la hiérarchie à niveaux multiples.

Pour prendre un exemple concret, rappelons-nous (Cf. Chapitre premier (6)) comment nous transformons les ondes sonores qui parviennent au tympan, événements physiques, en idées, événements mentaux. Cela ne se fait pas d'un coup. Pour décoder le message que véhiculent les pulsions sonores, l'auditeur doit exécuter rapidement une série de « sauts quantiques » d'un échelon à un autre de la hiérarchie du langage; les phonèmes ne signifient rien et ne peuvent s'interpréter qu'au niveau des morphèmes; les mots doivent se rapporter au contexte, les phrases à un cadre de référence plus large. La parole active (l'élocution d'une idée ou d'une image non verbalisée précédemment) comporte le processus inverse : elle change des événements mentaux en mouvements mécaniques des cordes vocales. Cette transformation s'opère de même par toute une série intermédiaire de degrés rapides mais distincts, dont chacun déclenche des mécanismes linguistiques plus ou moins automatisés : structuration du message voulu en séquence linéaire, conditionnement de ce message conformément aux lois tacites de la grammaire, et enfin activation de l'ensemble des mouvements coordonnés des organes de la parole. La hiérarchie psycholinguistique de Noam Chomsky était déjà préfigurée dans *Le Songe d'une nuit d'été :*

Quand l'imagination façonne
Les contours de choses inconnues, la plume du poète
En forme des figures et donne à des riens en l'air
Un domicile et un nom.

Répétons-le : chaque degré descendant dans la conversion graduelle de riens en l'air en mouvements physiques des cordes vocales entraîne un transfert de commandes à des automatismes plus automatisés; chaque degré ascendant mène à des processus intellectuels plus intellectualisés. La dichotomie corps-esprit n'est donc pas localisée sur une seule frontière, une seule interface, comme dans le dualisme classique, elle est présente à chaque échelon intermédiaire de la hiérarchie.

Dans cette perspective la distinction catégorique entre esprit et matière s'efface; « mental » et « mécanique » deviennent des attributs complémentaires de processus à tous les niveaux. La domination d'un de ces attributs sur l'autre (la manière réfléchie ou distraite avec laquelle je noue ma cravate) dépend du courant de la circulation dans la hiérarchie, selon que les transferts de commandes se font vers le bas ou vers le haut à travers les portillons. C'est ainsi que même les régions inférieures viscérales de la hiérarchie peuvent apparemment passer sous contrôle mental au moyen de pratiques de yoga ou de méthodes de bio-rétroaction. Et inversement, nous l'avons déjà dit, dans un état de somnolence ou d'ennui je peux lire le journal (activité censément intellectuelle) sans en enregistrer un seul mot.

Nous avons coutume de parler de la « pensée » comme si c'était une chose; ce n'est pas une chose, et la matière non plus. Comprendre, penser, se souvenir, imaginer sont des *processus* en relation réciproque ou complémentaire avec des processus mécaniques. La physique moderne nous procure ici une analogie pertinente : le « principe de complémentarité » qui est à la base de toute sa structure théorique, déclare (si nous le traduisons en langage non technique) que les constituants élémentaires de la matière — électrons, protons, neutrons, etc. — sont des entités ambiguës à tête de Janus qui dans certaines conditions se comportent en corpuscules solides, mais dans d'autres conditions agissent comme des ondes dans un milieu non substantiel. Werner Heisenberg, un des pionniers de la physique nucléaire, a écrit à ce propos :

Le concept de complémentarité est fait pour décrire une situation dans laquelle on peut considérer un seul et même événement dans deux systèmes de référence différents. Ces deux systèmes s'excluent mutuellement, mais en même temps ils se complètent, et seule leur juxtaposition permet une vue totale... Ce que nous appelons complémentarité s'accorde fort bien avec le dualisme cartésien de l'esprit et de la matière[3].

Malgré cette référence au dualisme, alors que nous préférons parler de pluralité de niveaux, l'analogie demeure valable. Si l'on sait qu'un électron se comporte soit en particule soit en onde selon l'optique expérimentale, il est plus facile d'admettre que l'homme aussi fonctionnera soit en automate, soit en être conscient, selon les circonstances.

C'est également ce que pensait un autre lauréat du prix Nobel de physique, Wolfgang Pauli :

> On ne peut pas dire que l'on ait résolu le problème général de la relation entre la pensée et le corps, entre l'interne et l'externe... La science moderne nous a peut-être rapprochés d'une compréhension plus satisfaisante de cette relation en introduisant dans la physique même le principe de complémentarité[4].

On pourrait ajouter un très grand nombre de citations semblables des pionniers de la physique contemporaine qui, de toute évidence, voient bien autre chose qu'une analogie superficielle dans ce parallèle entre les deux types de complémentarité : matière-pensée, corpuscule-onde. Il s'agit en fait d'une analogie très profonde, mais pour en apprécier le sens il faudrait comprendre un peu ce que le physicien entend par les « ondes » qui constituent l'un des deux aspects de la matière. Le bon sens, conseiller généralement perfide, nous dit que pour produire une onde il faut *quelque chose qui ondule :* une vague, une corde qui vibre, de l'air en mouvement. Mais le concept d'ondes-matière *exclut par définition* tout milieu doué d'attributs matériels qui en feraient un vecteur de l'onde. Nous sommes donc contraints d'imaginer la vibration d'une corde sans la corde, ou le sourire du chat de Cheshire (d'Alice au pays des merveilles) sans le chat. On peut cependant puiser quelque consolation dans l'analogie des deux complémentarités. Les éléments de conscience qui traversent l'esprit, depuis les perceptions sensorielles jusqu'aux pensées et aux images, sont des « riens » insubstantiels, ils sont cependant liés au cerveau qui est matériel, de même que les « ondes » insubstantielles de la physique sont liées aux aspects matériels des particules nucléaires.

3

L'énoncé d'une intention (qu'il s'agisse d'exprimer verbalement une idée ou simplement d'écraser une cigarette) est un processus qui déclenche la mise en marche de sous-mécanismes successifs, de holons fonctionnels qui vont des opérations arithmétiques aux contractions musculaires : en d'autres termes c'est un processus de *particularisations* d'une intention générale. Inversement, le report des décisions à des échelons supérieurs est un processus *intégratif* qui tend à produire un plus haut degré de coordination et de compréhension de l'expérience. Comment le problème du libre arbitre s'insère-t-il dans ce schéma?

Nous avons vu que toutes nos pratiques physiques et mentales suivent des *règles fixes* et des *stratégies* plus ou moins *souples*. Dans le jeu d'échecs les règles définissent les mouvements permis, la stratégiee détermine le coup effectivement choisi. Le problème du libre arbitre se ramène à la question de savoir comment les choix sont faits. On peut dire que le choix du joueur d'échecs est « libre » en ce sens qu'il n'est pas déterminé par les règles. Mais bien qu'il soit libre dans cette mesure, il ne se fait certainement pas au hasard. Il est au contraire guidé par des considérations beaucoup plus complexes (faisant appel à un échelon plus élevé de la hiérarchie) que les simples règles du jeu. Que l'on compare le jeu de morpions au jeu d'échecs : dans les deux cas mon choix stratégique est « libre » en ce sens qu'il n'est pas déterminé par des règles. Mais le tracé des croix au jeu de morpions ne comporte que très peu d'alter- natives qui dépendent de stratégies relativement simples, tandis que le joueur d'échecs est guidé par des considérations d'un niveau de complexité beaucoup plus élevé comportant une variété de choix incomparablement plus grande : autrement dit, *plus de degrés de liberté* *. En outre les considérations stratégiques qui guident son choix forment elles aussi une hiérarchie ascendante. Au niveau le plus bas figurent des préceptes tactiques qui commandent d'occuper le centre de l'échiquier, d'éviter de perdre des pièces et de protéger le roi, — préceptes que n'importe quel joueur saura suivre, mais qu'un

---

* En physique l'expression « degrés de liberté » désigne le nombre de variables indépendantes définissant l'état d'un système.

maître pourra négliger en s'intéressant de préférence à de plus hauts niveaux de stratégie qui, au besoin, sacrifient des pièces et exposent le roi dans des coups apparemment téméraires, mais plus prometteurs au point de vue de la partie dans son ensemble. Ainsi au cours de la partie les décisions doivent être constamment reportées à des échelons plus élevés de la hiérarchie, possédant plus de degrés de liberté, et chaque commutation vers le haut s'accompagne d'un aiguisement de la conscience et d'un sentiment de libre choix. Généralement parlant, dans ces domaines très élaborés le code obligatoire (qu'il s'agisse d'échecs ou de grammaire) opère plus ou moins automatiquement, à des niveaux inconscients ou préconscients, alors que les choix stratégiques se font avec l'aide de la conscience focale.

Répétons-le : les degrés de liberté dans la hiérarchie augmentent à mesure qu'on s'élève, et chaque transfert d'attention à de plus hauts niveaux, chaque report de décision à des échelons supérieurs, s'accompagne de l'expérience du libre choix. Mais cette expérience est-elle seulement subjective? Est-elle illusoire? Je ne le crois pas. La liberté ne peut se définir qu'en termes relatifs, et non pas dans l'absolu : on est libre *de* quelque chose, par rapport à une contrainte spécifique. Dans une prison les détenus ordinaires ont plus de liberté que ceux des quartiers de haute sécurité; la démocratie autorise plus de liberté que la tyrannie, et ainsi de suite. On retrouve des gradations semblables dans les hiérarchies à niveaux multiples de la pensée et de l'action : à chaque ascension vers un échelon supérieur *l'importance relative des contraintes diminue et le nombre des choix augmente.* Mais cela ne signifie pas qu'il existe un niveau superlatif libre de toute contrainte. Au contraire la théorie proposée ici suppose que la hiérarchie est ouverte sur un recul à l'infini, dans les deux directions, vers le haut comme vers le bas. Nous avons tendance à croire que l'ultime responsabilité réside au sommet de la hiérarchie, mais ce sommet ne réside pas, il ne cesse de reculer. Le moi élude l'étreinte de sa conscience. Si l'on regarde vers le bas et vers l'extérieur, l'homme a de ce qu'il fait une conscience qui s'obscurcit chaque fois qu'il s'enfonce dans l'habitude : au-delà vient l'obscurité des processus viscéraux, puis les ténèbres du chou qui pousse et de la pierre qui tombe, et la conscience se dissout dans l'ambiguïté de l'électron-Janus. Mais vers le haut la hiérarchie est également ouverte, elle mène à la régression infinie du moi. En regardant vers le haut ou vers l'intérieur l'homme a le sentiment d'une totalité, d'un noyau de sa personnalité, d'un centre d'où émanent ses décisions et qui, selon Penfield, « régit sa pensée et dirige le faisceau de son attention ». Mais cette métaphore du grand neurophysiologiste est trompeuse. Quand un prêtre reproche à un pénitent de se complaire à de mauvaises pensées, le pénitent comme le prêtre assument tacitement que derrière l'agent qui met le courant sur les mauvaises pensées, il existe un autre agent qui veille sur le tableau de distribution, et ainsi de suite à l'infini. Le vrai coupable, le moi qui dirige le faisceau de mon attention, ne se fera jamais prendre dans son rayon focal. Le sujet éprouvant l'expérience ne saurait devenir pleinement objet de sa propre expérience : il n'arrivera tout au plus qu'à des approximations successives. Si apprendre et connaître consistent à se faire un modèle personnel de l'univers, il s'ensuit que le modèle ne saurait inclure un modèle complet de soi-même, puisqu'il doit toujours se tenir derrière le processus qu'il est censé représenter. A chaque progrès de conscience en s'élevant vers le sommet de la hiérarchie — le moi comme totalité intégrée — il recule comme un mirage. « Connais-toi toi-même » est l'adage le plus vénérable, et le plus inapplicable. La conscience totale du moi, l'identité du connaissant et du connu, sera toujours en vue, et jamais atteinte. Elle ne pourrait l'être que si le grimpeur touchait enfin à la cime de la hiérarchie, mais la cime est perpétuellement plus haute que lui.

C'est un très vieux paradoxe qui semble rajeunir dans le contexte de la holarchie ouverte. Le déterminisme s'estompe non seulement au niveau quantique de l'atome, mais aussi dans la direction opposée où, à mesure que l'on gravit les échelons, les contraintes diminuent et les degrés de liberté augmentent, à l'infini. En même temps le sinistre concept de prévisibilité et de prédestination s'évanouit dans la régression sans fin. L'homme n'est pas le jouet des dieux, il n'est pas non plus un pantin suspendu à ses chromosomes. En termes moins imagés, des conclusions analogues se retrouvent dans la proposition de Karl Popper selon laquelle aucun système d'information ne peut incorporer en lui-même une représentation à jour de lui-même *qui comprenne cette représentation*[5]. Des arguments assez semblables ont été avancés par Michael Polanyi[6] et Donald MacKay[7].

Il y a des philosophes qui n'aiment pas le concept de régression à l'infini parce qu'il leur rappelle la boîte illustrée d'un personnage qui tient une boîte illustrée d'un personnage qui etc. Mais il est impossible de se débarrasser de l'infini. Que seraient les mathématiques, que serait la physique sans le calcul infinitésimal? On a comparé la conscience de soi à un miroir dans lequel l'individu contemple ses activités. Il serait plus juste peut-être de la comparer à une Galerie des Glaces où un miroir réfléchit son reflet dans un autre miroir, et ainsi de suite. L'infini s'impose à nous, que nous considérions les astres ou que nous nous interrogions sur notre identité. Le réductionnisme l'ignore, mais une véritable science de la vie doit l'accueillir et ne jamais le perdre de vue.

4

Le problème du libre arbitre et du déterminisme hante les philosophes et les théologiens depuis la nuit des temps. Le commun des mortels s'inquiète rarement du paradoxe de l'agent qui régit nos pensées et de l'agent qui gouverne derrière, etc., parce qu'il croit tout bonnement (que la chose soit paradoxale ou non) qu'il y a un « moi » responsable de ses actes. Dans *Le Cheval dans la locomotive* j'ai proposé à ce sujet une petite fable en imaginant un dialogue, à la table d'honneur d'un collège d'Oxford, entre un vieux professeur déterministe de stricte observance et un jeune et fougueux invité australien. « Si vous continuez à nier que je suis libre de mes décisions, je vous envoie mon poing dans la gueule! » s'écrie l'Australien. Le vieux devient pourpre : « C'est honteux! C'est inadmissible! — Excusez-moi, je me suis emporté. — Vous devriez vous dominer... — Merci. L'expérience a réussi. »

En effet. « Inadmissible », « vous devriez », « vous dominer » sont autant d'expressions qui supposent que le comportement de l'Australien *n'est pas* déterminé par ses chromosomes et son éducation, et qu'il était libre de choisir entre la politesse et la grossièreté. Quelles que soient ses convictions philosophiques, dans la vie quotidienne un homme ne peut agir sans croire implicitement à la responsabilité personnelle; et responsabilité suppose liberté de choisir. L'expérience subjective de la liberté est une donnée autant que la sensation des couleurs ou l'expérience de la souffrance.

Mais cette expérience est constamment érodée par la formation des habitudes et des routines machinales, qui tendent à nous changer en automates. « L'habitude, une seconde nature? disait le duc de Wellington. C'est dix fois la nature. » C'est en tout cas la négation de la créativité et de la liberté : une camisole de force que l'on s'impose et dont on n'a plus conscience.

Il y a une autre ennemie de la liberté : la passion ou, plus précisément, l'excès d'émotions assertives. Quand ces émotions sont soulevées, le contrôle du comportement passe aux niveaux primitifs de la hiérarchie qui sont en relation avec le « cerveau ancien ». La perte de liberté qui résulte de cette passation des commandes aux postes inférieurs se reconnaît dans le concept juridique de responsabilité atténuée, comme dans le sentiment subjectif d'agir sous le coup d'une impulsion : « Je n'ai pas pu m'en empêcher », « J'ai perdu la tête », « Je ne me possédais plus », etc.

C'est ici que se présente le dilemme moral des jugements que nous portons sur autrui. La dernière femme à être pendue en Angleterre, Ruth Ellis, avait été condamnée pour avoir tué son amant « de sang-froid » : c'est du moins ce que l'on disait. Comment savoir, comment les jurés ont-ils pu savoir si au moment d'agir sa responsabilité était « atténuée », et dans quelle mesure, et si elle pouvait « s'en empêcher »? Compulsion et libre arbitre sont des concepts philosophiques situés aux deux extrémités opposées d'une balance, mais la balance n'a pas d'aiguille et je ne peux pas juger. Devant ces dilemmes le plus sûr est d'employer deux systèmes de mesure différents : d'attribuer le minimum de libre arbitre aux autres, et le maximum à soi-même. Dans cet esprit la vieille maxime : Tout comprendre, c'est tout pardonner, devrait être modifiée ainsi : *Tout comprendre, ne rien se pardonner.* Voilà un adage auquel il est difficile, sans doute, de se conformer; mais au moins il est sans danger.

CHAPITRE XIII

Physique et métaphysique

1

« L<small>A</small> moitié de mes amis m'accuse de scientisme pédant; l'autre moitié m'accuse d'avoir des penchants antiscientifiques pour des problèmes absurdes tels que la perception extra-sensorielle, qu'ils rangent dans le surnaturel. Mais je me console en songeant que l'on porte les mêmes accusations contre une élite de savants qui seront pour moi une compagnie fort honorable au banc d'infamie. » Voilà ce que j'écrivais au premier paragraphe des *Racines du hasard*. Depuis lors « l'élite » d'hommes de science est devenue apparemment une majorité. En 1973, le *New Scientist*, hebdomadaire anglais très respecté, envoyait un questionnaire à ses lecteurs pour les inviter à exprimer leurs opinions au sujet de la perception extra-sensorielle. Sur les 1 500 lecteurs (presque tous des scientifiques) qui remplirent le questionnaire, 67 % considéraient la perception extra-sensorielle soit comme un « fait établi », soit comme une « probabilité [1] ».

Un peu plus tôt, en 1967, l'Académie des sciences de New York organisait un colloque sur la parapsychologie, et en 1969 l'Association américaine pour l'avancement des sciences approuvait la demande d'affiliation de l'Association de parapsychologie. Deux demandes précédentes avaient été rejetées; l'admission au troisième essai était le signe d'un changement de climat intellectuel et donnait enfin à la parapsychologie le sceau de la respectabilité.

Dans ces conditions, il me paraît superflu de rappeler ici les progrès de la parapsychologie, depuis les séances de spiritisme dans les salons à lourdes tentures jusqu'aux expériences où l'on emploie aujourd'hui des ordinateurs, des compteurs Geiger et toute sorte d'appareils électroniques. Je ne m'intéresserai plus, dans les pages qui suivent, à la question de savoir si la télépathie et les phénomènes qui lui sont apparentés *existent* — ce que, devant l'accumulation des données, je considère comme acquis * — mais aux conséquences de ces phénomènes, à leur signification pour notre conception du monde.

Cette conception, quand il s'agit du non-spécialiste cultivé, place la parapsychologie et la physique aux deux extrémités opposées du spectre du savoir et de l'expérience. On considère la physique comme la reine des « sciences exactes », en contact direct avec les immuables « lois de la nature » qui gouvernent l'univers matériel. Par contraste, la parapsychologie s'occupe de phénomènes subjectifs, capricieux et imprévisibles qui ne suivent apparemment aucune loi, à moins qu'ils ne contredisent carrément les lois de la nature. La physique serait une science dure et absolument terre à terre, tandis que la parapsychologie flotterait dans les vapeurs de Coucouville-les-Nuées.

Cette image de la physique a été parfaitement légitime et immensément productive durant les quelque deux cents ans au cours desquels le mot « physique » était à peu près synonyme de mécanique newtonienne. Selon un physicien contemporain, Fritjof Capra,

> les questions sur la nature essentielle des choses ont été résolues en physique classique par le modèle mécaniste newtonien de l'univers qui, à peu près comme le modèle démocritien dans la Grèce antique, réduisait tous les phénomènes aux mouvements et interactions d'atomes solides indestructibles. Les propriétés de ces atomes étaient tirées de la notion macroscopique de boules de billard, et par conséquent de l'expérience sensorielle. On ne s'est pas demandé si cette notion pouvait réellement s'appliquer au monde des atomes [2].

Citons Newton lui-même :

> Il me semble probable que Dieu au commencement forma la matière en particules solides, massives, dures, impénétrables, mobiles, de telles

* J'ai examiné une partie de ces données dans *Les Racines du hasard, The challenge of chance,* et diverses conférences rassemblées dans *The Heel of Achilles.*

dimensions et figures, et avec telles autres propriétés, et en telle proportion à l'espace, les plus appropriées à la fin pour laquelle il les formait; et que ces particules primitives étant des solides sont incomparablement plus dures que tous les corps poreux qui en sont composés; dures même au point de ne jamais s'user ni se briser; aucune force ordinaire ne pouvant diviser ce que Dieu lui-même a fait un en sa création première[3].

Dieu mis à part, ces lignes qui datent de 1704 expriment encore les convictions implicites de notre non-spécialiste cultivé. Évidemment il sait que l'on peut maintenant diviser (en aboutissant à des résultats sinistres) les atomes autrefois indivisibles; mais — à supposer qu'il y pense — il croit qu'*à l'intérieur* de l'atome il y a d'autres boules de billard, vraiment indivisibles, appelées protons, neutrons, électrons, etc. Pourtant, s'il s'y intéressait suffisamment, il découvrirait aussi que les énormes machines à fission ont écrabouillé les protons, les neutrons et le reste; que les particules élémentaires les plus élémentaires (à ce jour) s'appellent « quarks * », et que certains quarks ont un attribut physique nommé « charme ». Le vocabulaire exotique des physiciens nucléaires contient aussi « la voie octuple », « l'étrangeté » et le « principe tiges-de-bottes », ce qui indique que ces hommes de science sont fort conscients du surréalisme du monde qu'ils ont créé; derrière leur humour de lycéens on devine une tremblante reconnaissance du mystère. Car à ce niveau inframicroscopique les critères du réel sont fondamentalement différents de ceux que nous appliquons à notre niveau macroscopique; au sein de l'atome les concepts d'espace, de temps, de matière, de causalité ne jouent plus, et la physique se change en une métaphysique fortement teintée de mysticisme. En conséquence, les phénomènes impensables de la parapsychologie paraissent un peu moins absurdes à la lumière des propositions impensables de la théorie de la relativité et de la physique quantique.

Une de ces propositions, dont nous avons parlé plus haut, est le principe de complémentarité qui, des prétendus « matériaux élémentaires » de la physique classique, fait des entités à faces de Janus qui dans certaines circonstances se comportent comme des fragments de matière solide et dans d'autres comme des ondes ou des vibrations propagées dans le vide. Selon le mot de William Bragg ce sont apparemment des ondes les lundi, mercredi et vendredi, des particules les mardi, jeudi et samedi. Nous avons vu que

---

* Mot emprunté à *Finnegans Wake,* de Joyce. En allemand *Quark* désigne un fromage très fermenté.

des pionniers de la physique quantique, de même qu'aujourd'hui leurs successeurs, ont vu dans le principe de complémentarité un paradigme adéquat de la dichotomie du corps et de la pensée. Excellente nouvelle pour les parapsychologues; mais il faut se rappeler que si le dualisme cartésien ne reconnaît que ces deux règnes distincts, l'esprit et la matière, notre théorie propose une série de niveaux équipés de portillons qui s'ouvrent tantôt dans un sens, tantôt dans l'autre. Dans notre comportement quotidien comme au niveau infra-atomique, ces portes ne cessent de battre.

2

Le concept d'ondes-matière, lancé dans les années 1920 par Louis de Broglie et Schrödinger est venu compléter le processus de *dématérialisation de la matière*. La chose avait commencé bien plus tôt avec la formule magique d'Einstein, $E = mc^2$* qui suppose que la masse d'une particule n'est pas à concevoir comme un matériau élémentaire stable, mais comme une structure d'énergie concentrée dans ce qui nous apparaît comme matière. « L'étoffe » dont sont faits les protons et les électrons ressemble à celle dont sont faits les rêves, comme on peut le penser en jetant un coup d'œil à l'illustration de la page? Il s'agit d'un exemple du genre d'événements qui se produisent continuellement dans une chambre à bulles où des particules « élémentaires » à haute énergie se rencontrent et s'anéantissent ou bien créent de nouvelles particules qui provoquent une nouvelle chaîne d'événements. Les particules en question ont des dimensions infinitésimales et beaucoup d'entre elles ne durent pas un millionième de seconde; cependant, dans la chambre à bulles, elles laissent des traces comparables aux sillages que des avions à réaction invisibles forment dans le ciel. La longueur, l'épaisseur, la courbure des traces permettent aux physiciens de repérer les particules qui les ont causées (parmi deux centaines de « particules élémentaires »), elles leur permettent aussi d'identifier des « particules » inconnues jusque-là.

Mais la leçon fondamentale que leurs appareils raffinés enseignent aux physiciens est qu'au niveau infra-atomique nos concepts d'espace, de temps, de matière et de logique traditionnelle ne s'appliquent

---

* E pour énergie, m pour masse, c pour vitesse de la lumière.

plus. Deux particules peuvent entrer en collision et tomber en morceaux, mais finalement ces morceaux ne seront pas plus petits que
les particules originelles, parce que l'énergie cinétique libérée au
cours de la collision se sera transformée en « masse ». Un photon,
unité élémentaire de lumière, qui n'a pas de masse, peut donner naissance à un couple électron-positron qui, lui, a une masse; ensuite
ce couple peut entrer en collision et, par processus inverse, se transformer en photon. Les événements fantastiques de la chambre
à bulles évoquent bien la danse de Shiva et ses alternances
rythmiques de création et de destruction *.

On est loin du modèle aussi simple que séduisant qu'imaginèrent
au début du siècle Rutherford et Bohr : l'atome était un système
solaire en miniature, dans lequel des électrons à charge négative tour-
naient comme des planètes autour d'un noyau à charge positive.
Hélas! le modèle tomba de paradoxe en paradoxe; pour des planètes, les électrons avaient une conduite invraisemblable : ils sau-
taient d'une orbite à l'autre sans franchir l'espace intermédiaire
— comme si la Terre passait subitement sur l'orbite de Mars sans
se déplacer. D'ailleurs les orbites n'étaient pas des trajectoires
linéaires définies, mais des pistes vagues appropriées à l'aspect ondulatoire de l'électron « écrasé » sur toute l'orbite, et il était vain de
se demander à quel point de l'espace l'électron se trouvait à un
moment donné, puisqu'il serait vain d'essayer de localiser une onde.
Et Bertrand Russell d'écrire :

> L'idée qu'il y a là une petite boule dure qui est l'électron ou le proton
> est une intrusion illégitime de notions de bon sens dérivées du tou-
> cher [4].

Le sort des *noyaux* atomiques du modèle ne fut pas meilleur
que celui des « planètes ». Les noyaux se présentèrent finalement
comme des composés de particules, protons et neutrons principalement, maintenus ensemble par d'autres particules et par des forces
défiant tout modèle visuel, toute représentation liée à notre expérience sensible. D'après une hypothèse les neutrons et les protons se
déplacent à l'intérieur du noyau à une vitesse d'environ 64 000 kilo-
mètres à la seconde — le quart de la vitesse de la lumière. Comme
le dit Capra,

> la matière nucléaire est une forme de matière entièrement différente
> de ce que nous pouvons connaître « ici » dans notre environnement
> macroscopique. Nous pourrions tout au plus l'imaginer comme des

---

* CAPRA (1975).

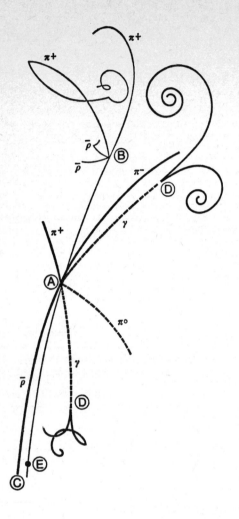

Diagramme d'après une photographie d'événements infra-atomiques dans la chambre-à-bulles. Photo CERN. Avec l'aimable autorisation de l'Organisation Européenne de Recherche Nucléaire, Genève. La légende laisse les non-physiciens sur leur faim : « Interaction dans la chambre-à-bulles à liquide lourd Gargamelle. En A un antiproton incident qui pénètre dans la chambre en C (voir plan) annihile un proton résident donnant naissance à un pion + ve et − ve, à un pion neutre, et à deux rayons gamma dont chacun se convertit (en D) en un couple électron-positron. Un second événement est enregistré : une particule pénétrant en E interagit en B et produit deux antiprotons et deux pions + ve dont chacun entre ensuite en collision deux fois avec des particules résidentes. »

gouttes minuscules d'un liquide extrêmement dense en train de bouillir et bouillonner terriblement[5].

3

J'ai passé en revue, dans des livres précédents[6], quelques-uns des paradoxes les plus notoires de la physique des quanta : l'expérience de Thomson qui fait passer un électron par deux trous d'un écran en même temps (d'où le commentaire de Cyril Burt : « C'est mieux qu'un fantôme »); le paradoxe du « chat de Schrödinger », dont on prouve qu'il est vivant et mort en même temps; les diagrammes de Feynman dans lesquels, pendant un instant très bref, on fait remonter des particules dans le temps (ce qui a valu à Feynman le prix Nobel en 1965); et le paradoxe d'Einstein-Podolsky-Rosen sur lequel je reviendrai. La situation a été résumée par Heinsenberg lui-même, un des principaux architectes de la théorie des quanta :

> Essayer de se faire une image des particules élémentaires et de les concevoir en termes visuels c'est en soi se méprendre entièrement sur leur compte...[7].

> Les atomes ne sont pas des *choses*. Les électrons qui forment les coquilles de l'atome ne sont plus des objets au sens de la physique classique, des objets qui pourraient être décrits sans ambiguïté à l'aide de concepts comme la localisation, la vitesse, l'énergie, la dimension. Quand on descend au niveau atomique le monde objectif en espace et en temps n'existe plus[8].

4

Werner Heisenberg restera sans doute dans l'histoire comme le grand iconoclaste qui mit fin au déterminisme causal en physique (et par là en philosophie) au moyen de son célèbre principe d'incertitude, qui est devenu aussi fondamental pour la physique moderne que les lois de Newton pour la mécanique classique. J'ai tenté d'en faire apprécier la portée à l'aide d'une analogie un peu simpliste[9]. Il y a généralement dans la peinture de la Renaissance une certaine qualité statique due au fait que les personnages du premier plan et les paysages les plus lointains sont vus les uns et les autres avec une parfaite netteté, ce qui optiquement est impossible : quand nous fixons un objet proche l'arrière-plan est trouble, et vice versa. Le principe d'incertitude signifie qu'en étudiant les constituants élémentaires de la matière les physiciens se trouvent dans la même impasse (pour d'autres raisons évidemment). Dans la physique classique une particule doit à tout moment avoir une localisation et une vitesse définissables; mais au niveau infra-atomique la situation est toute différente. Plus le physicien peut déterminer avec exactitude la localisation d'un électron par exemple, plus la vitesse en devient incertaine; et inversement si l'on connaît la vitesse, la localisation de l'électron se brouille. Cette indétermination n'est pas due à l'imperfection de nos techniques d'observation, mais à la nature essentiellement double de l'électron, à la fois onde et particule, qui pratiquement *et théoriquement* le rend insaisissable. Or cela signifie qu'au niveau infra-atomique l'univers à n'importe quel moment donné se trouve dans un état quasi indécis, et que son état au moment suivant est dans une certaine mesure incertain, ou « libre ». Si un photographe idéal, muni d'un appareil parfait, prenait une photo de l'univers total à un moment donné, l'image serait floue dans une certaine mesure, à cause de l'indétermination des constituants élémentaires *. En raison de ce flou, ce que les physiciens disent des processus infra-atomiques ne peut porter que sur des probabilités, et non sur des certitudes : « La nature est imprévisible », disait Heisenberg.

Ainsi depuis cinquante ans, depuis l'avènement de la théorie des quanta, il est admis chez les physiciens de l'école dominante (dite école de Copenhague) que la conception mécaniste, rigoureusement déterministe de l'univers est intenable : elle est devenue un anachronisme. L'horlogerie mécanique qui servait de modèle du monde au XIXᵉ siècle n'est plus qu'un tas de ferraille, et comme on a dématérialisé le concept même de matière *le matérialisme ne peut plus prétendre passer pour une philosophie scientifique.*

5

J'ai cité quelques-uns des géants (prix Nobel pour la plupart **) qui ont travaillé ensemble à démanteler la vétuste horloge, et ont

---

* On peut démontrer que le principe d'incertitude provoquera le flou de l'image quelle que soit la brièveté du temps d'exposition.

** Je mentionne souvent les prix Nobel pour rappeler que les théories bizarres

tenté de la remplacer par un modèle plus raffiné, assez souple pour
accueillir des paradoxes et des théories téméraires qu'auparavant
on aurait jugés impensables. Au cours de ce demi-siècle on a fait
des découvertes innombrables (grâce aux radiotélescopes qui
scrutent les cieux et aux chambres à bulles qui suivent la danse
nucléaire de Shiva), mais on n'a produit aucun modèle satisfaisant,
aucune philosophie cohérente qui puissent se comparer à celle de
la physique newtonienne classique. On peut définir cette ère post-
newtonienne comme une période d' « anarchie créatrice » telle qu'il
en apparaît dans l'histoire de toutes les sciences lorsque les anciens
concepts deviennent désuets et qu'on n'entrevoit pas encore la percée qui doit conduire à une nouvelle synthèse *. Aujourd'hui la
physique théorique elle-même semble plongée dans une chambre
à bulles où les hypothèses les plus étrangères se recoupent et s'em-
mêlent. J'en mentionnerai quelques-unes qui paraissent avoir
quelque rapport à notre thème.

Il y eut d'abord d'éminents physiciens, tels qu'Einstein, de Broglie,
Schrödinger, Vigier, David Bohm, pour refuser l'indétermination
et l'a-causalité des événements nucléaires, qui auraient signifié, à
leur avis, que ces événements ne dépendaient que du hasard. (C'est
l'attitude qu'exprime la fameuse phrase d'Einstein : « Dieu ne joue
pas le monde aux dés ».) Ces physiciens préféraient supposer l'existence au-dessous du niveau infra-atomique, d'un substrat qui aurait
régi et déterminé ces processus apparemment indéterminés. C'est
ce qu'on a appelé la théorie des « variables cachées », théorie
bientôt abandonnée par ses défenseurs eux-mêmes parce qu'elle ne
semblait mener nulle part.

Inacceptables pour les physiciens, les « variables cachées » n'en
procurèrent pas moins un terrain fertile aux spéculations métaphysiques et parapsychologiques. Des théologiens imaginèrent que
la divine Providence pouvait opérer au sein des interstices flous de
la matrice de la causalité physique (« le dieu des interstices »). John
Eccles, prix Nobel de physiologie, avança que l'incertitude quantique
de neurones en « équilibre instable » dans le cerveau pouvait laisser
place à l'exercice de la volonté :

> Dans le cortex actif, en vingt millièmes de seconde, la structure de
> décharge de centaines de milliers de neurones serait modifiée à la suite

---

dont on parle dans ce chapitre sont dues à des hommes de science de renommée
internationale, et non à des excentriques.

* Cf. ci-dessus. Chapitre VIII.

d'une « influence » qui n'aurait causé initialement que la décharge d'un seul neurone...

L'hypothèse neurophysiologique est donc que la « volonté » modifie l'activité spatio-temporelle du réseau au moyen de « champs d'influence » spatio-temporels qui seront affectés sous l'effet de cette unique fonction de détecteur du cortex cérébral actif[10].

Cela s'applique à l'action d'une pensée sur « son » cerveau. Mais à la fin de son livre Eccles fait entrer dans sa théorie la perception extra-sensorielle et la psychokinèse. Il accepte les expériences de Rhine et de son école comme documents à l'appui d'une communication générale « dans les deux sens » entre pensée et matière, et d'une communication directe entre un esprit et un autre. Il considère que la perception extra-sensorielle et la psychokinèse sont des manifestations faibles et irrégulières du *même* principe qui permet à la volition mentale d'un individu d'influer sur son cerveau, et à ce cerveau de produire des expériences conscientes.

Pareille théorie, qui n'a pas été élaborée en détail, est assez révélatrice de tout un courant de pensée chez de grands spécialistes de la neurophysiologie, comme Charles Sherrington, Penfield, Gray Walter que j'ai cités dans des ouvrages précédents.

Il est également intéressant de noter que Penfield a repris une hypothèse indûment négligée de l'astronome Eddington; elle postulait « un comportement cohérent des particules individuelles de matière dont Eddington présumait l'existence quand il s'agit de matière en liaison avec la pensée. Le comportement de cette matière serait nettement différent du comportement incohérent ou fortuit des particules tel qu'on l'admet en physique[11] ».

Ainsi la matière « en liaison avec la pensée » manifesterait des propriétés spécifiques que l'on ne retrouve pas dans le domaine physique : c'est une proposition qui n'est pas très éloignée du panpsychisme. Un autre astronome, V. A. Firsoff, suppose que « l'esprit pourrait être une entité ou interaction universelle du même ordre que l'électricité ou la gravitation, et qu'il doit exister une formule de transformation analogue à la fameuse équation d'Einstein $E = mc^2$[12] ».

Autrement dit : de même que la matière peut se transformer en énergie physique, de même l'énergie physique serait transformable en énergie psychique, et réciproquement.

Au cours des dernières années, pour tenter de relier la physique des quanta à la parapsychologie, il y a eu une marée de théories de ce genre, qui semblent appartenir à la science-fiction; mais, nous l'avons vu, on peut en dire autant des propositions fondamentales de la physique moderne. C'est ainsi qu'un brillant mathématicien de Cambridge, Adrian Dobbs, a avancé une théorie compliquée de la télépathie et de la prémonition, d'après laquelle d'hypothétiques « psytrons », dotés de propriétés analogues à celles des neutrinos * seraient les vecteurs des phénomènes de perception extra-sensorielle, et pourraient agir directement sur les neurones du cerveau [13]. Un autre auteur, E. Harris Walker, spécialiste de la balistique, a élaboré une ingénieuse théorie quantique-mécanique dans laquelle les hypothétiques « variables cachées » sont assimilées à la conscience en tant que « entités non physiques, mais réelles », indépendantes de l'espace et du temps, et « reliées au monde physique au moyen de la fonction onde mécanique-quantique [14] ». Mais cette théorie, qui prend en compte les phénomènes parapsychologiques, fait appel à des considérations mathématiques trop avancées pour que nous puissions l'exposer ici.

Si nous quittons la chambre à bulles pour élever nos regards vers le ciel étoilé, nous constatons que nos notions habituelles d'espace, de temps et de causalité sont aussi peu adéquates que lorsque nous tentons de les appliquer au domaine nucléaire. Dans l'univers de la relativité l'espace est courbe et le cours du temps s'accélère ou ralentit selon la position et le mouvement de l'observateur. De plus, si des parties de l'univers sont peuplées de galaxies d'anti-matière ** comme le pensent beaucoup d'astronomes, il est fort probable que dans ces galaxies le cours du temps est renversé.

Or, en revenant au microcosme, on se rappelle que dans les diagrammes de Feynman les particules sont censées, un court instant, remonter dans le temps. C'est une hypothèse qu'avait admise Heisenberg lui-même :

La seule consolation [en présence des paradoxes de la théorie des quanta] est d'admettre que dans de très petites zones d'espace-temps de l'ordre de grandeur des particules élémentaires, les notions d'espace et de temps s'obscurcissent, en ce sens que dans des intervalles très petits même les concepts « d'avant » et « d'après » ne peuvent plus se définir correctement. Naturellement rien ne change dans l'espace-temps à grande échelle, mais nous devons savoir qu'il est possible que des expériences prouvent un jour que des processus espace-temps à petite échelle puissent se produire à rebours de la séquence causale [15].

Ainsi notre monde moyen avec ses bonnes vieilles notions d'es-

---

* Particules d'origine cosmique, sans attributs physiques (masse, poids charge, champ magnétique) traversant la terre par milliards à la vitesse de la lumière.

** Atomes dans lesquels les charges électriques des constituants sont inversées.

pace, de temps et de causalité se trouve apparemment pris en sandwich entre le macro-domaine et le micro-domaine de la réalité, dans lesquels ces idées provinciales ne s'appliquent plus. Selon le mot de James Jeans : « L'histoire de la science physique au XXᵉ siècle est l'histoire d'une émancipation progressive par rapport à l'angle de vision purement humain [16]. »

A l'échelle macrocosmique des distances immenses et des vitesses extrêmes la relativité a ravagé l'image de l'univers que nous avait donnée cette vision humaine; à l'échelle microcosmique elle a eu le même effet en coopération avec la théorie des quanta. Pour le physicien aujourd'hui le concept de temps est totalement différent de ce qu'il était il y a encore cent ans. C'est ce qu'explique dans son style provocant le grand astronome Fred Hoyle :

> Vous êtes pris au piège d'une illusion absurde et grotesque... l'idée que le temps est un fleuve qui coule toujours dans le même sens... Il y a une chose parfaitement sûre : l'idée de temps comme progression régulière du passé au futur est une idée fausse. Je sais bien que nous avons ce sentiment subjectivement. Mais nous sommes victimes d'une escroquerie [17].

Mais si l'irréversibilité du temps vient d'une « escroquerie », c'est-à-dire d'une illusion, il n'est plus justifié d'exclure *a priori* la possibilité théorique de phénomènes de précognition tels que les rêves prémonitoires. Le paradoxe logique selon lequel la prédiction d'un événement futur risque de l'empêcher ou d'en modifier le cours est tourné, au moins partiellement, par l'indétermination de l'avenir en physique moderne et par le probabilisme de toute prévision.

6

La révolution qui a transformé ainsi notre vision du monde s'est produite au cours des années 1920. Dans la seconde moitié du siècle, elle a pris un tour encore plus surréaliste. Aujourd'hui l'univers nous est présenté comme criblé de ce qu'on appelle des « trous noirs » : le terme est de John A. Wheeler, éminent professeur de physique à Princeton*. Les trous noirs, dans les lointains espaces,

---

* Son ouvrage, *Geometrodynamics,* publié en 1962 passe pour un classique de la physique moderne.

sont des fosses ou des puisards hypothétiques dans lesquels les masses des étoiles éteintes après leur effondrement gravitationnel sont absorbées à la vitesse de la lumière pour se faire anéantir et rayer de l'univers. Les emplacements où se produisent ces événements apocalyptiques sont désignés comme des « singularités » dans le continuum; là, selon les équations de la relativité générale, la courbure de l'espace devient infinie, le temps est gelé, et les lois de la physique sont répudiées. En vérité il se passe des choses bien curieuses dans cet univers; il n'y a plus besoin de fantômes pour nous faire dresser les cheveux sur la tête.

On sera peut-être tenté de demander naïvement « où » va la matière qui tombe dans un trou noir (car elle ne peut pas être entièrement convertie en énergie). Wheeler donne une réponse provisoire : cette matière pourrait reparaître sous forme de « trou blanc » quelque part dans un autre univers situé dans l'hyper-espace. (Les italiques sont de lui :)

> La scène sur laquelle se meut l'espace de l'univers n'est certainement pas l'espace lui-même. On ne peut pas être scène pour soi-même; il faut que l'on ait un plus vaste théâtre pour s'y mouvoir. Le théâtre dans lequel l'espace opère son changement n'est même pas l'espace-temps d'Einstein car l'espace-temps est l'histoire de l'espace qui change avec le temps. Ce théâtre est nécessairement un objet plus vaste : c'est l'*hyper-espace*... Il n'est pas doté de trois ou quatre dimensions — il est doté d'un nombre *infini* de dimensions. Tout point de l'hyper-espace représente un monde tri-dimensionnel complet; les points voisins représentent des mondes tri-dimensionnels légèrement différents [18].

Voilà déjà longtemps que la science-fiction utilise dans son répertoire l'hyper-espace, de même que les notions d'univers parallèles et de temps inverse ou multidimensionnel. Aujourd'hui, grâce aux radiotélescopes et aux accélérateurs de particules, ces accessoires reçoivent les honneurs académiques. Plus les données de l'expérience sont étranges, plus les théories qui veulent les expliquer sont bizarres.

> L'hyper-espace selon Wheeler possède des caractères remarquables : L'espace de la géométrodynamique quantique peut se comparer à un tapis d'écume tendu sur un paysage qui ondulerait lentement... Les changements microscopiques continuels qui se produisent dans le tapis d'écume à mesure que des bulles apparaissent et disparaissent symbolisent les fluctuations quantiques de la géométrie [19]...

Une autre propriété remarquable de l'hyper-espace de Wheeler est la connectivité multiple, ce qui signifie (en traduction ultrasimplifiée) que des régions qui, dans notre monde tri-dimensionnel familier, sont très éloignées les unes des autres, peuvent entrer momentanément en contact au moyen de tunnels ou de « trous » dans l'hyper-espace. Ces tunnels sont baptisés trous de vers. L'univers serait percé dans tous les sens par ces trous de vers, qui apparaissent et disparaissent en fluctuations immensément rapides produisant sans cesse des formes changeantes, comme un kaléidoscope secoué par une main invisible.

7

Un trait essentiel de la physique moderne est une tendance de plus en plus *holistique* fondée sur l'idée que le tout est aussi nécessaire à la compréhension des parties que les parties à la compréhension du tout. Une des premières expressions de cette tendance date du début du siècle. C'est le « principe de Mach », repris par Einstein, qui déclare que les propriétés d'inertie de la matière terrestre sont déterminées par la masse totale de l'univers. Il n'existe pas d'explication causale satisfaisante de la manière dont s'exerce cette influence, et pourtant le principe de Mach fait intégralement partie de la cosmologie relativiste. Ses conséquences métaphysiques vont très loin, car il suppose non seulement que l'univers dans son ensemble influence les événements locaux, terrestres, mais en outre que ces événements locaux ont une influence, si petite soit-elle, sur l'univers dans son ensemble. Les physiciens qui ont l'esprit philosophique sont parfaitement conscients de ces propositions implicites, qui rappellent le vieux proverbe chinois : « Quand on coupe un brin d'herbe, on ébranle l'univers. »

Bertrand Russell observa avec désinvolture que le principe de Mach avait beau être formellement correct, il sentait l'astrologie. Mais Henry Margenau, physicien de Yale, devait faire d'autres remarques en s'adressant à la Société américaine de recherche psychique :

> L'inertie n'est pas intrinsèque au corps; elle est induite par le fait circonstanciel que le corps est environné de l'univers entier... Nous ne connaissons aucun effet physique qui véhicule cette action; bien peu de gens se préoccupent d'un agent physique qui la transmettrait. Autant que je sache le principe de Mach est aussi mystérieux que vos phénomènes psychiques inexpliqués, et sa formulation me paraît presque aussi obscure [20]...

Si nous repassons une fois de plus au microcosme nous rencontrons le célèbre paradoxe d'Einstein-Podolsky-Rosen. Objet de nombreuses controverses depuis qu'Einstein l'a formulé en 1933, ce paradoxe a reçu récemment une expression plus précise de la part d'un physicien du CERN, J. S. Bell. Le « théorème de Bell » dit que lorsque deux particules ont interagi et partent dans des directions opposées, toute interférence avec l'une d'elles affectera l'autre instantanément, quelle que soit la distance qui les sépare. Les résultats d'expérience de Bell ne sont pas mis en cause, mais leur interprétation pose un énorme problème puisque le théorème paraît supposer une sorte de « télépathie » entre les particules en question. La situation a été résumée par David Bohm, professeur de physique théorique à l'université de Londres (les italiques sont de lui) :

> On reconnaît généralement que la théorie des quanta offre un grand nombre d'aspects étonnamment neufs... Cependant on n'a pas assez souligné ce qui est, à notre avis, l'innovation la plus fondamentalement différente, à savoir l'étroite interconnexion de systèmes différents qui ne sont pas en contact spatial. Cette caractéristique a été révélée très clairement par les célèbres expériences d'Einstein, Podolsky et Rosen...
> Récemment l'intérêt pour cette question a été stimulé par les travaux de Bell qui a obtenu des critères mathématiques précis distinguant les conséquences expérimentales de cette caractéristique « d'interconnexion quantique de systèmes éloignés... » On est donc amené à une notion nouvelle de *totalité sans faille* qui répudie l'idée classique selon laquelle le monde serait analysable en parties existant séparément et indépendamment [21]...

Signalons encore une autre loi de la nature, apparemment non causale : le principe d'exclusion de Pauli. Ce principe, qui a valu en 1945 le prix Nobel à Wolfgang Pauli, que j'ai cité plus haut, dit (en très gros) qu'il ne peut y avoir qu'un électron à la fois sur une orbite planétaire dans un atome. S'il en était autrement ce serait le chaos et l'atome s'effondrerait... Mais *pourquoi* en est-il ainsi? La réponse (ou plutôt l'absence de réponse) est excellemment indiquée dans le passage suivant de Margenau que je cite en l'abrégeant :

> La plupart des actions organisantes qui se produisent dans la nature sont provoquées par le principe de Pauli, qui est simplement un principe de symétrie, une caractéristique mathématique formelle des équations qui, pour finir, réglementent les phénomènes de la nature. Presque miraculeusement il fait naître ce que nous appelons forces d'échange, les forces qui soudent les atomes pour en faire des molécules, les molécules pour en faire des cristaux. L'impénétrabilité de la matière, sa

stabilité même, on peut les faire remonter directement au principe
d'exclusion de Pauli. Or, ce principe n'a aucun aspect dynamique. Il
agit comme force sans être une force. Non, c'est quelque chose de très
général, d'évasif; une symétrie mathématique imposée aux équations
fondamentales de la nature [22].

Ces citations, que je pourrais allonger indéfiniment, ne représentent pas des solos; c'est plutôt un chœur d'éminents physiciens
conscients des conséquences révolutionnaires de la théorie quantique et de la nouvelle cosmologie qui vont bouleverser l'image que
l'homme se fait de l'univers encore plus radicalement que ne l'avait
fait la révolution copernicienne. Mais, comme on l'a dit, le grand
public est bien lent à se rendre compte de ce changement. Les
dogmes et les tabous de la science matérialiste du XIXe siècle à
propos de l'espace, du temps, de la matière et de l'énergie maintenus
dans un cadre rigide de causalité et de déterminisme dominent
encore les habitudes de pensée du public cultivé qui s'enorgueillit
de son rationalisme et se croit obligé de nier l'existence de phénomènes comme ceux de la perception extra-sensorielle qui apparemment contredisent les « lois de la nature ». En fait, les physiciens
s'affairent depuis cinquante ans à jeter par-dessus bord ces lois
naguère sacro-saintes pour les remplacer par d'obscures construc-
tions mentales que l'on ne peut représenter dans l'espace à trois
dimensions, et dont le contenu quasi mystique se cache sous le jargon technique et le formalisme mathématique. Si Galilée revenait
il accuserait sûrement Heisenberg, Pauli et consorts de « barboter
dans l'occultisme ».

Curieusement, au cours de la même période la parapsychologie
s'est donné une allure scientifique et austère en s'appuyant de plus
en plus sur la méthode statistique, les contrôles rigoureux, les
appareils mécaniques ou électroniques et les ordinateurs. Les deux
camps semblent ainsi échanger leurs climats : on accuse parfois
de scientisme desséché les successeurs de Rhine, et l'on soupçonne
ceux d'Einstein de fleureter avec des esprits déguisés en particules,
sans masse, sans pesanteur, sans localisation précise dans l'espace.
Ces tendances sont certainement significatives, mais cela ne veut
pas dire que la physique expliquera les phénomènes de parapsychologie dans un avenir proche ou même lointain. Il y a seulement
de part et d'autre une attitude commune de défi à l'égard du bon
sens, comme à l'égard de « lois de la nature » considérées auparavant comme inviolables, une attitude provocante et iconoclaste.
Et encore une fois, les stupéfiants paradoxes de la physique font
paraître un peu moins absurdes les phénomènes stupéfiants de la

parapsychologie. Il faut se méfier des analogies, mais il est encourageant de savoir que si les parapsychologues avancent sur une branche peut-être bien mince, les physiciens, eux, font de la corde raide.

8

Il existe un type de phénomènes encore plus mystérieux que la télépathie et la clairvoyance, qui intrigue les humains depuis l'aube de la mythologie : la rencontre apparemment accidentelle de deux séries causales sans liens entre elles dans une coïncidence qui semble à la fois très improbable et très significative. Toute théorie qui essaierait de prendre pareils phénomènes au sérieux aurait évidemment à s'écarter des catégories traditionnelles du raisonnement d'une manière encore plus radicale que les pronunciamentos d'Einstein, d'Heisenberg ou de Feynman. Ce n'est sûrement pas un hasard si Wolfgang Pauli, inventeur du principe d'exclusion, a collaboré au fameux essai de C. G. Jung : *La Synchronicité : Principe de connexion a-causale*. Jung avait forgé le mot « synchronicité » pour désigner « l'occurrence simultanée de deux événements ou plus liés par le sens et non par la cause [23] », et il affirmait que le facteur non causal qui se cache derrière ces événements doit avoir « *le même rang que la causalité comme principe d'explication* [24] ».

« J'ai souvent rencontré les phénomènes en question, écrivait-il, et j'ai pu me convaincre de l'importance de ces expériences pour les patients. Dans la plupart des cas ce sont des choses dont on ne parle pas, de peur de les exposer à des ricanements sans réflexion. J'ai été étonné de constater combien de gens ont eu des expériences de ce genre, et avec quelles précautions le secret en est gardé [25]. »

Il faut croire que les Suisses sont plus pudiques que les Britanniques car depuis que j'ai publié *Les Racines du hasard* les lecteurs du Royaume-Uni m'inondent de coïncidences. Les lettres les plus révélatrices viennent de correspondants qui commencent par affirmer solennellement qu'il est absurde de donner un sens aux coïncidences, mais qui tiennent personnellement à des histoires « incroyables » qu'ils ne peuvent pas s'empêcher de rapporter. Au cœur de tout sceptique y aurait-il un mystique naïf qui ne demande qu'à sortir ?

Les lecteurs qui collectionnent aussi les coïncidences en trouveront un assez bon choix dans mon livre *The Challenge of Chance*. En classant cette énorme quantité de matériaux, j'ai pu distinguer certaines structures, bien qu'il y ait de nombreux chevauchements; en d'autres cas on pouvait se demander si tel événement d'une probabilité astronomiquement faible devait s'interpréter comme manifestation de perception extra-sensorielle « classique » ou en termes de « synchronicité » a-causale. Par exemple dans les cas du type *bibliothèque* : à la recherche d'une référence évasive, on ouvre un gros volume au hasard, et on tombe sur la référence. Dans les épisodes du type *deus ex machina* on dirait qu'une providence intervient juste au dernier moment pour résoudre un problème, détourner un désastre ou réaliser une prémonition; il est d'ailleurs intéressant de remarquer que ces intercessions se produisent à des occasions tragiques ou banales indifféremment. Une sous-catégorie de ce groupe rassemble les *objets perdus,* de valeur plus sentimentale que monétaire en général, que l'on retrouve comme par miracle. Dans les cas de *poltergeist* ou d' « esprits frappeurs » des tensions émotives (habituellement chez des adolescents instables) coïncident avec de gros événements physiques, dont les effets — là encore — peuvent être dramatiques ou grotesques. Parmi les événements « convergents » ou « confluents » (comme on peut appeler ce genre de coïncidences) les plus fréquents, il faut citer les *rencontres* improbables, encore que nombre d'entre elles puissent paraître relever de la perception extra-sensorielle. Les pires, à un point de vue rationnel, sont les agrégats de *noms, de chiffres, d'adresses* et de *dates*. Enfin vient une foule de cas authentifiés de prémonitions ou d'avertissements — mais il est très difficile ici de distinguer entre perception extra-sensorielle et synchronicité ou « événements confluents ».

Il est encore plus décevant de vouloir tracer une ligne de démarcation entre les coïncidences *significatives,* qui semblent avoir été ménagées par on ne sait quel agent inconnu en dehors de la causalité physique, et les coïncidences *banales* dues tout simplement au hasard. Tout essai de ce genre, en effet, doit faire appel aux lois de la probabilité, qui sont garnies de chausse-trappes, comme nous allons le voir.

9

L'essai de Jung sur la « synchronicité », publié en 1952*, se fondait en partie sur un livre de Paul Kammerer, *Das Gesetz der Serie,* paru en 1919. Kammerer est ce fameux biologiste viennois, lamarckien convaincu, que l'on accusa d'avoir truqué ses expériences et qui se tua en 1926 à l'âge de quarante-cinq ans**. Toute sa vie il avait été fasciné par les coïncidences; pendant vingt ans, entre sa vingtième et sa quarantième année, il en nota tous les jours — un peu comme Jung, d'ailleurs.

Pour Kammerer, la « sérialité », était l'occurrence simultanée dans l'espace ou la récurrence dans le temps d'événements pourvus de sens mais non reliés causalement. Son livre contient cent exemples choisis, classés avec une méticulosité de taxonomiste. Il s'agit de montrer que les coïncidences isolées que nous remarquons par hasard ne sont que les sommets d'un iceberg : au-dessous la « sérialité » se manifeste partout. Ainsi se trouve renversé l'argument du scepticisme selon lequel, dans la multitude des événements fortuits nous retenons seulement quelques cas significatifs. A la fin de sa classification Kammerer conclut :

> Nous nous sommes occupés jusqu'ici des manifestations factuelles des séries récurrentes, sans tenter d'explication. Nous avons vu que la récurrence de données identiques ou semblables dans des aires contiguës d'espace ou de temps est un fait empirique qu'il faut accepter et qui ne peut s'expliquer par la coïncidence — ou plutôt qui donne à la coïncidence un pouvoir si étendu que le concept même de coïncidence s'en trouve nié [26].

Après cela, dans la partie théorique de l'ouvrage, Kammerer développe son idée centrale : il existe dans l'univers, co-existant avec la causalité, un principe a-causal, qui tend à l'unité. On peut le comparer à certains égards à la gravitation universelle, qui est aussi une force mystérieuse; mais tandis que la gravitation agit sans discrimination sur l'ensemble des masses, cet autre facteur hypothétique

---

* Dans le même volume que le traité de Pauli : *Der Einfluss Archetypischer Vorstellungen auf die Bildung Naturwissenschaftlicher Theorien bei Kepler* (Jung-Pauli, *Naturerklärung und Psyche,* 1952).

** Cf. ma biographie de Kammerer dans *L'Étreinte du crapaud.*

agit sélectivement pour unir les semblables dans l'espace et dans le temps, elle relie par affinité ou par une sorte de résonance sélective, comme de deux diapasons vibrant sur la même longueur d'onde. Par quels moyens cet agent a-causal fait intrusion dans l'ordre causal des choses, on ne peut le dire puisqu'il opère en dehors des lois connues de la physique. Dans l'espace il produit des événements concurrents reliés par affinité; dans le temps des séries semblablement apparentées :

> Nous en arrivons ainsi à l'image d'une mosaïque universelle, d'un kaléidoscope cosmique, qui, malgré des bouleversements et des réarrangements constants, prend soin de réunir les semblables [27]...

Il n'est pas nécessaire d'être joueur professionnel pour se laisser séduire par ces spéculations sur la loi des séries, à laquelle le langage populaire accorde toujours et partout quelque crédit (« Jamais deux sans trois », etc.). En outre il y a des gens qui semblent voués aux coïncidences comme d'autres aux accidents. Quant à Kammerer il proclame pour finir que la sérialité est « omniprésente et continuelle dans la vie, la nature et le cosmos. C'est le cordon ombilical qui relie la pensée, le sentiment, la science et l'art aux entrailles de l'univers qui leur a donné naissance [28] ».

La grande différence entre la sérialité de Kammerer et la synchronicité de Jung est que le premier s'intéresse surtout à des séries d'événements successifs (bien qu'il traite aussi de coïncidences simultanées) tandis que le second insiste sur la simultanéité (tout en incluant des rêves prémonitoires se produisant quelquefois plusieurs jours avant l'événement). Kammerer fondait sa théorie en partie sur l'analogie avec la gravitation, en partie sur la périodicité des cycles biologiques et cosmologiques. Certaines de ses incursions dans la physique contiennent des erreurs naïves, d'autres ont des éclairs d'intuition souvent séduisants, au point qu'Einstein eut une opinion assez favorable : il trouva le livre « original et nullement absurde [29] ». Jung, de son côté, essaya avec l'aide de Pauli de s'appuyer sur la physique théorique, mais pour finir s'en servit fort peu; ses explications du « facteur a-causal » font appel à l'inconscient collectif et aux archétypes, et s'enfoncent dans l'obscurité. Entreprise décevante, mais qui a servi à mettre à la mode le concept de synchronicité.

Le rôle joué par Pauli dans cette aventure est particulièrement intéressant. Comme Jung et comme Kammerer, Pauli croyait que des facteurs non causals, non physiques sont à l'œuvre dans l'univers : son principe d'exclusion n'agissait-il pas « comme une force sans être une force »? Mieux que la plupart de ses confrères, sans doute, il était conscient des limites de la science. En outre, il fut toute sa vie obsédé, comme Jung, par des phénomènes de poltergeist ou « esprits frappeurs [30] ». A cinquante ans, prix Nobel, il écrivit une étude pénétrante sur la science et la mystique d'après les œuvres de Johannes Kepler [31], étude publiée d'abord comme monographie par l'Institut Jung de Zurich. Voici ce qu'on lit vers la fin de cet essai (italiques de Pauli) :

> Aujourd'hui nous avons les sciences de la nature, mais nous n'avons plus de philosophie de la science. Depuis la découverte du quantum élémentaire, la physique a dû renoncer à son orgueilleuse prétention de pouvoir comprendre en principe la *totalité* du monde. Mais cette situation contient peut-être le germe d'une évolution qui corrigera l'étroitesse de l'orientation précédente et qui se dirigera vers une conception unitaire dans laquelle la science ne serait que la partie d'un tout [32].

Cette sorte de doute philosophique quant au « sens de tout cela » n'est pas rare chez les hommes de science après la cinquantaine; c'est presque une règle. Mais Pauli ne se contenta pas d'imaginer des théories de physique pour expliquer la perception extra-sensorielle en termes de causalité. Cette voie lui parut sans issue, et il jugea plus honnête d'accepter ces phénomènes comme les traces visibles de facteurs a-causals insoupçonnés à la manière des traces de particules invisibles dans la chambre à bulles. Il fit donc la proposition révolutionnaire d'appliquer au macrocosme le principe d'événements non causals, dont la légitimité n'était admise que pour le microcosme. Il espérait peut-être que de sa collaboration avec Jung sortirait une théorie a-causale donnant quelque explication intelligible des phénomènes paranormaux. Le résultat, nous l'avons dit, fut décevant. Le traité sur la synchronicité aboutit à un curieux diagramme sur lequel Jung (c'est lui qui le dit) et Pauli « se mirent finalement d'accord ». Le voici [33] :

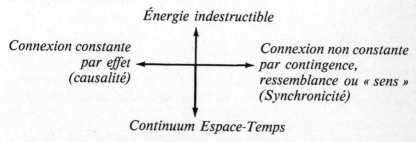

Jung n'offre aucune explication sur la manière d'utiliser ce schéma et les commentaires dont il l'entoure sont si obscurs que je suis obligé d'y renvoyer les lecteurs qui s'y intéresseraient. On ne peut s'empêcher d'évoquer la montagne qui accouche d'une souris; en ce cas néanmoins la souris a été symbolique. Pour la première fois l'hypothèse que des facteurs a-causals sont à l'œuvre dans l'univers recevait la bénédiction commune de deux chercheurs de grand renom, un psychologue et un physicien.

                                    10

La croyance à des connexions qui échapperaient à la causalité physique ne date certes pas de Jung ni de Kammerer. On peut la faire remonter directement à Schopenhauer, qui eut une influence considérable sur Freud comme sur Jung, et qui enseignait que la causalité physique n'est que l'un des principes souverains de l'univers, l'autre étant une entité métaphysique, sorte de conscience universelle auprès de laquelle la conscience individuelle serait « comme un rêve par comparaison avec la réalité » :

> La coïncidence est l'émergence simultanée d'événements non reliés causalement... Si l'on imagine chaque enchaînement causal progressant dans le temps comme un méridien sur le globe, on peut représenter les événements simultanés comme les parallèles de latitude... Les événements d'une vie humaine se trouvent donc tous dans des connexions de deux espèces foncièrement différentes [34]...

L'unité dans la diversité : c'est une idée dont on peut découvrir l'origine dans l'harmonie des sphères des pythagoriciens *, et dans les enseignements de l'école d'Hippocrate sur « la sympathie de toutes choses » : « Il y a un flux commun, un souffle commun, toutes choses sont en sympathie. » Tout se tient dans l'univers, en partie grâce à des causes physiques, mais surtout en raison d'affinités secrètes (qui rendent compte aussi des coïncidences), c'est la doctrine qui fut à la base de la magie, de l'astrologie, de l'alchimie; c'est aussi un leitmotiv qui revient dans le taoïsme et le bouddhisme comme chez les néo-platoniciens et les philosophes de la Renaissance. Pic de La Mirandole l'énonçait clairement vers 1550 :

> Il y a premièrement l'unité dans les êtres par quoi chaque chose est une avec soi, consiste en soi, adhère à soi. Secondement, il y a l'unité par

---

* Sur la place de ce concept dans la philosophie et la poésie élisabéthaines. Cf. *Les Somnambules*, première partie, chapitre II.

quoi chaque créature est unie aux autres et toutes les parties du monde constituent un seul monde [35].

Dans le langage de notre théorie nous dirons que la première moitié de cette citation décrit l'opération de la tendance assertive, et la seconde celle de la tendance transcendante ou intégrative, au niveau universel.

On peut aussi rapprocher le propos de Pic de La Mirandole de ce que disent tous les physiciens contemporains : « Aucune partie de l'univers n'est séparable du reste. » A quatre siècles de distance ces deux énoncés témoignent essentiellement d'une conception holistique du monde qui transcende la causalité physique.

11

Un des secrets les mieux gardés de l'univers répondrait à la question de savoir comment le microcosme infra-atomique composé de particules qui sont en même temps des ondes, et défiant à la fois le déterminisme et la causalité mécanique, comment ce microcosme ambigu, « tapis ondulant d'écume » donne naissance au macrocosme solide et bien ordonné de l'expérience quotidienne régie par la plus stricte causalité.

La science répond aujourd'hui que ce semblant de miracle qui crée de l'ordre à partir du désordre est à concevoir à la lumière de la théorie des probabilités ou « loi des grands nombres ». Mais, de même que le principe d'exclusion de Pauli, cette loi n'est pas explicable par des forces physiques; on dirait qu'elle flotte dans l'air. Voyons-en quelques exemples.

Les deux premiers sont tirés du livre de Warren Weaver sur le hasard et la probabilité [36]. Les statistiques des services de santé de New York montrent que le nombre des chiens signalés comme ayant mordu des gens a été, en 1955, de 75,3 par jour en moyenne; en 1956, de 73,6; en 1957, de 73,5; en 1958 de 74,5; en 1959, de 72,4. On avait remarqué une constance statistique analogue chez les cavaliers tués par leurs chevaux dans l'armée allemande entre 1875 et 1894; apparemment les chevaux vicieux obéissaient à une équation du calcul des probabilités, la « distribution de Poisson ». Les assassins d'Angleterre et du Pays de Galles, si différents qu'aient pu être leurs caractères et leurs mobiles, ont manifesté le même respect pour les lois de la statistique : depuis la fin de la Première

Guerre mondiale le nombre moyen de meurtres calculé chaque fois sur dix ans a été : de 1920 à 1928, 3,84 par million d'habitants; de 1930 à 1939, 3,27 par million; de 1940 à 1949, 3,92; de 1950 à 1959, 3,3; de 1960 à 1969, 3,5 environ.

Ces bizarreries mettent en lumière le paradoxe des probabilités qui intrigue les philosophes depuis que Pascal a inauguré cette branche des mathématiques, que le plus grand mathématicien de notre siècle, von Neumann, appelait « magie noire ». Le paradoxe est que le calcul des probabilités permet de prédire avec une étonnante précision le résultat global d'un grand nombre d'événements dont chacun est en soi imprévisible. En d'autres termes on observe *un grand nombre d'incertitudes qui produisent une certitude,* un grand nombre d'événements fortuits qui aboutissent à un résultat régulier.

Mais, paradoxe ou non, la loi des grands nombres joue à tous les coups; pourquoi et comment, voilà le mystère. Elle est devenue un outil indispensable de la physique et de la génétique, elle sert aux économistes, aux compagnies d'assurances, aux casinos et aux sondages d'opinion, — si bien que la magie noire nous paraît aller de soi. Et quand on nous présente des cas de probabilité étrange, comme les histoires de chiens ou de chevaux de cavalerie, nous sommes peut-être amusés ou perplexes, sans voir que le paradoxe est universel, et qu'il touche au problème du hasard et du plan, de la liberté et de la nécessité.

La physique nucléaire offre des analogies frappantes avec les chiens imprévisibles qui produisent des statistiques prévisibles. Exemple classique : la décomposition radio-active, dans laquelle des atomes radio-actifs totalement imprévisibles produisent des résultats globaux exactement prévisibles. Le moment où un atome radio-actif va brusquement se désintégrer est absolument impossible à prédire, même en théorie. Il n'est influencé par aucun facteur chimique ou physique comme la température ou la pression. Autrement dit, il ne dépend ni de l'histoire de l'atome, ni de son environnement actuel; selon le mot du professeur Bohm « il n'a pas de causes », il est « *complètement arbitraire* en ce sens qu'il n'a aucun rapport avec quoi que ce soit d'autre qui existe ou ait jamais existé dans le monde » (italiques dans l'original)[37]. Et pourtant il a bien une relation secrète, apparemment a-causale, avec le reste du monde puisque la « demi-vie » d'un grain quelconque de substance radio-active (le temps nécessaire à la désintégration de la moitié de ses atomes) est rigoureusement fixe et prévisible. La demi-vie de l'uranium est de 4 millions et demi d'années. La demi-vie du radium A est de 3,825 jours. Celle du thorium C de 60,5 minutes. Et ainsi de suite, jusqu'aux millionièmes de seconde.

Il peut se produire toutefois des fluctuations dans le taux de décomposition; à certains stades, à mesure que la substance avance vers la date de sa demi-vie, il peut y avoir un excès ou un défaut d'atomes désintégrés qui risque de bouleverser le calendrier. Mais ces déviations par rapport à la moyenne statistique seront bientôt corrigées, et la date de la demi-vie sera rigoureusement respectée. Quel agent exerce cette influence de contrôle et de correction, alors que la décomposition des atomes pris individuellement n'est même pas affectée par ce qui se passe dans le reste de la substance? Comment les chiens de New York savent-ils que leur programme journalier de morsures est rempli? Pourquoi les assassins d'Angleterre et du Pays de Galles s'arrêtent-ils à quatre victimes par million d'habitants? Par quelle force mystérieuse la boule de la roulette est-elle poussée, après une longue série de rouge, à rétablir l'équilibre pour finir? C'est grâce aux « lois de la probabilité » ou « des grands nombres », nous dit-on. Mais cette loi ne dispose d'aucune force physique pour faire exécuter ses ordres. Elle est impuissante — et cependant virtuellement toute-puissante.

On pensera peut-être que j'insiste lourdement par pure méchanceté, mais le paradoxe est d'une extrême importance si l'on s'intéresse au problème de la causalité. Puisque les séries causales qui mènent à la désintégration des atomes pris individuellement sont manifestement indépendantes les unes des autres, il faut soit admettre que la prédiction statistique selon laquelle mon échantillon de thorium C aura une demi-vie de 60,5 minutes va s'accomplir par pur hasard, ce qui est absurde; soit opter hardiment pour une autre hypothèse en conjecturant l'existence d'un « agent de connexion a-causal » qui serait complémentaire de la causalité physique, au sens où se complètent l'onde et la particule, le « mécanique » et le « mental ». Cet agent opérerait sous des apparences diverses aux divers niveaux : sous forme de « variables cachées » remplissant les lacunes de la causalité au niveau nucléaire; en coordonnant les activités des atomes de thorium C, qui sont physiquement indépendants, pour leur faire respecter la date de la demi-vie; en rapprochant les semblables dans les « événements confluents » de la sérialité et de la synchronicité; et peut-être en produisant le « champ psi » des parapsychologues.

L'idée peut paraître fantastique, elle ne l'est pas plus que les phénomènes paradoxaux sur lesquels elle se fonde. Nous vivons dans un univers d'« écume ondulante de quanta » qui crée sans cesse les plus étranges phénomènes par des moyens qui dépassent les concepts classiques de cause physique. La finalité de cet agent a-causal nous est inconnue, et peut-être inconnaissable; mais nous avons l'intuition qu'elle doit être apparentée à la poussée vers des formes supérieures d'ordre et d'unité dans la diversité que nous observons dans l'évolution de l'univers, de la vie, de la conscience, et pour finir de la science et de l'art. Il est plus facile d'accepter un seul grand mystère qu'un tas de pièces de puzzles dépareillés.

C'est ce que semble penser Erwin Schrödinger dans l'essai que j'ai cité plus haut, *Qu'est-ce que la vie?* Pour lui, le lien qui unit les événements infra-atomiques totalement imprévisibles à leur résultat global exactement prévisible, relève du « principe d'ordre à partir du désordre ». Il admet franchement que ce principe échappe à la causalité physique :

> La désintégration d'un atome radio-actif est observable (elle émet un projectile qui produit une scintillation visible sur un écran fluorescent). Mais la durée de vie probable d'un atome en particulier est beaucoup moins sûre que celle d'un moineau. En fait, tout ce qu'on peut en dire est ceci : tant qu'il vit (et ce peut être des milliers d'années) il a toujours la même chance, grande ou petite, d'exploser dans la seconde qui vient. Ce manque manifeste de détermination individuelle n'en a pas moins pour résultat la loi exponentielle exacte de décomposition d'un grand nombre d'atomes radio-actifs de même espèce [38].

Robert Harvie, auteur (avec Alister Hardy et moi) d'un ouvrage sur le hasard, *The Challenge of Chance,* écrit à propos de ce passage de Schrödinger :

> La théorie quantique orthodoxe tente de résoudre ce paradoxe en affirmant la nature probabiliste de la matière au niveau microscopique. Mais il reste encore un paradoxe : celui de la probabilité elle-même. Les lois de la probabilité disent *comment* une collection d'événements distincts et fortuits peuvent aboutir à une certitude à grande échelle, mais elles ne disent pas *pourquoi*. Pourquoi les millions de noyaux n'explosent-ils pas tous à la fois? Qu'est-ce qui nous fait croire qu'une pièce de monnaie symétriquement équilibrée ne va pas tomber « face » perpétuellement chaque fois qu'on la jettera, jusqu'à la fin du monde? La question est évidemment sans réponse...
> Le principe « d'ordre à partir du désordre » semble irréductible, inexplicablement « présent ». Demander pourquoi, c'est comme demander : Pourquoi l'univers existe-t-il? ou : Pourquoi l'espace a-t-il trois dimensions? (à supposer que ce soit vrai [39]).

Dans la théorie que je propose le « principe d'ordre à partir du désordre » est représenté par la tendance à l'intégration. Nous avons déjà vu ce principe postulé par les pythagoriciens. Après une éclipse sous le règne des orthodoxies réductionnistes en physique et en biologie, il retrouve son ascendant dans des versions plus raffinées. J'ai cité les concepts apparentés de la négentropie de Schrödinger, de la syntropie de Szent-Györgyi, de l'élan vital de Bergson, etc.; on peut ajouter à la liste l'anamorphose du biologiste allemand Woltereck, terme repris par von Bertalanffy, pour désigner la tendance de la nature à créer de nouvelles formes de vie, et aussi, dans les écrits de L. L. Whyte, le « principe morphique » ou « principe fondamental du développement de structure ». Ce que ces théories ont en commun, c'est qu'elles considèrent toutes la tendance morphique, ou formative, ou syntropique, le travail de la nature pour créer de l'ordre à partir du désordre, un cosmos à partir du chaos, comme des principes ultimes irréductibles, au-delà de la causalité mécanique *.

Notre théorie est encore plus téméraire en ce qu'elle suppose explicitement que la tendance à l'intégration opère par des *voies causales et a-causales* qui sont en relation complémentaire de manière analogue à la complémentarité ondes-particules en physique. En conséquence, elle engloberait non seulement les agents a-causals qui opèrent au niveau infra-atomique, mais aussi les phénomènes parapsychologiques et les « événements confluents ». Nous avons vu que la perception extra-sensorielle et la « synchronicité » se chevauchent souvent et qu'un événement supposé para-normal peut s'interpréter soit comme le résultat d'une perception extra-sensorielle, soit comme un cas de « synchronicité ». Mais on a peut-être tort de vouloir établir une distinction catégorique entre les deux. La physique classique nous a appris qu'il existe diverses manifestations d'énergie — cinétique, potentielle, thermique, électrique, nucléaire, radiante — qui, par des procédés appropriés peuvent s'échanger l'une pour l'autre, comme des monnaies convertibles. Nous avançons l'hypothèse que, de la même manière, la télépathie, la prémonition, la précognition, la psychokinèse et la synchronicité ne sont, *dans des conditions différentes, que des manifestations différentes d'un même principe universel* à savoir la tendance à l'intégration, opérant au moyen d'agents causals et a-causals. Par quels processus, nous ne le comprenons pas; au moins peut-on intégrer les données des phénomènes paranormaux dans un schéma unifié.

* La plupart n'invoquent pas expressément des facteurs a-causals, qui sont néanmoins implicites si l'on considère la tendance formative comme « irréductible ».

12

Une condition fondamentale de la validité d'une expérience scientifique est que l'on doit pouvoir la reproduire et la prédire. Or les événements paranormaux, qu'ils se produisent en laboratoire ou spontanément, sont imprévisibles, capricieux et relativement rares. C'est une des raisons pour lesquelles les sceptiques se croient autorisés à rejeter les résultats d'une quarantaine d'années d'expériences rigoureusement contrôlées de perception extra-sensorielle et de psychokinèse, en dépit d'énormes données statistiques qui, en tout autre domaine de recherche, seraient considérées comme preuves suffisantes de la réalité des phénomènes.

Mais le critère de répétition ne s'applique que si les conditions expérimentales sont essentiellement les mêmes que dans l'expérience originelle; et avec de sensibles sujets humains les conditions ne sont jamais identiques en termes d'humeur, de réceptivité et de rapport affectif à l'expérimentateur. De plus, les phénomènes de perception extra-sensorielle comportent presque toujours des processus inconscients qui échappent à la volonté. Et si les phénomènes sont effectivement déclenchés par des agents a-causals il serait naïf de s'attendre à les voir se reproduire à volonté.

Il y a toutefois, quant au caprice et à l'apparente rareté des phénomènes paranormaux, une autre explication, particulièrement intéressante dans le présent contexte. Formulée à l'origine, je crois, par Henri Bergson, elle a été reprise par plusieurs auteurs dans des ouvrages de parapsychologie. Ainsi H. H. Price, ancien professeur de psychologie à Oxford :

On dirait que les impressions reçues télépathiquement ont quelque difficulté à franchir le seuil et à se manifester à la conscience. Il semble y avoir une barrière, un mécanisme de refoulement qui tend à leur interdire l'entrée de la conscience — une barrière assez impénétrable, et elles utilisent toutes sortes de procédés pour la surmonter... Et souvent elles ne peuvent émerger que sous une forme déformée et symbolique (comme d'autres contenus mentaux inconscients). On peut supposer que beaucoup de nos pensées et de nos émotions quotidiennes sont télépathiques ou partiellement télépathiques à l'origine, et qu'elles ne sont pas reconnues comme telles parce que trop déformées et mêlées à d'autres contenus mentaux en passant par le seuil de la conscience [40].

En commentant ce passage le mathématicien de Cambridge Adrian Dobbs devait aller droit au but :

> Voilà qui est intéressant. On imagine soit la pensée, soit le cerveau, contenant un assemblage de filtres sélectifs destinés à couper les signaux indésirables sur des fréquences voisines, et dont certains passent, mais déformés, exactement comme dans un récepteur de radio ordinaire [41].

C'est la même idée qui a été reprise par Cyril Burt, ancien professeur de psychologie à l'University College de Londres :

> Nos organes des sens et notre cerveau opèrent comme un filtre complexe qui limite et oriente les forces clairvoyantes de l'esprit, de telle sorte que dans les conditions normales l'attention se concentre uniquement sur les objets ou les situations qui ont une importance biologique pour la survie de l'organisme et de son espèce... En général, dirait-on, l'esprit rejette les idées qui viennent d'un autre esprit comme le corps les greffes provenant d'un autre corps [42].

Les lignes qui précèdent ont sans doute donné au lecteur une impression de déjà vu puisque l'on avait déjà rencontré les « théories des filtres » à propos des mécanismes de la perception et du processus de l'évolution. En fait l'hypothèse d'un appareil de filtrage qui nous protégerait des signaux « indésirables » de la perception extra-sensorielle n'est qu'une extrapolation à partir de ce que nous savons de la perception sensorielle normale. On se rappelle la « multitude foisonnante et bourdonnante de sensations » qui, selon William James, bombarde constamment nos organes de perception, surtout nos yeux et nos oreilles. La pensée sombrerait dans le chaos s'il fallait s'occuper de chacun des millions de stimuli qui nous assaillent. Aussi le système nerveux central, et surtout le cerveau, fonctionnent-ils comme une hiérarchie à niveaux multiples d'appareils de filtrage et de classement qui éliminent une grande proportion de l'apport sensoriel, « bruit de fond » indésirable, et assemblent l'information pertinente en structures cohérentes avant de la présenter à la conscience. Par analogie, on pourrait imaginer un mécanisme de filtrage semblable qui protège notre rationalité de la foisonnante et bourdonnante multitude des messages, images, intuitions et coïncidences du « champ psycho-magnétique » qui nous environne.

On aperçoit également une analogie entre les hiérarchies filtrantes qui protègent le cerveau des stimuli non pertinents d'origine sensorielle ou extra-sensorielle, et les micro-hiérarchies génétiques qui, dans les chromosomes, protègent le plan héréditaire des intrusions biochimiques et des mutations nocives qui bouleverseraient la stabilité et la continuité de l'espèce (cf. ci-dessus chapitre x 4). En outre, je suis allé jusqu'à supposer l'existence d'une micro-hiérarchie lamarckienne de filtres sélectifs qui empêcheraient les caractères acquis d'influer sur l'hérédité — à l'exception du très petit nombre de ceux qui répondent à un besoin vital de l'espèce, provenant de pressions persistantes de l'environnement pendant des générations, et qui finiraient par s'infiltrer jusqu'à faire partie du patrimoine héréditaire de l'embryon. Chez l'homme par exemple, l'épaississement de la plante des pieds est sans aucun doute un caractère acquis devenu héréditaire, même si au nom des dogmes en vigueur on nous prie de croire qu'il est dû tout simplement au hasard.

En fait, comme nous l'avons vu, les lamarckiens se sont trouvés dans la même situation que les parapsychologues : il leur a été impossible de présenter des expériences renouvelables et vérifiables. Même les cas d'hérédité lamarckienne apparemment les plus décisifs souffraient plusieurs interprétations, soulevaient des polémiques chargées d'une passion quasi théologique, et pour finir autorisaient les accusations de supercherie. En outre, les lamarckiens ont été incapables de donner une explication physiologique de l'hérédité des caractères acquis — de même que les parapsychologues sont incapables de donner une explication physique des phénomènes de perception extra-sensorielle.

Ni les lamarckiens ni les parapsychologues ne paraissent avoir remarqué ce curieux parallèle; je ne l'ai vu citer nulle part. Il me paraît pourtant significatif, puisque les deux hérésies mettent en lumière les défauts des orthodoxies scientifiques, sans pouvoir proposer d'autre solution pleinement satisfaisante, et en devant se contenter d'évoquer comme Johannsen un « grand mystère central », ou de dire comme Grassé : « Il est possible que dans ce domaine la biologie, impuissante, cède la parole à la métaphysique [43]. »

CHAPITRE XIV

*Par le trou
de la serrure*

1

En approchant du terme de notre périple nous ferions peut-être bien de nous rappeler le Prologue dans lequel je parlais de l'avènement soudain du néocortex et de sa croissance qui s'est faite avec une rapidité sans précédent dans l'histoire de l'évolution. Nous avons vu qu'une des conséquences de ce processus explosif a été le conflit chronique entre le cerveau récent qui a doté l'homme de ses facultés de raisonnement et le cerveau archaïque gouverné par les instincts et les émotions. Résultat : une espèce déséquilibrée mentalement, affligée d'une tare paranoïaque que son histoire ancienne et actuelle manifeste impitoyablement.

Mais l'explosion cérébrale de la fin du pléistocène a eu d'autres conséquences — moins dramatiques, mais non moins importantes — qu'il nous reste à examiner.

Le point crucial est qu'en créant le cerveau humain l'évolution a largement dépassé son but.

C'est un instrument dont la mise au point a précédé les besoins de son propriétaire... La sélection naturelle aurait pu ne doter le sauvage que d'un cerveau un peu supérieur à celui du primate, alors qu'en réalité son cerveau n'est guère inférieur à celui de la moyenne des membres de nos sociétés savantes [1]...

Ces paroles sont certainement d'une autorité : rien de moins qu'Alfred Russel Wallace, qui engendra avec Darwin (si l'on ose dire) la théorie de l'évolution par sélection naturelle *. Darwin entrevit immédiatement les conséquences désastreuses qu'on pouvait tirer de ce raisonnement, et écrivit à Wallace : « J'espère que vous n'avez pas complètement tué notre enfant, le vôtre, le mien [2]. » Mais il n'avait aucune réponse satisfaisante à faire à une pareille critique, sur laquelle les disciples ont gardé un silence pudique.

Pourquoi était-elle si grave? Pour deux raisons. La première n'a qu'un intérêt historique : c'est que l'objection de Wallace démolit un des piliers de l'édifice darwiniste. L'évolution selon les théories darwiniste et néodarwiniste procède nécessairement par très petites étapes dont chacune confère à l'organisme mutant un avantage sélectif minimal — sans quoi le système dans son ensemble n'aurait plus aucun sens, comme Darwin n'a cessé de le répéter lui-même. Mais avec toute l'imagination du monde on n'arriverait pas à faire cadrer avec cette théorie l'évolution fulgurante du cerveau humain, que certains anthropologues ont comparée à une « excroissance tumorale » [3]. D'où la phrase angoissée de Darwin, et la conspiration du silence qui a suivi.

Il y a un deuxième aspect, beaucoup plus important, de la critique de Wallace, que son auteur n'a sans doute pas vu entièrement. Wallace a bien montré que « l'instrument » (le cerveau humain) a « précédé les besoins de son propriétaire » [4]. Mais cette évolution n'a pas seulement dépassé les besoins de l'homme préhistorique : c'est le seul exemple d'une évolution qui *procure à une espèce un organe qu'elle ne sait pas utiliser* — un organe de luxe qu'elle mettra des millénaires à employer correctement, si jamais elle y arrive.

L'un des premiers représentants connus de l'*homo sapiens* (l'homme de Cro-Magnon, entré en scène il y a cent mille ans au moins) avait un cerveau identique au nôtre, pour la forme et pour les dimensions. Le paradoxe est qu'il ne s'est guère servi de cet organe de luxe. Cavernicoles illettrés, les hommes ont continué, millénaire après millénaire, à fabriquer les mêmes armes et les mêmes outils rudimentaires, alors que l'organe qui devait les emporter dans la Lune était déjà là, tout prêt, dans leurs crânes. L'évolution avait

---

* La théorie fut exposée pour la première fois dans une communication cosignée par Darwin et Wallace à la *Linnean Society* en 1858.

fait une erreur de cent mille ans. J'ai tenté, dans *Le Cheval dans la locomotive,* d'expliciter ce paradoxe au moyen d'un conte de science-fiction que j'ai appelé « la parabole du cadeau-surprise » :

Il était une fois en Arabie un marchand illettré nommé Ali qui savait si mal compter qu'il se faisait tromper par ses clients, au lieu de les tromper comme il aurait dû. Chaque soir il priait Allah de lui faire cadeau d'une abaque — un boulier pour additionner et soustraire. Or, un djinn malicieux transmit la prière à l'un des Bureaux célestes d'Expédition qui n'était pas du tout celui que visait Ali lequel, un beau matin, en arrivant au bazar trouva son échoppe transformée en un grand building d'acier et, à l'intérieur, un ordinateur I.B.M. dont les oscillateurs fluorescents, les cadrans, les yeux électroniques, couvraient les parois de plusieurs étages; il y avait aussi un mode d'emploi en quelques centaines de pages qui laissa le boutiquier indifférent puisqu'il ne savait pas lire. Après avoir, pendant des jours, manipulé les cadrans au hasard, Ali se mit en fureur et commença à cogner sur une jolie manette qui déclencha l'un des millions de circuits électroniques de la machine... et au bout d'un moment Ali s'aperçut avec ravissement que s'il frappait cette manette trois fois d'abord, cinq fois ensuite, un cadran s'allumait pour montrer le chiffre 8. Il remercia Dieu de lui avoir donné ce beau boulier et jusqu'à sa mort utilisa l'ordinateur à faire des additions — sans jamais se douter qu'il aurait pu en quelques secondes dériver les équations d'Einstein et prédire mille ans d'avance la position des astres.

Les enfants, les petits-enfants d'Ali héritèrent la machine et le secret de l'addition; il leur fallut des centaines de générations pour apprendre celui de la multiplication. Nous sommes aussi les descendants d'Ali, et si nous avons découvert bien d'autres utilisations de l'ordinateur, nous ne savons encore employer qu'une fraction infime d'un potentiel qu'on estime à cent milliards de circuits. Car le cadeau-surprise n'est autre, évidemment, que le cerveau humain. Quant au mode d'emploi, on l'a perdu — s'il a jamais existé, comme Platon l'affirmait; mais c'était par ouï-dire [5].

Quand les biologistes expliquent que chez l'homme « l'évolution mentale » remplace l'évolution biologique et que c'est une caractéristique qui le distingue des autres animaux, ils ne voient généralement pas le cœur du problème. Car chez les animaux le potentiel d'apprentissage est inévitablement limité, du fait qu'à la différence de l'homme ils font plein usage, ou presque, de tous les organes dont ils sont dotés, cerveau inclus. Les capacités de l'ordinateur logé dans le crâne du reptile ou du mammifère inférieur sont exploitées à fond et ne laissent aucune place à un savoir cumulatif ni à une « évolution mentale ». C'est uniquement dans le cas de l'*homo sapiens* que l'évolution a tellement anticipé les besoins que cet être ne fait encore que commencer à explorer les potentiels inexploités des quelque dix milliards de neurones du cerveau et de leurs connexions synaptiques virtuellement inépuisables. A ce point de vue, l'histoire de la science, de la philosophie et de l'art n'est que le lent processus par lequel l'homme apprend à actualiser le potentiel de son cerveau. Les espaces vierges à conquérir se trouvent dans les lobes du cortex.

S'il a fallu si longtemps pour *apprendre à utiliser le cerveau,* si le processus a été si discontinu, si spasmodique, c'est pour des raisons que l'on peut résumer en une formule : le cerveau ancien a été un obstacle, ou un frein, pour le nouveau. En Europe les seules périodes de l'histoire qui ont connu un développement vraiment cumulatif du savoir scientifique ont été les trois grands siècles de la Grèce avant la conquête macédonienne et les quatre siècles qui nous séparent de la Renaissance. L'organe capable de générer ce savoir a toujours été là dans les crânes humains pendant un sombre interrègne de deux mille ans, mais il n'avait pas le droit de produire de la science. Presque tout au long de l'histoire et durant des millénaires de préhistoire, le merveilleux potentiel du cadeau-surprise n'a été autorisé à se manifester qu'au service de croyances affectives archaïques, saturées de tabous : dans les peintures magiques des grottes de la Dordogne, dans l'imagerie archétypique traduite en langage de mythologie, dans les arts religieux de l'Asie et de la chrétienté médiévale. Le rôle de la raison, *ancilla fidei,* a été de servir la foi — foi des sorciers ou des guérisseurs, des théologiens ou des matérialistes dialectiques, des suppôts du roi Mbo-Mba ou des dévots du président Mao. Ce n'est pas la faute des astres et du destin, c'est la faute du cheval et du crocodile que nous hébergeons dans nos crânes.

2

Les conséquences historiques de la schizophrénie humaine ont été assez longuement évoquées dans les premiers chapitres; je reviens à ce sujet afin de souligner une tout autre conséquence, qui soulève des problèmes philosophiques fondamentaux. Poursuivons donc la métaphore : les descendants d'Ali ont été si contents, si impressionnés par les capacités apparemment inépuisables de l'ordinateur (aux époques heureuses où il pouvait fonctionner sans entrave) qu'ils ont succombé naturellement à l'illusion de croire que cet instrument était *virtuellement omniscient,* cette illusion provenant directement du fait que l'évolution avait dépassé son but. En d'autres termes les facultés d'apprentissage et de raisonnement du cerveau sont apparues si énormes par rapport à celles des autres animaux, et par rapport aussi aux besoins immédiats de ses propriétaires, que ceux-ci se sont persuadés que son potentiel inexploité était inépuisable, et ses pouvoirs de raisonnement illimités. En vérité, il n'y avait pas lieu de croire qu'il existât des problèmes que l'ordinateur ne pourrait pas résoudre, puisqu'il n'était pas programmé pour les résoudre. C'est ce qu'on pourrait appeler « l'illusion rationaliste » : grâce aux ressources sans limite du cerveau tous les mystères de l'univers seront élucidés un jour, ce n'est qu'une question de temps.

Presque tous les successeurs d'Ali, et généralement les plus éminents ont eu cette illusion. Aristote croyait que de son temps on avait découvert à peu près tout ce qu'il valait la peine de découvrir et qu'il ne restait plus de problèmes à résoudre[6]. Descartes était si enthousiasmé par le succès de l'application de la méthode mathématique aux sciences qu'il se crut capable de construire à lui seul tout l'édifice de la nouvelle physique. Plus prudents, les pionniers de la révolution scientifique, vers la même époque, pensaient qu'il faudrait peut-être au moins deux générations pour arracher à la nature ses derniers secrets. « Il n'y a en réalité qu'une poignée de phénomènes particuliers des arts et des sciences, écrivait Francis Bacon. La découverte de toutes les causes et de toutes les sciences ne serait qu'un travail de quelques années[7]. » Deux siècles plus tard, en 1899, le célèbre biologiste allemand Ernst Haeckel, apôtre de Darwin, publia un livre sur les *Énigmes de l'Univers (Die Welträtsel)* qui a été la bible de mon adolescence. Il y avait sept grandes énigmes, dont six étaient « définitivement résolues », comme par exemple la structure de la matière et l'origine de la vie. La septième (l'expérience subjective de la volonté) était seulement « une illusion sans existence réelle » — de sorte qu'il ne restait plus d'énigmes, ce qui faisait bien plaisir. Julian Huxley avait probablement autant d'assurance en écrivant : « Dans le domaine de l'évolution la génétique a donné la réponse fondamentale, et les biologistes ont toute liberté de s'attaquer à d'autres problèmes[8]. »

La philosophie du réductionnisme sort en droite ligne de l'illusion rationaliste. « La découverte de toutes les causes et de toutes les sciences ne serait qu'un travail de quelques années. » Qu'on remplace « années » par « siècles », c'est essentiellement le credo réductionniste : le cerveau humain virtuellement omniscient élucidera toutes les énigmes de l'univers en les réduisant à n'être « pas autre chose que » le jeu des électrons, des protons et des quarks. Éblouis par les profits tirés du cadeau-surprise, les bénéficiaires n'ont pas songé que les pouvoirs du cerveau, immenses à certains égards, n'en sont pas moins très limités quand il s'agit des ultimes significations. Autrement dit, si l'évolution a dépassé son but en un sens, elle est restée bien en deçà de ce but en ce qui concerne les questions existentielles fondamentales, pour lesquelles elle n'était pas « programmée ». Tels sont les paradoxes de l'infini et de l'éternité (« Si le monde a commencé par une explosion, qu'y avait-il avant l'explosion? »); la courbure de l'espace selon la relativité; la notion d'univers parallèles qui s'interpénètrent; les phénomènes de parapsychologie et de processus a-causals; et toutes les questions liées finalement au sens de l'univers (de la vie, du bien et du mal, etc.). Citons (pour la dernière fois) un grand physicien, Henry Margenau, professeur à Yale :

> Un artifice utilisé quelquefois pour expliquer la prémonition est d'imaginer un temps multidimensionnel. Ceci procure un authentique passage du temps en arrière, qui pourrait permettre à des intervalles positifs dans une direction temporelle de devenir négatifs dans une autre : « l'effet avant la cause ». En principe cela représente un schéma valable et je ne connais aucune critique qui puisse l'écarter en tant que procédé scientifique. Mais si l'on doit l'accepter il faudra élaborer une métrique de l'espace-temps entièrement nouvelle [9]...

Malheureusement nous ne sommes pas programmés pour cette métrique nouvelle; nous ne sommes pas capables de visualiser d'autres dimensions spatiales que la longueur, la largeur et la hauteur, ni un temps qui s'écoulerait de demain à hier, et ainsi de suite. Et si nous sommes incapables d'imaginer de tels phénomènes, ce n'est pas parce qu'ils sont impossibles, mais parce que le cerveau et le système nerveux humains ne sont pas programmés pour les comprendre.

Les limites de notre programmation (de notre équipement héréditaire) sont encore plus manifestes dans les organes des sens. L'œil humain ne peut percevoir qu'une infime fraction du spectre des radiations électromagnétiques; notre ouïe est réduite à une gamme de fréquences bien moins étendue que celle du chien; notre odorat est dérisoire et notre sens de l'orientation dans l'espace ne saurait se comparer à celui des oiseaux migrateurs. Jusqu'au XIIIe siècle l'homme n'a pas su qu'il est entouré de forces magnétiques; et les sens ne lui en font nullement prendre conscience, pas plus que des pluies de neutrinos qui le pénètrent et le traversent par millions, ni que d'autres champs et influences inconnus qui opèrent en lui et autour de lui. Si l'appareil *sensoriel* de notre espèce est programmé pour ne percevoir qu'une partie infinitésimale de la fantasmagorie cosmique, pourquoi ne pas admettre que son outillage *cognitif* est peut-être soumis à des limites de programmation tout aussi strictes, autrement dit qu'il est incapable de fournir des réponses aux grandes questions de la finalité et du sens de toutes choses? Ce ne serait pas minimiser l'intelligence, ni décourager les humains de s'en servir à fond, car les esprits créatifs essaieront toujours de le faire, « comme si » les réponses étaient à portée de la main.

Mais admettre les limites inhérentes de la raison humaine conduit automatiquement à une attitude plus tolérante et plus ouverte envers des phénomènes qui paraissent défier cette raison : la physique quantique, par exemple, la parapsychologie et les événements a-causals. Ce changement d'attitude ferait oublier aussi la maxime du réductionnisme primaire : ce qu'on ne peut pas expliquer ne peut pas exister. Une race d'humains sans yeux, comme les citoyens du *Pays des aveugles,* de Wells, refuserait d'admettre que l'on peut percevoir des objets à distance, sans contact; ce serait pour elle un non-sens obscurantiste. Un proverbe chinois nous avertit qu'il est vain de parler de la mer à une grenouille qui habite au fond d'un puits.

Nous avons entendu tout un chœur de lauréats du prix Nobel nous annoncer que la matière n'est que de l'énergie travestie, et que la causalité est morte, et le déterminisme aussi. S'il en est ainsi, faisons-leur de belles funérailles dans les jardins d'Académe, avec requiem de musique électronique. Il est grand temps de nous débarrasser de la camisole de force que le matérialisme du XIXᵉ siècle, le réductionnisme et l'illusion rationaliste ont imposée à nos conceptions philosophiques... Si ces conceptions avaient avancé à la cadence des messages révolutionnaires que captaient la chambre-à-bulles et le radiotélescope, au lieu de traîner avec un siècle de retard, il y a longtemps que nous serions libérés.

Ce simple fait étant admis, nous pourrions devenir plus réceptifs en nous et autour de nous à des phénomènes étranges qu'une préférence exclusive pour le déterminisme mécanique nous a empêchés de voir; nous pourrions sentir le vent qui souffle à travers les brèches de l'édifice causal; faire entrer les phénomènes paranormaux dans des concepts de normalité révisés, et comprendre que nous vivions au Pays des aveugles — ou au fond d'un puits.

Les conséquences de cette nouvelle prise de conscience seraient imprévisibles. « La recherche psychique est une des branches d'investigation les plus importantes qui s'offrent à l'esprit humain, écrit le professeur H. H. Price. Il se pourrait qu'elle transforme toutes les conceptions intellectuelles sur lesquelles se fonde notre civilisation actuelle [10]. » De la part d'un logicien d'Oxford de telles propositions sont fort graves; je ne pense pas qu'elles soient exagérées.

Il est possible que dans le domaine des facultés psychiques notre espèce, qui ne manque pas d'autres déficiences, soit défavorisée. Le plan de l'évolution n'exclut pas les monstruosités biologiques, telles que le koala, ni les races suicidaires telle que l'humanité paranoïaque. S'il en est ainsi, nous devrons vivre « comme s'il » en était autrement et tâcher de tirer tout le parti possible de ce que nous avons — de la même manière que nous essayons de profiter au mieux, en tant qu'individus, du sursis qui nous est accordé avant l'exécution de notre sentence de mort.

Les limites de l'ordinateur d'Ali nous condamnent peut-être à épier l'éternité par le trou de la serrure. Essayons au moins de déboucher ce trou pour nous servir de nos yeux, même si nous avons la vue faible.

3

Nous vivons une situation sans précédent, c'est un fait sur lequel j'ai voulu insister dans le prologue de ce livre. Disons-le une fois de plus : depuis le début de leur histoire les hommes ont eu à affronter la perspective de leur mort individuelle; notre génération est la première qui doive faire face à la perspective de la mort de l'espèce. *L'homo sapiens* a fait son apparition il y a quelque cent mille ans — ce qui, à l'échelle de l'évolution, est une durée infime, un battement de paupières. S'il disparaissait maintenant sa belle et triste aventure aurait constitué un épisode à peine perceptible qui n'inspirerait aux habitants de notre galaxie ni épopées ni lamentations. Nous savons à présent que la vie foisonne dans l'immensité de l'espace, sur d'autres planètes qui probablement n'auraient même pas remarqué le petit épisode humain.

Il y a seulement quelques dizaines d'années on pensait généralement que l'émergence de la vie à partir de composés chimiques inanimés devait être un événement extrêmement improbable, et par conséquent extrêmement rare, qui sans doute n'avait pu se produire qu'une fois, chez nous, sur cette planète privilégiée, et nulle part ailleurs. On croyait en outre que la formation de systèmes solaires tels que le nôtre est aussi un événement rare, et que les planètes capables de nourrir une vie quelconque doivent être plus rares encore. Mais ces idées, qui sentent le « chauvinisme terrestre », sont maintenant réfutées par les récents progrès de l'astrophysique. Désormais les astronomes admettent généralement que la formation de systèmes planétaires comportant des planètes habitables est un « événement courant * », et que des composés chimiques virtuellement capables de donner naissance à la vie existent à la fois dans notre voisinage immédiat, le sol et l'atmosphère de Mars, et dans les nuages de poussières intersidérales de lointaines nébuleuses. De plus, on constate que certaines météorites contiennent des matières organiques dont les spectres sont identiques à ceux des spores pollénoïdes des sédiments précambriens [11].

Le grand astrophysicien anglais Frederick Hoyle et son confrère indien, le professeur Chandra Wickranashinghe, proposent (en 1977) de considérer « les nuages moléculaires préstellaires tels qu'il en existe dans la nébuleuse d'Orion, comme les « berceaux » de la vie les plus vraisemblables. Les processus qui surviennent dans ces nuages provoquent le commencement et la diffusion de l'activité biologique dans la galaxie... Il semblerait maintenant très probable que la transformation de matière inorganique en systèmes biologiques primitifs se produit plus ou moins continuellement dans l'espace intersidéral [12] ».

Quant aux structures pollénoïdes des météorites, les mêmes auteurs estiment qu'il est possible qu'elles « représentent des " protocellules " interstellaires primitives en état d'animation suspendue [13] ». En ce moment « environ cent tonnes de matériaux météoritiques pénètrent chaque jour dans l'atmosphère terrestre; mais au cours des premières époques géologiques le taux d'accumulation a pu être beaucoup plus élevé ». Une partie de ces matériaux a pu

---

* Professeur Carl Sagan, du Centre de Radiophysique et de Recherches spatiales de l'université Cornell, s'adressant à un congrès intitulé « Communication avec les intelligences extra-terrestres ». Ce congrès (CETI, 1971) était patronné conjointement par les académies des sciences des États-Unis et de l'U.R.S.S. Ses comptes rendus (publiés en 1973 par M.I.T. Press) constituent une remarquable contribution à l'étude des problèmes de la vie extra-terrestre et des méthodes que l'on peut concevoir pour entrer en contact avec d'autres formes de vie que la nôtre.

provenir des « berceaux de la vie » : des poussières cosmiques qui précèdent la formation des étoiles.

Ainsi les doctrines du « chauvinisme terrestre » sont désormais insoutenables, comme tant d'autres dogmes chers à la science du XIXᵉ siècle. Nous ne sommes pas seuls dans l'univers; nous ne sommes pas, dans ce théâtre, les seuls spectateurs parmi des sièges inoccupés. Bien au contraire, autour de nous l'univers bouillonne de vie, depuis les « protocellules » qui flottent dans l'espace interstellaire, jusqu'à des millions de civilisations plus avancées que la nôtre — tellement plus avancées qu'elles nous ont dépassés peut-être de toute la distance qui nous sépare de nos ancêtres reptiles ou amibiens. Cette perspective me paraît consolante, et même réjouissante. En premier lieu, il est bon de savoir que nous ne sommes pas seuls, que nous avons de la compagnie là-haut, dans les étoiles — de sorte que si nous disparaissons ce ne sera pas trop grave, et que le drame cosmique ne se jouera pas devant une salle vide. Que nous soyons les seuls êtres conscients dans cette immensité, que toute conscience s'éteigne si nous nous éteignons, c'est une idée intolérable. Inversement, si nous savons qu'il existe des milliards d'êtres dans notre galaxie et dans d'autres galaxies, infiniment plus éclairés que nous, pauvres malades, nous pouvons accéder à l'humilité et au dépassement de soi qui sont à la source de toute expérience religieuse.

Cela m'amène à une considération peut-être naïve que je crois plausible, au sujet de la nature des intelligences et des civilisations extra-terrestres. La civilisation terrestre (si on la fait remonter aux débuts de l'agriculture, de l'écriture, etc.) a dix mille ans à peu près, et c'est une estimation généreuse. Essayer de deviner la nature de civilisations extra-terrestres vieilles de quelques millions d'années, ce serait évidemment pure chimère. En revanche, il est tout à fait raisonnable de penser que tôt ou tard (disons au cours de ses dix premiers millénaires) chacune de ces civilisations aura découvert les réactions thermonucléaires — et vécu, par conséquent, l'année zéro de son calendrier. A partir de là, la sélection naturelle (« l'herbicide sélectif », comme nous disions) commence à jouer à l'échelle cosmique. Les civilisations folles engendrées par des inadaptés biologiques agenceront tôt ou tard leur suicide et disparaîtront de leurs planètes polluées. Les civilisations qui sortiront victorieuses de ces épreuves de santé mentale s'épanouiront, ou se sont épanouies déjà, jusqu'à former une élite cosmique de demi-dieux. Pour parler avec moins d'emphase, il est réconfortant de songer que grâce à ce processus de sélection les « bons » seront ainsi les seuls à survivre, tandis que les « méchants » s'anéantiront tout seuls. Il est plaisant de savoir que l'univers est un lieu réservé aux bons, et que ceux-ci nous environnent. Les religions traditionnelles se font une idée moins charitable de l'administration cosmique *.

4

Je conclus ce livre par une sorte d'acte de foi dont l'origine remonte à une quarantaine d'années. Pendant la guerre d'Espagne, en 1937, j'ai passé plusieurs mois dans une prison franquiste à Séville, comme suspect d'espionnage, menacé d'exécution[14]. Pendant cette période, en régime cellulaire, j'ai eu certaines expériences qui m'ont paru proches du « sentiment océanique » des mystiques et que j'ai essayé de décrire plus tard dans un récit autobiographique **. J'ai appelé ces expériences « les heures à la fenêtre ». L'extrait qui suit, d'une formulation un peu trop lâche, exprime néanmoins ce qu'on pourrait nommer « l'acte de foi d'un agnostique ».

Les « heures à la fenêtre » m'avaient convaincu qu'il existe un ordre plus haut de réalité qui seul donnait un sens à la vie. J'en vins plus tard à l'appeler « la réalité du troisième ordre ». Le monde étroit de la perception sensorielle constituait le premier ordre; ce monde sensoriel était enveloppé par le monde conceptuel qui contenait des phénomènes non directement perceptibles, tels que la gravitation, les champs électromagnétiques et l'espace courbe. Ce second ordre de réalité comblait les lacunes et donnait un sens au décousu absurde du monde sensible. De même, le troisième ordre de la réalité enveloppait, pénétrait le second et lui donnait un sens. Il contenait des phénomènes « occultes » qui ne pouvaient être appréhendés ou expliqués ni au niveau sensoriel ni au niveau conceptuel, et pourtant les envahissaient parfois comme des météores spirituels perçant la voûte primitive des cieux. Tout comme le monde conceptuel révélait les illusions et les déformations des sens, le « troisième ordre » révélait que le temps, l'espace et la causalité, que l'isolement, la séparation et les limitations spatio-temporelles du moi n'étaient que des illusions d'optique d'un niveau plus élevé. Si l'on s'en remettait aux illusions du premier type, le soleil se noyait chaque soir dans la mer, et un moucheron dans l'œil était plus grand que la lune; si c'était l'ordre conceptuel que l'on prenait pour l'ultime réalité, le monde

---

* On ne saurait aborder ici la question souvent posée : pourquoi ces civilisations avancées ne communiquent-elles pas avec nous? On trouvera ce sujet quelques remarques et des références bibliographiques à l'annexe IV.
** *Hiéroglyphes* (écrit en 1953).

devenait un conte tout aussi absurde, conté par un idiot ou par des électrons idiots qui faisaient que des enfants étaient écrasés par des autos et que de petits paysans andalous recevaient des balles de fusil dans le cœur, la bouche, les yeux, sans rime ni raison. De même que l'on ne sent pas dans sa peau l'attirance de l'aimant, de même on ne pouvait espérer enfermer dans des termes connus la nature de la suprême réalité. C'était un texte écrit avec de l'encre invisible; et, bien qu'on ne pût pas le lire, le fait qu'on savait qu'il existait suffisait à altérer la texture de notre existence et à faire se conformer nos actions au texte.

Je me plus à la métaphore suivante : le capitaine d'un bateau s'embarque, ayant en poche des instructions dans une enveloppe scellée qu'il n'aura le droit d'ouvrir qu'en pleine mer. Il attend avec impatience cet instant qui mettra fin à toute incertitude, mais le moment venu et l'enveloppe ouverte, il ne trouve qu'un texte invisible qui défie tous les efforts de la chimie. Par-ci par-là, un mot devient visible, ou le chiffre d'un méridien, puis s'efface de nouveau. Il ne connaîtra jamais d'instructions précises; et ne saura pas s'il les a accomplies ou bien s'il a failli à sa mission. Mais la présence des instructions dans sa poche, même indéchiffrables, fait qu'il pense et agit différemment du capitaine d'un bateau de plaisance ou d'un navire de pirate.

J'aimais aussi à penser que les fondateurs de religions, prophètes, saints et mages avaient été par moments capables de lire un fragment du texte invisible; après quoi, ils l'avaient tellement gonflé, dramatisé, orné, qu'ils n'auraient pu dire quelles en étaient les parties authentiques *.

---

* Trad. Denise Van Moppès.

ANNEXES

AU-DELÀ DE L'ATOMISME ET DU HOLISME
LE CONCEPT DE HOLON *

Nous allons faire un exercice de théorie générale des systèmes, ce qui me paraît d'autant plus approprié que Ludwig von Bertalanffy, fondateur de cette théorie, est assis auprès de moi. Il sera non moins approprié, il me semble, de prendre pour thème une phrase des *Problems of Life* de Ludwig : « L'organisation hiérarchique d'une part, les caractéristiques des systèmes ouverts d'autre part, sont des principes fondamentaux de la nature vivante [1]. »

Si nous combinons ces deux principes fondamentaux en y ajoutant une pincée de cybernétique nous obtenons un modèle théorético-systémique d'ordre hiérarchique ouvert autorégulateur (OHOA). Je voudrais examiner certaines propriétés de ce modèle OHOA comme solution préférable au modèle S-R (Stimulus-Réponse) de causalité linéaire, tiré de la mécanique classique, que nous sommes apparemment unanimes à rejeter. Je ne peux donner ici qu'une esquisse de l'idée, mais j'ai essayé de classer les axiomes et les propositions qui s'y rapportent dans une annexe de mon dernier livre [2], et je l'annexe encore à cette communication en guise de *Tractatus Logico-Hierarchicus*. Certaines de ces propositions paraîtront peut-être banales, d'autres reposent sur des données insuffisantes, d'autres encore devront être corrigées ou précisées. Mais elles peuvent servir de base à la discussion.

* Cette version corrigée d'une communication faite au colloque d'Alpbach (« Au-delà du réductionnisme », 1968 [3]) résume la première partie « Esquisse d'un système » (chapitres I à IV). Inévitablement certains passages présentent des répétitions, d'autres sont un peu techniques. On peut sauter sans dommage les trois premières annexes.

LE VIEUX JEU DE LA HIÉRARCHIE

Quand on parle d'organisation hiérarchique comme d'un principe fondamental de la vie, on se heurte souvent à une forte résistance affective. D'abord « hiérarchie » est un vilain mot, chargé de connotations ecclésiastiques et militaires, qui donne à certaines personnes une fausse impression de structure rigide ou autoritaire. (L'assonance avec « hiératique », pourtant radicalement différent, joue peut-être un rôle dans cette confusion.) D'autre part le terme s'emploie souvent à tort pour désigner simplement une succession sur une échelle linéaire (par ex. chez Clark Hull les « hiérarchies de familles d'habitudes »). Mais ce n'est pas du tout le sens du mot. Le vrai symbole n'est pas une échelle, c'est un arbre : une organisation à plusieurs niveaux, à ramifications, stratifiée, un système qui se ramifie en sous-systèmes, lesquels se ramifient en sous-systèmes d'ordre inférieur et ainsi de suite; une structure qui renferme des sous-structures, etc; un processus activant des sous-processus, etc. Comme Paul Weiss disait hier : « Le phénomène de structure hiérarchique est un phénomène réel qui nous est présenté par l'objet biologique, ce n'est pas une fiction de l'esprit. » C'est en même temps un outil conceptuel, une manière de penser, une conception opposée à la chaîne linéaire d'événements arrachés à leurs contextes stratifiés multidimensionnellement.

Tous les processus et structures complexes de caractère relativement stable manifestent une organisation hiérarchique, qu'il s'agisse de systèmes inanimés, d'organismes vivants, d'organisations sociales ou de types de comportement. Le linguiste qui pense surtout en termes de modèle hiérarchique selon Chomsky [4] a une réaction de déjà vu (comme l'a dit McNeill) devant la hiérarchie intracellulaire du physiologiste; et cela peut s'appliquer aussi à la structure hiérarchique de l'acte volontaire telle que la présente Bruner. Sous ce rapport essentiel (et d'autres dont je parlerai) ces processus dans des domaines tout à fait différents sont effectivement isomorphes. L'arbre hiérarchique, le « dendrogramme » sert aussi bien à représenter les ramifications de l'évolution des espèces : l'arbre de la vie et sa projection en taxonomie; il sert à représenter la différenciation graduelle des tissus dans le développement embryonnaire; il peut servir de graphique structurel de l'architecture en parties imbriquées des organismes ou des galaxies, ou pour l'éthologiste de schéma fonctionnel pour l'analyse du comportement instinctif [5] comme du mécanisme de l'élocution pour le psycholinguiste. Il peut représenter la hiérarchie locomotrice des membres, des jointures, des muscles jusqu'aux fibres, fibrilles et filaments [6]; ou à l'inverse, le filtrage et le conditionnement des apports sensoriels dans leur ascension de la périphérie au centre. On pourrait y voir aussi un modèle pour le catalogue par matières d'une bibliothèque, et pour l'organisation des connaissances dans la mémoire; ou pour les organigrammes des administrations civiles, militaires, commerciales, etc.

Mais applicable ainsi presque universellement, le modèle hiérarchique risque de se faire soupçonner de vacuité logique, ce qui peut être un autre facteur de résistance exprimée généralement sous la forme de ce que j'appellerai « réaction et-puis-après ? » (« On connaît, c'est vieux jeu ») suivie de l'habituelle inconséquence : « D'ailleurs où sont les preuves ? » La hiérarchie est peut-être vieux jeu, mais j'aimerais montrer que si on le manie comme il convient ce vieux jeu recèle encore d'excellents atouts.

ÉVOLUTION ET ORDRE HIÉRARCHIQUE

Un de mes exemples préférés pour illustrer les mérites de l'ordre hiérarchique est une fable inventée par Herbert Simon, dont nous regrettons tous l'absence. Je l'ai citée à d'autres occasions, je vais la résumer. Il s'agit de deux horlogers, Hora et Tempus. Tous deux fabriquent des montres dont chacune comporte un millier de pièces. Hora monte ces pièces une à une; quand il s'arrête ou si les pièces lui échappent avant la fin, la montre tombe en morceaux, il est obligé de tout reprendre au début. Tempus au contraire agence son travail par sous-ensembles de dix pièces, dont il fait des sous-ensembles de cent, et dix de ceux-ci font la montre. En cas de perturbation, Tempus doit dans le pire des cas répéter neuf opérations de montage, et dans le meilleur des cas, aucune. Si l'on a un taux d'une perturbation sur cent opérations, Hora mettra quatre mille fois plus de temps pour monter une montre : onze ans au lieu d'un jour. Et si à des pièces mécaniques nous substituons des amino-acides, des molécules de protéine, des organites et ainsi de suite, le rapport entre les temps devient astronomique.

C'est un avantage fondamental de la méthode hiérarchique. L'autre avantage est naturellement, sans comparaison possible, la stabilité et l'élasticité de la montre de type Tempus, ainsi que ses facilités de réparation et de perfectionnement. Simon concluait :

> Des systèmes complexes évolueront beaucoup plus rapidement à partir de systèmes simples s'il y a des formes intermédiaires stables. Les formes complexes qui en résulteront alors seront hiérarchiques. Il suffit de retourner le raisonnement pour expliquer la prédominance des hiérarchies dans les systèmes complexes que la nature nous présente. Parmi les formes complexes possibles, ce sont les hiérarchies qui ont eu le temps d'évoluer [7].

Si la vie existe sur d'autres planètes nous pouvons être assurés que, quelle qu'en soit la forme, elle doit être organisée hiérarchiquement.

Les constructeurs d'automobiles ont découvert il y a longtemps qu'il ne serait pas avantageux de créer un nouveau modèle en commençant au niveau des éléments; ils se servent de sous-ensembles déjà existants (moteurs, freins, etc.) dont chacun a été élaboré au terme d'une longue expérience, et procèdent sur certains d'entre eux à des perfectionnements relativement minimes. L'évolution suit la même stratégie. Quand elle a pris un brevet, elle s'y tient obstinément : Thorpe parlait hier de ses fixations conservatrices. La structure, l'organe ou le dispositif breveté acquiert une sorte d'existence autonome de sous-ensemble. La même marque d'organites fonctionne dans les cellules des souris et dans celles des hommes; la même marque de protéine contractile sert aux pseudopodes de l'amibe et aux doigts du pianiste; la même structure homologue est conservée dans les membres antérieurs des vertébrés, hommes, chiens, hirondelles ou baleines. La « loi du balancement » de Geoffroy Saint-Hilaire et les rapports géométriques découverts par d'Arcy Thompson[8], qui transposent un crâne de babouin en crâne d'homme par harmonieuses déformations d'un réseau de coordonnées cartésiennes, manifestent aussi les contraintes hiérarchiques imposées au plan de l'évolution.

HOLONS AUTONOMES

La stabilité évolutionnaire de ces sous-ensembles (organites, organes, systèmes organiques) se reflète dans leur degré remarquable d'autonomie. Chacun d'eux (un fragment de tissu ou tout un cœur) est capable de fonctionner *in vitro* en tant que totalité quasi indépendante, même isolé de l'organisme ou transplanté sur un autre. Chacun d'eux est une *sous-totalité* qui se comporte comme tout autarcique à l'égard de ses parties subordonnées, et comme partie dépendante à l'égard des commandes qui lui sont supérieures. Cette relativité des termes « partie » et « tout » appliqués à l'un quelconque des sous-ensembles est une autre caractéristique générale des hiérarchies.

Là encore c'est l'évidence même de cette caractéristique qui tend à nous faire négliger tout ce qu'elle suppose. Une partie, dans l'acception habituelle du mot, signifie quelque chose de fragmentaire, d'incomplet, qui n'aurait pas d'existence légitime en soi. D'un autre côté, les holistes ont tendance à employer le mot « tout » ou *« Gestalt »* comme s'il désignait quelque chose de complet en soi, n'ayant besoin d'aucune explication. En réalité, touts et parties au sens absolu n'existent nulle part, ni dans le domaine des organismes vivants, ni dans celui des organisations sociales. Ce que l'on rencontre, ce sont des structures intermédiaires à des séries de degrés dans un ordre croissant de complexité, chacune d'elles ayant deux faces qui regardent en sens opposés : la face tournée vers le niveau inférieur est celle d'un tout autonome; la face tournée vers le haut, celle d'une partie subordonnée. J'ai proposé[9] le mot « holon » pour désigner ces sous-ensembles à faces de Janus.

Le concept de holon devrait procurer le chaînon manquant entre atomisme et holisme, et substituer au schème dualiste le tout-la-partie si profondément enraciné dans nos habitudes mentales, une approche stratifiée, à plusieurs niveaux. On ne peut pas « réduire » un tout organisé hiérarchiquement à ses parties élémentaires; mais on peut le « disséquer » pour montrer les embranchements de holons qui le constituent et qui sont représentés par les nœuds de l'arbre ou du « dendrogramme », les lignes qui les relient figurant les réseaux de communication, de contrôle ou de transport, selon le cas.

RÈGLES FIXES ET STRATÉGIES SOUPLES

Le terme de holon peut s'appliquer à toute sous-totalité stable dans une hiérarchie organique, cognitive ou sociale qui manifeste un comportement réglé et/ou une constante gestaltique structurelle. Ainsi les holons biologiques sont des « systèmes ouverts [10] » autorégulés gouvernés par un code de règles fixes qui rendent compte de la cohésion du holon, de sa stabilité et de son type spécifique de structure et de fonction. On peut appeler ce code le *canon du holon* *. Le canon détermine l'aspect fixe et invariable du système ouvert dans son état stable (Fliessgleichgewicht, équilibre dynamique); il définit son type et sa structure. Dans d'autres hiérarchies, le canon représente les codes de conduite des holons sociaux (famille, tribu, nation, etc.); il incorpore les « règles du jeu » des rites instinctifs ou des techniques acquises (holons de comportement); les règles de l'énonciation et de la grammaire dans la hiérarchie du langage; les « schèmes » de Piaget dans les hiérarchies cognitives, et ainsi de suite. *Le canon représente les contraintes imposées à tout processus ou comportement réglé.* Mais ces contraintes n'épuisent pas les degrés de liberté du système; elles laissent du champ à des *stratégies plus ou moins souples* guidées par les contingences de l'environnement local du holon.

Il faut ici marquer très nettement la distinction entre le canon fixe et invariable du système et ses stratégies souples (plastiques et variables). Quelques exemples montreront la validité de cette distinction. Dans l'ontogénèse, le sommet de la hiérarchie est le zygote, et les holons aux niveaux successifs représentent les stades successifs du développement des tissus. Chaque degré de différenciation et de spécialisation impose de nouvelles contraintes au potentiel génétique du tissu, mais à chaque degré celui-ci conserve assez de souplesse pour suivre telle ou telle voie évolutionnaire, dans les limites de sa compétence, en suivant l'orientation des circonstances de l'environnement de la cellule (cf. la *Stratégie des gènes* de Waddington [11]). Si l'on passe du développement embryonnaire aux *activités instinctives* de l'animal adulte, on voit que les araignées tissent leurs toiles et que les oiseaux font leurs nids conformément à des canons spécifiques invariables, mais en recourant aussi à des stratégies flexibles, guidées par la nature du terrain : l'araignée peut accrocher sa toile à trois, quatre points d'attache ou plus, le résultat étant toujours un

---

* Cf. les « rapports organisateurs » ou « lois d'organisation » des premiers écrits sur l'organisation hiérarchique (WOODGER, 1929, NEEDHAM, 1941, etc.) et les « conditions systématiques » de la théorie générale des systèmes.

polygone régulier. *Dans les techniques acquises,* au jeu d'échecs par exemple, les règles du jeu définissent les déplacements autorisés, mais le choix stratégique du coup effectif dépend de l'environnement : répartition des pièces sur l'échiquier. Dans les *opérations symboliques* les holons sont des structures cognitives réglées diversement appelées « cadres de référence », « univers du discours », « algorithmes », etc, chacune pourvue de sa grammaire ou canon spécifique; les stratégies croissent en complexité aux échelons supérieurs de la hiérarchie. Il semble que la vie dans toutes ses manifestations, de la morphogénèse à la pensée symbolique, obéisse à des règles du jeu qui lui procurent l'ordre et la stabilité, mais qui autorisent aussi la souplesse; et que ces règles, innées ou acquises, soient représentées sous forme codée aux divers niveaux de la hiérarchie, depuis le code génétique jusqu'aux structures du système nerveux qui sont responsables de la pensée symbolique.

FILTRES ET DÉCLICS

Parlons brièvement de certaines caractéristiques spécifiques de ce qu'on pourrait appeler en gros *hiérarchies d'émission (output),* que l'émission ou le produit soit un nouveau-né ou une phrase du langage parlé. Quelle que soit la diversité de leurs produits toutes les hiérarchies d'émission semblent avoir un mode classique d'opération, basé sur le principe du déclic-et-du filtre, dans lequel un signal codé implicite qui peut être relativement simple déclenche des mécanismes complexes pré-établis.

Énumérons encore quelques exemples. En *phylogénèse* Waddington [12] et d'autres ont bien montré qu'une seule mutation génétique favorable peut déclencher une sorte de réaction en chaîne qui affecte harmonieusement tout un organe. En *ontogénèse* le stimulus d'une fine aiguille de platine sur un œuf non fécondé de grenouille ou de brebis peut déclencher une parthénogénèse. L'alphabet en quatre lettres de la chaîne d'A.D.N. s'explicite dans l'alphabet de vingt-deux lettres des amino-acides; les inducteurs ou évocateurs, y compris « l'organisateur général » de Spemann sont aussi des composés chimiques relativement simples qui n'ont même pas besoin d'êtres propres à l'espèce pour activer les potentiels génétiques du tissu. Dans le *comportement instinctif* on trouve des déclencheurs encore plus simples (ventre rouge de l'épinoche, tache sous le bec de la mouette harengère) qui déclenchent les comportements appropriés [13]. Dans l'exécution de *techniques acquises* on a le même processus qui remplit graduellement les détails d'ordres implicites venus du sommet de la hiérarchie : « allume une cigarette » ou « mets ta signature », ou « utilise ta machine à faire des phrases », et une image informulée se transforme en impulsions nerveuses et contractions musculaires.

Ce qu'il faut souligner est que ce processus d'énonciation, de l'intention à l'exécution, ne peut pas se décrire en termes de chaîne linéaire d'unités S-R, comme une série de passages dans une série de vannes qui s'ouvrent les unes derrière les autres. Le holon activé (un département ministériel ou un rein) a son canon à lui qui détermine son type d'activité. Aussi le signal venu d'en haut n'a pas à spécifier ce que le holon est censé faire; le signal n'a qu'à mettre le holon en action au moyen d'un message codé. Une fois mis en action, le holon énoncera l'ordre implicite sous une forme explicite en activant des sous-unités dans l'ordre stratégique approprié, en s'orientant sur les rétroactions de l'environnement. D'une manière générale *le holon est un système de relations qui est représenté comme unité au niveau immédiatement supérieur.*

Si l'on passe aux *hiérarchies d'admission (input)* de la perception, les opérations procèdent évidemment en sens inverse, des rameaux périphériques de l'arbre vers son sommet; et au lieu de déclencheurs on a le type contraire de mécanismes : une série de filtres et de classificateurs par lesquels la circulation passe obligatoirement en montant de la périphérie au cortex. Après l'inhibition latérale vient l'habituation et probablement un contrôle efférent des récepteurs. Au niveau plus élevé se trouvent les mécanismes responsables des phénomènes de constance visuelle et auditive, les dispositifs de filtrage qui permettent la reconnaissance des structures spatiales et temporelles, et grâce auxquelles nous pouvons abstraire l'universel et négliger le particulier. La plainte familière « J'ai une mémoire comme une passoire » vient peut-être d'une intuition : ces dispositifs de filtrage opèrent d'abord tout le long des voies d'admission, puis tout le long des voies de stockage.

Comment identifions-nous un instrument dans tout un orchestre? La bouillie de sons qui arrive aux tympans est comprimée en une onde linéaire à variable unique. Pour reconnaître le timbre d'un instrument, pour reconstruire les harmonies et les mélodies, pour apprécier le style, le mouvement, l'expression, il nous faut abstraire des structures dans le temps comme nous le faisons pour les structures spatiales. Mais comment le système nerveux opère-t-il? Je vais jouer les premières mesures du Trio de l'Archiduc, de Beethoven. Observez bien vos réactions, car aucun traité de psychologie ne vous apportera la moindre explication. Si on regarde le disque à la loupe on est tenté de se demander naïvement pourquoi le système nerveux ne produit pas des gravures par cette simple méthode de codage, au lieu d'être si compliqué. Naturellement la réponse est qu'une gravure linéaire serait parfaitement inutile quand il s'agit d'analyser, de comparer et de reconnaître des structures perçues. Le modèle de la chaîne ne vaut rien, on ne peut pas se passer de l'arbre.

Dans les hiérarchies motrices l'intention implicite ou le commandement général sont particularisés et articulés de plus en plus finement à mesure qu'ils descendent vers la périphérie. Dans la hiérarchie perceptuelle c'est le processus inverse : l'apport que reçoivent les organes récepteurs est de plus en plus « départicularisé », dépouillé et généralisé à mesure qu'il monte vers le centre. *La hiérarchie de l'émission concrétise, la hiérarchie de l'admission abstrait.* La première opère au moyen d'appareils de déclenchement, la seconde au moyen d'appareils de filtrage. Quand je veux écrire la lettre R un déclencheur met en marche un holon fonctionnel, un système automatisé de contractions musculaires qui produit la lettre R dans mon écriture propre. Quand je lis, le filtrage de mon cortex visuel identifie la lettre R quelle que soit la main qui l'a tracée. Les déclencheurs lancent des émissions complexes au moyen d'un signal codé simple. Les filtres fonctionnent dans le sens contraire : ils transforment en un signal codé simple des perceptions complexes.

« ABSTRACTION » ET « COUPS DE PROJECTEUR »

Examinons brièvement les phénomènes du souvenir pour voir si la méthode hiérarchique peut les éclairer un peu. Vous regardez un film à la télévision. Quelles paroles exactement ont prononcées les acteurs, vous l'oubliez dès la réplique suivante, il n'en reste que le sens; le lendemain matin vous ne vous rappelez que l'enchaînement des scènes, et au bout d'un mois vous vous souvenez d'une vague histoire de gangster ou d'île déserte. Il en va de même de livres qu'on a lus, d'épisodes qu'on a vécus. L'expérience originelle s'est dépouillée de tous ses détails, réduite à un schéma. Or cette dissection de l'admission avant son emmagasinement, et la désintégration graduelle du matériel emmagasiné entraîneraient un terrible appauvrissement des souvenirs, si l'histoire s'arrêtait là : la mémoire serait une collection de résumés poussiéreux, un dépôt déshydraté au fond du verre, sans goût, sans parfum. Mais il y a des mécanismes de compensation. Je peux reconnaître une mélodie, quel que soit l'instrument sur lequel on la joue, et je peux reconnaître le timbre d'un instrument, quel que soit l'air. Plusieurs hiérarchies imbriquées sont à l'œuvre, chacune avec ses critères particuliers de pertinence. L'une filtre la mélodie et traite tout le reste comme nul, l'autre filtre le timbre et traite la mélodie comme non pertinente. Ainsi l'information écartée par un système de filtrage n'est pas tout entière mise au rebut : elle a pu être récupérée par une autre hiérarchie dont les critères de pertinence sont différents. Le rappel de l'expérience serait donc rendu possible par la coopération de plusieurs hiérarchies entrecroisées qui peuvent embrasser des modalités sensorielles différentes, la vue et l'ouïe par exemple — ou, ce qui est moins évident plusieurs hiérarchies distinctes, avec des critères différents, opérant dans la même modalité sensorielle. Le processus serait comparable à celui de la reproduction en couleurs, par superposition de plusieurs plaques. Ce n'est qu'une hypothèse, mais on peut trouver quelques faits à l'appui de cette conjecture dans une série d'expériences menées par James Jenkins et moi-même (cf. annexe II); il ne serait pas difficile d'imaginer d'autres recherches dans ce domaine.

Je sais que cette hypothèse ne semble pas cadrer avec les expériences de Penfield [15] qui font surgir ce qui est apparemment un souvenir complet de moments vécus dans le passé par stimulation électrique de certains points du lobe temporal. Mais il n'y a sans doute pas contradiction si l'on ajoute aux autres critères celui de la pertinence affective qui décide si une expérience vaut d'être conservée. Un détail peut être émotivement pertinent (au niveau conscient ou inconscient) et retenu avec une précision presque photographique ou cinématographique. C'est ce qu'on pourrait appeler le type « projecteur » de souvenirs qui s'impriment dans la mémoire, distincte alors de la mémoire qui abstrait et schématise. Les souvenirs-projecteurs seraient liés aux images eidétiques, et pourraient provenir du système limbique [16].

ARBORISATION ET RÉTICULATION

J'ai parlé de hiérarchies « entrecroisées » ou « entremêlées ». Il est clair que les hiérarchies n'opèrent pas dans le vide. Ce truisme de l'interdépendance des processus d'un organisme est probablement la principale cause de la confusion qui a fait perdre de vue leur structure hiérarchique : comme si dans une forêt touffue la densité des feuillages nous faisait oublier que les branches appartiennent à des arbres distincts. Les arbres sont des structures verticales. Les points de rencontre des branches de plusieurs arbres forment des réseaux horizontaux à plusieurs niveaux. Sans les arbres il n'y aurait pas d'entrelacs ni de réseaux. Sans le réseau chaque arbre serait isolé, il n'y aurait pas intégration des fonctions. L'arborisation et la réticulation paraissent des principes complémentaires dans l'architecture des organismes. Dans les univers symboliques du discours, l'arborisation se manifeste dans la dénotation « verticale » des concepts, la réticulation dans leurs connotations « horizontales » de réseaux associatifs. Cela rappelle une proposition de Hyden : le même neurone ou la même population de neurones peut appartenir à plusieurs « clubs » fonctionnels.

ORDRE HIÉRARCHIQUE ET RÉTROACTION

Le meilleur exemple de hiérarchies entrecroisées est le système sensori-moteur. La hiérarchie sensorielle traite l'information et la transmet régulièrement; une partie atteint le moi conscient au sommet, et le moi prend des décisions qui seront explicitées dans le flux descendant des impulsions de la hiérarchie motrice. Mais le sommet — le moi — n'est pas le seul point de contact entre les deux systèmes, qui sont reliés par des réseaux entremêlés à différents niveaux. Au niveau inférieur le réseau est fait de réflexes, raccourcis entre les courants ascendant et descendant comparables aux échangeurs d'une autoroute. Au niveau suivant se trouve le réseau des techniques et habitudes sensori-motrices, comme celles de la dactylo ou de l'automobiliste, qui n'exigent pas l'attention des centres supérieurs — à moins d'un accident qui perturbe l'opération. Qu'un chien traverse la route verglacée devant la voiture, le conducteur devra décider « au sommet » s'il appuie sur le frein en risquant la vie de ses passagers, ou s'il écrase le chien. C'est à ce niveau, quand le pour et le contre s'équilibrent, qu'apparaît l'expérience subjective de la liberté et de la responsabilité morale.

Mais les activités ordinaires de l'existence ne demandent pas de décisions morales, elles ne veulent même pas d'attention consciente. Elles opèrent au moyen de boucles de rétroaction et de boucles sur boucles, qui forment des réseaux à plusieurs niveaux entre les hiérarchies d'admission et d'émission. Quand tout va bien et qu'il n'y a pas de chien sur la route, la conduite d'un vélo ou d'une voiture peut être confiée au pilote automatique du système nerveux : le timonier cybernétique. Cependant, il faut éviter de faire du principe de rétroaction une formule magique. Le concept de rétroaction sans le concept d'ordre hiérarchique perd beaucoup de sa signification. Toutes les techniques suivent un modèle selon certaines règles du jeu, qui sont fixes mais qui permettent des ajustements continuels aux conditions variables de l'environnement. *La rétroaction n'opère que dans les limites de ces règles* — en obéissant au système propre de la technique. Son rôle est de faire rapport à chaque instant sur le déroulement de l'opération, d'indiquer si le tir est trop long ou trop court, de dire quand il faut accélérer ou s'arrêter. Mais elle ne saurait modifier le système intrinsèque de la technique. Comme disait Paul Weiss [17] au colloque Hixon : La structure de l'admission ne produit pas la structure de l'émission, elle modifie seulement des activités nerveuses intrinsèques qui ont leur propre organisation structurelle.

C'est ainsi que l'une des différences essentielles entre la théorie S-R et la nôtre est que pour la première le milieu détermine le comportement, alors que pour la seconde la rétroaction du milieu ne fait que guider, corriger ou stabiliser un système de comportement préexistant. De plus, il y a échanges réciproques entre les hiérarchies sensorielles et motrices. L'admission guide l'émission et la stabilise; mais à son tour l'activité motrice guide la perception. L'œil filtre; ses mouvements sont indispensables à la vision; une image immobilisée sur la rétine se désintègre [18]. De même pour l'ouïe : pour se rappeler un air on essaie de le fredonner. Les stimuli et les réponses disparaissent dans les boucles de rétroaction sur lesquelles les impulsions tournent en rond comme des chats qui courent après leur queue.

UNE HIÉRARCHIE D'ENVIRONNEMENTS

Poursuivons un peu cette enquête sur le sens de la terminologie usuelle en nous demandant ce que doit signifier au juste le mot si commode d'« environnement ». Quand je conduis sur la route l'environnement au contact de mon pied droit est la pédale de l'accélérateur, dont la résistance élastique à la pression procure une rétroaction tactile qui aide à maintenir constante la vitesse de la voiture. Il en va de même du volant dans mes mains. Mais mes yeux embrassent un environnement beaucoup plus vaste, et ce sont eux qui déterminent la stratégie d'ensemble de la conduite. Ainsi l'être hiérarchiquement organisé que je suis fonctionne en fait dans une hiérarchie d'environnements, instruit par une hiérarchie de rétroactions.

Un avantage de cette interprétation est que la hiérarchie des environnements est indéfiniment extensible. Quand un joueur contemple l'échiquier en essayant de visualiser diverses situations trois coups d'avance, il est guidé par des rétroactions provenant d'environnements qu'il imagine. La plus grande part de nos méditations, de nos prévisions, de nos créations s'effectue dans des milieux imaginaires. Mais selon Bartlett [19] « toutes nos perceptions sont construites sur des déductions », et colorées par l'imagination, de sorte que la différence n'est qu'une question de degrés. La hiérarchie est ouverte au sommet.

MÉCANISATION ET LIBERTÉ

Une activité, une technique — par exemple la rédaction d'une lettre — se ramifie en sous-techniques qui en descendant un à un les échelons de la hiérarchie deviennent de plus en plus mécaniques, stéréotypées et prévisibles. Il y a d'abord un grand choix de sujets possibles; les manières d'écrire offrent encore un choix considérable, mais déjà restreint par les règles de grammaire, les limites du vocabulaire, etc.; les règles d'orthographe ne laissent place à aucune stratégie souple, et enfin les contractions musculaires qui enfoncent les touches de la machine à écrire sont entièrement automatiques. Ainsi *une sous-technique ou holon de comportement au niveau* (n) *de la hiérarchie a plus de degrés de liberté* (une plus grande diversité de choix autorisés par les règles) *qu'un holon au niveau* (n − 1).

Mais à mesure qu'on les maîtrise mieux et qu'on les pratique plus souvent, toutes les techniques tendent à devenir automatiques. Tant qu'on acquiert une technique on doit se concentrer sur chaque détail de ce qu'on fait; puis l'apprentissage commence à se condenser en habitude, comme la vapeur en gouttes d'eau; avec assez de pratique on lit, on écrit, on tape à la machine, on conduit, « automatiquement » ou « machinalement ». Ainsi transformons-nous continuellement des activités « mentales » en activités « mécaniques ». On conduit automatiquement sur une route qu'on connaît bien; quand le chien dont je parlais traverse la route, il faut faire un choix stratégique qui n'est plus de la compétence des automatismes et pour lequel le pilote automatique du système nerveux n'est pas programmé : la décision appartient à des échelons supérieurs. Le passage des commandes d'une activité en cours d'exécution d'un niveau de la hiérarchie à un niveau plus élevé (d'un comportement « mécanique » à un comportement « réfléchi ») paraît être l'essence de la prise de décision consciente et de l'expérience subjective du libre arbitre.

La tendance à la mécanisation progressive a son côté positif : elle est conforme au principe d'économie. Si je ne tapais pas « mécaniquement » à la machine, je ne pourrais pas m'occuper du sens de ce que j'écris. Quant au côté négatif, la mécanisation, comme la *rigor mortis* affecte d'abord les extrémités, les branches inférieures de la hiérarchie; mais elle a tendance aussi à gagner en remontant. Si une activité est pratiquée dans les mêmes conditions invariables, en suivant le même cours invariablement, elle dégénère en routine stéréotypée et ses degrés de liberté se figent. La monotonie accélère l'asservissement aux habitudes, et si la mécanisation gagne le sommet de la hiérarchie elle produit un morne pédant, l'homme automate de Bergson. « Les organismes *ne sont pas* des machines, écrit von Bertalanffy, mais ils peuvent dans une certaine mesure *devenir* machines, se figer en machines [20]. »

Inversement un milieu variable exige un comportement souple et s'oppose aux tendances à la mécanisation. Cependant le défi de l'environnement peut atteindre un seuil critique tel que les techniques habituelles, si souples soient-elles, ne suffisent plus à y répondre, les règles du jeu n'étant plus adaptées à la situation. C'est la crise. L'issue est soit un effondrement, soit l'apparition de nouvelles formes de comportement, de solutions originales. Cette originalité observée chez tous les animaux, des insectes aux primates, signale l'existence de virtualités insoupçonnées dans l'organisme vivant, virtualités inhibées ou latentes dans le cours normal de l'existence, mais qui apparaissent dans les circonstances exceptionnelles. C'est déjà l'annonce des phénomènes de créativité humaine qui resteront toujours incompréhensibles aux défenseurs de la théorie S-R, et qui s'éclairent quand on les étudie du point de vue hiérarchique.

ASSERTION ET INTÉGRATION

Les holons qui constituent une hiérarchie organique ou sociale sont des entités à faces de Janus : en regardant vers le haut, vers le sommet, ils fonctionnent comme parties dépendant d'une totalité plus vaste; en regardant vers le bas, comme totalités autonomes de plein droit. « Autonomie », dans ce contexte, signifie que les organites, les cellules, les neurones, les organes ont tous leur rythme et leur type intrinsèques qui souvent se manifestent spontanément sans stimulation extérieure, et qu'ils tendent à poursuivre et à affirmer leur structure caractéristique d'activité. Cette *tendance assertive* est une caractéristique fondamentale et universelle des holons mise en évidence à tous les échelons de tous les types de hiérarchies : dans les propriétés régulatrices de la morphogénèse qui défient la transplantation et la mutilation expérimentale; dans l'obstination des rituels instinctifs, des habitudes acquises, des traditions tribales et des coutumes; et même dans l'écriture que l'on ne peut jamais assez déguiser pour tromper un graphologue. A défaut de cette tendance assertive de leurs éléments les organismes et les sociétés perdraient leurs articulations et leur stabilité.

L'aspect opposé du holon est sa *tendance participative* : sa tendance à fonctionner comme partie intégrante d'un tout existant ou croissant. Les manifestations en sont également omniprésentes, depuis la « docilité » des tissus embryonnaires jusqu'à la symbiose des organites dans la cellule et aux diverses formes de cohésion : troupeaux, sociétés d'insectes, tribus humaines.

On arrive ainsi à la *polarité des tendances assertives et participatives des holons à tous les niveaux*. Cette polarité est d'une importance fondamentale pour le concept d'ordre hiérarchique (OHOA). En fait, elle est incluse dans le modèle de hiérarchie à niveaux multiples, puisque la stabilité de la hiérarchie dépend de l'équilibre des deux tendances opposées de ses holons. Empiriquement la stabilité qui est postulée peut se détecter dans tous les phénomènes de la vie; sous son aspect théorique elle ne dérive pas d'un dualisme métaphysique quelconque, elle serait plutôt à considérer comme une application de la troisième loi du mouvement de Newton (action et réaction) aux systèmes hiérarchiques. On peut même étendre la polarité à la nature organique : partout où existe un système relativement stable, depuis les atomes jusqu'aux galaxies, la stabilité est maintenue par l'équilibrage de forces contraires, dont l'une peut être centrifuge, séparatrice ou dite d'inertie, l'autre centripète, de cohésion ou d'attraction, et qui les unes et les autres font que les parties demeurent à leur place dans le tout et assurent l'intégrité de l'ensemble.

Le champ d'application le plus fertile de ce schéma est peut-être l'étude des émotions et des désordres affectifs sur le plan individuel et sur le plan social. Dans les conditions de stress la partie affectée d'un organisme peut subir un excès de stimulation et tendre à échapper à la domination du tout [21]. Les conséquences peuvent aller jusqu'à des modifications pathologiques de nature irréversible, comme les tumeurs malignes dans lesquelles la prolifération des tissus échappe à tous les freins génétiques. A un niveau moins extrême, presque tout organe et toute fonction peuvent s'emballer temporairement et partiellement. Dans la colère et dans la peur l'appareil sympathico-adrénal prend la place des centres supérieurs qui coordonnent normalement le comportement; dans l'excitation sexuelle les gonades semblent remplacer le cerveau. L'idée fixe, l'obsession extravagante sont des holons cognitifs déchaînés. Il y a toute une gamme de désordres psychiques dans lesquels une quelconque partie subordonnée de la hiérarchie mentale exerce sa tyrannie sur le tout, depuis la domination insidieuse des complexes « refoulés » jusqu'aux grandes psychoses dans lesquelles des pans entiers de la personnalité semblent faire sécession et mener une vie quasi indépendante. Les aberrations de l'esprit sont dues bien souvent à la poursuite obsédée d'une vérité partielle, traitée comme s'il s'agissait de la vérité absolue : un holon déguisé en totalité.

Si l'on passe aux *hiérarchies sociales* on voit aussi que dans des conditions normales les holons (clans, tribus, nations, classes, catégories professionnelles) vivent dans une sorte d'équilibre dynamique avec leur environnement naturel et social. Mais dans des conditions de stress, quand les tensions dépassent un seuil critique, un holon social soudain surexcité peut tendre à s'affirmer aux dépens de l'ensemble, exactement comme un organe surexcité. On remarquera que le canon qui définit l'identité des holons sociaux et assure leur cohésion (lois, langues, traditions, règles de conduite, croyances) ne représente pas seulement des contraintes négatives, mais aussi des préceptes, des maximes, des impératifs éthiques.

L'individu constitue le sommet de la hiérarchie organique, et en même temps l'unité la plus basse de la hiérarchie sociale. S'il se regarde il se voit comme tout unique et autarcique, et comme partie dépendante s'il regarde au-dehors. Un homme n'est pas une île, c'est un holon. Sa tendance assertive est la manifestation dynamique de son unicité et de sa totalité en tant qu'individu; sa tendance participative exprime sa dépendance à l'égard du tout auquel il appartient, sa partiellité. Dans des conditions normales les deux tendances sont plus ou moins équilibrées. Dans des conditions de stress, l'équilibre est rompu, comme on le constate dans le comportement émotif. Les émotions provenant des tendances assertives sont du type agresso-défensif bien connu : la faim, la fureur, la peur, ainsi que l'élément possessif du sexe. Les émotions provenant de la tendance participative ont été généralement négligées par la psychologie contemporaine : on peut les nommer émotions transcendantes, ou de type participatif. Elles sont dues au besoin qu'éprouve le holon humain de faire partie intégrante d'un ensemble plus vaste, qui peut être un groupe social, ou un autre individu, ou une religion, ou la nature, ou l'*anima mundi*. Les processus psychologiques à travers lesquels opère cette catégorie d'émotions reçoivent des noms divers : projection, identification, empathie, rapport hypnotique, dévouement, amour... C'est une des ironies de la condition humaine qu'apparemment sa misère comme sa grandeur ne vient pas des forces assertives de l'espèce, mais de son potentiel de participation et d'intégration. Les splendeurs des arts et des sciences, et les massacres provoqués par des fois aberrantes sont dus également aux émotions transcendantes.

En conclusion, cette esquisse fragmentaire aura sans doute indiqué que dans le modèle OHOA ce qu'on appelle instinct agressif ou instinct de destruction n'a pas de place; il n'y en a pas davantage pour la réification de l'instinct sexuel considéré comme la *seule* force d'intégration dans les sociétés animales ou humaines. Éros et Thanatos sont relativement tard venus sur la scène de l'évolution : des milliers d'êtres qui se multiplient par fission ou bourgeonnement les ignorent. Dans notre conception Éros vient de la tendance participative, Thanatos le destructeur de la tendance assertive, et Janus symbolise la polarité de ces deux propriétés irréductibles, de la matière vivante; c'est la *coincidencia oppositorum* chère à von Bartalanffy, et qui est inhérente aux hiérarchies ouvertes de la vie.

RÉSUMÉ : QUELQUES PROPRIÉTÉS GÉNÉRALES
DE L'ORDRE HIÉRARCHIQUE OUVERT AUTORÉGULATEUR

1. Le holon

1.1. Sous son aspect structurel l'organisme n'est pas un agrégat de parties élémentaires, sous ses aspects fonctionnels il n'est pas un enchaînement d'unités élémentaires de comportement.

1.2. L'organisme doit être considéré comme une hiérarchie à plusieurs niveaux de sous-ensembles semi-autonomes, se ramifiant en sous-ensembles d'ordre inférieur, et ainsi de suite. On appellera *holons* les sous-ensembles de n'importe quel niveau de la hiérarchie.

1.3. Dans le domaine de la vie il n'existe ni parties ni touts au sens absolu. Le concept de holon a pour but de concilier la conception holiste et la conception atomiste.

1.4. Les holons biologiques sont des systèmes ouverts autorégulateurs qui ont à la fois les propriétés autonomes des totalités et les propriétés de dépendance des parties. Cette dichotomie apparaît à chaque niveau de chaque type d'organisation hiérarchique; on l'appellera « phénomène Janus ».

1.5. Plus généralement, le terme de holon peut s'appliquer à tout sous-ensemble biologique ou social stable manifestant un comportement régi par des règles et (ou) une constante de Gestalt structurelle. C'est ainsi que les organites et les organes homologues sont des holons évolutionnaires; les champs morphogénétiques, des holons ontogénétiques; les « schèmes d'action fixes » de l'éthologiste et les éléments des techniques acquises, des holons de comportement; les phonèmes, les morphèmes, les mots, les phrases, des holons linguistiques; les individus, les familles, les tribus, les nations, des holons sociaux.

2. Dissection des hiérarchies

2.1. Les hiérarchies sont « dissécables » en embranchements, qui les constituent, et dont les holons représentent les nœuds; les ramifications figurent les circuits de communication et de contrôle.

2.2. Le nombre des niveaux que comporte une hiérarchie mesure la « profondeur » de cette hiérarchie, le nombre des holons à n'importe quel niveau donné en exprime « l'envergure » (Simon).

3. Règles et stratégies

3.1. Les holons fonctionnels obéissent à des règles fixes et manifestent des stratégies plus ou moins souples.

3.2. Les règles — appelées *canons* du système — déterminent les propriétés invariables du système, sa configuration structurelle et (ou) son schème fonctionnel.

3.3. Alors que le canon définit les mouvements possibles dans l'activité du holon, la sélection stratégique de tel ou tel mouvement parmi les choix possibles est guidée par les contingences du milieu.

3.4. Le canon fixe les règles du jeu, la stratégie décide du déroulement de la partie.

3.5. Le processus de l'évolution joue des variations sur un nombre limité de thèmes « canoniques ». Les contraintes imposées par le canon évolutionnaire se révèlent dans les phénomènes d'homologie, d'homéoplastie, de parallélisme, de convergence et dans la loi du balancement.

3.6. Dans l'ontogénèse, les holons situés à des niveaux successifs représentent des stades successifs du développement des tissus. A chaque stade du processus de différenciation, le canon génétique impose de nouvelles contraintes aux potentialités de développement du holon, qui conserve cependant assez de souplesse pour suivre l'une ou l'autre de deux voies possibles de développement, dans les limites de sa compétence, en suivant les indications des contingences du milieu.

3.7. Structurellement, l'organisme adulte est une hiérarchie de parties imbriquées.

3.8. Fonctionnellement, le comportement des organismes obéit à des « règles du jeu » qui en expliquent la cohérence, la stabilité et la forme spécifique.

3.9. Les techniques, innées ou acquises, sont des hiérarchies fonctionnelles dont les holons sont des sous-techniques obéissant à des règles subordonnées.

4. Intégration et assertion

4.1. Chaque holon a une double tendance à conserver et affirmer son individualité en tant que totalité quasi autonome, et à fonctionner comme partie intégrée d'une totalité plus vaste (existante ou en cours d'évolution). Cette polarité de la tendance à l'assertion et de la tendance à l'intégration est inhérente au concept d'ordre hiérarchique; c'est une caractéristique universelle de la vie.

Les tendances assertives sont l'expression dynamique de la totalité du holon, les tendances intégratives sont celles de sa partiellité.

4.2. On trouve une polarité analogue dans le jeu des forces de cohésion et de séparation qui s'exercent dans les systèmes inorganiques stables, depuis les atomes jusqu'aux galaxies.

4.3. La manifestation la plus générale des tendances intégratives est le renversement de la seconde loi de la thermodynamique dans les systèmes ouverts qui se nourrissent d'entropie négative (Schrödinger), de même que la poussée de l'évolution vers « le développement spontané d'états d'hétérogénéité et de complexité croissantes » (Herrick).

4.4. Ses manifestations spécifiques à différents niveaux vont de la symbiose des organites et des animaux vivants en colonies jusqu'aux liens d'intégration des sociétés d'insectes et de primates, en passant par les forces de cohésion qui rassemblent les troupeaux. Les manifestations complémentaires des tendances assertives sont l'esprit de compétition, l'individualisme et les forces séparatrices du tribalisme, du nationalisme, etc.

4.5. Dans l'ontogénèse, la polarité se reflète dans la « docilité » et la « détermination » des tissus en voie de croissance.

4.6. Dans le comportement adulte, la tendance assertive des holons fonctionnels se reflète dans l'obstination des rites instinctifs (schèmes d'actions fixes), des habitudes (écriture, accents) et dans les stéréotypes de la pensée; la tendance intégrative se reflète dans les adaptations souples, les improvisations, les actes créateurs qui inaugurent de nouvelles formes de comportement.

4.7. Dans les conditions de stress, la tendance assertive se manifeste dans les émotions du type adrénergique, agresso-défensif, la tendance intégrative dans les émotions du type autotranscendant (émotions de participation, d'identification).

4.8. Dans le comportement social, le canon d'un holon social ne représente pas seulement les contraintes imposées à ses actions : il englobe les maximes de conduite, les impératifs moraux, les systèmes de valeurs.

5. Déclics et filtres

5.1. Les hiérarchies d'émission *(output)* opèrent généralement selon le principe du déclenchement, un signal relativement simple, implicite ou codé, déclenchant des mécanismes complexes préétablis.

5.2. Dans la phylogénèse, une mutation génétique favorable peut, par homéorhèse (Waddington), affecter harmonieusement le développement de tout un organe.

5.3. Dans l'ontogénèse, des déclencheurs chimiques (enzymes, inducteurs, hormones) déclenchent les potentiels génétiques des tissus en voie de différenciation.

5.4. Dans le comportement instinctif, des signaux simples déclenchent des mécanismes innés (Lorenz).

5.5. Dans l'exécution de techniques acquises, techniques verbales incluses, un commandement implicite généralisé est explicité en descendant des échelons successifs, dont l'action, une fois déclenchée, active les unités subordonnées dans l'ordre stratégique approprié, conformément aux indications de rétroaction.

5.6. Un holon au niveau n d'une hiérarchie d'émission *(output)* est représenté au niveau n + 1 comme unité, et c'est aussi en tant qu'unité que son action se déclenche. En d'autres termes un holon est un système de *relata* représenté comme *relatum* au niveau supérieur suivant.

5.7. Les mêmes principes s'appliquent aux hiérarchies sociales (militaires, administratives, etc.).

5.8. Les hiérarchies d'admission *(input)* opèrent d'après le principe inverse : au lieu de déclencheurs elles ont des dispositifs de filtrage (filtres, « résonateurs », « classificateurs ») qui débarrassent l'information de sa gangue de bruit, en extraient et résument le contenu pertinent, selon les critères de pertinence de la hiérarchie en question. Les « filtres » opèrent à tous les échelons que le courant d'information doit gravir en montant de la périphérie au centre, dans les hiérarchies sociales comme dans le système nerveux.

5.9. Les déclencheurs convertissent les signaux codés en schémas d'émission complexes *(output)*. Les filtres convertissent les schémas d'admission complexes *(input)* en signaux codés. On peut comparer l'opération des premiers à la conversion d'un système chiffré en système analogue, celle des seconds à la conversion d'un système d'analogie en système chiffré [22].

5.10. Dans les hiérarchies perceptuelles, les dispositifs de filtrage concernent l'habituation et le contrôle efférent des organes récepteurs, les phénomènes de constance, la reconnaissance des structures spatiales ou temporelles, le décodage des formes de signification linguistiques et autres.

5.11. Les hiérarchies d'émission analysent, concrétisent, particularisent. Les hiérarchies d'admission synthétisent, abstraient, généralisent.

6. *Arborisation et réticulation*

6.1. On peut considérer les hiérarchies comme des structures « verticalement » arborescentes dont les branches se croisent avec celles d'autres hiérarchies à une multiplicité de niveaux et forment des réseaux « horizontaux » : arborisation et réticulation sont des principes complémentaires de l'architecture des organismes et des sociétés.

6.2. L'expérience consciente est enrichie par la coopération de plusieurs hiérarchies perceptuelles dans des modalités sensorielles différentes, ainsi que dans une même modalité.

6.3. Les souvenirs schématisés sont emmagasinés sous une forme squelettique, dépouillés de tous détails inutiles d'après les critères de pertinence de chaque hiérarchie perceptuelle.

6.4. Certains détails vivants, d'une clarté presque eidétique, sont emmagasinés en raison de leur pertinence émotive.

6.5. L'appauvrissement de l'expérience dans la mémoire est contrecarré dans une certaine mesure par la coopération des souvenirs de différentes hiérarchies perceptuelles pourvues de différents critères de pertinence.

6.6. Dans la coordination sensori-motrice, les réflexes locaux sont des raccourcis au plus bas niveau, comparables aux échangeurs qui relient entre elles les voies à sens unique d'une autoroute.

6.7. Les techniques sensori-motrices opèrent à des niveaux supérieurs au moyen de réseaux de boucles de rétroactions proprioceptives et hétéroceptives, qui fonctionnent comme des servo-mécanismes et maintiennent le cycliste en équilibre dans un état d'homéostasie cinétique autorégulatrice.

6.8. Alors que dans la théorie S-R les circonstances du milieu déterminent le comportement, dans la théorie présentée ici elles ne font que guider, corriger et stabiliser des systèmes de comportement pré-existants (Weiss).

6.9. Si les rétroactions sensorielles guident les activités motrices, la perception dépend à son tour de ces activités : mouvements de reconnaissance de l'œil, par exemple, ou essais de fredonnement destiné à aider un souvenir auditif. Les hiérarchies perceptuelles et motrices coopèrent si intimement à tous les niveaux qu'il devient absurde de distinguer catégoriquement entre « stimuli » et « réponses », les uns et les autres devenant des « aspects de boucles de rétroaction » (Miller *et al.*).

6.10. Les organismes et les sociétés opèrent dans une hiérarchie d'environnements, depuis l'environnement local de chaque holon jusqu'au « champ total », lequel peut inclure des environnements imaginaires provenant d'une extrapolation dans l'espace et le temps.

7. *Voies de régulation*

7.1. Les échelons supérieurs d'une hiérarchie ne sont pas, normalement, en communication directe avec les échelons inférieurs, et réciproquement; les signaux sont transmis par des « voies de régulation » et à la montée comme à la descente ne franchissent qu'un échelon à la fois.

7.2. Les pseudo-explications qui font du comportement verbal et des autres techniques humaines une manipulation de mots ou un enchaînement d'opérants laissent un vide entre le sommet de la hiérarchie et l'extrémité des branches : entre la pensée et l'orthographe.

7.3. Brûler les étapes des niveaux intermédiaires en dirigeant l'attention consciente sur des processus qui d'habitude fonctionnent automatiquement, c'est risquer de causer des perturbations qui vont de la timidité aux désordres psychosomatiques.

8. *Mécanisation et liberté*

8.1. A mesure qu'on s'élève dans la hiérarchie, les holons manifestent des types d'activité de plus en plus complexes, de plus en plus souples, de moins en moins prévisibles; à mesure qu'on descend on trouve des activités de plus en plus mécaniques, stéréotypées et prévisibles.

8.2. Toutes les techniques, innées ou acquises, tendent avec la pratique à devenir des routines automatiques. On peut décrire ce processus comme une transformation continuelle d'activités « mentales » en activités « machinales ».

8.3. Toutes choses égales d'ailleurs, un milieu monotone facilite la mécanisation.

8.4. Inversement, des circonstances nouvelles ou inattendues exigent que les décisions soient renvoyées à des échelons supérieurs, et que les commandes passent des activités « machinales » aux activités « réfléchies ».

8.5. Chaque passage des commandes à l'échelon supérieur se reflète par une conscience plus vive et plus précise de l'activité en cours; et puisque la diversité des choix augmente avec la complexité des échelons, chaque passage à l'échelon supérieur s'accompagne de l'expérience subjective de la liberté de décision.

8.6. La conception hiérarchique remplace les théories dualistes par une hypothèse sérialiste dans laquelle le « mental » et le « mécanique » apparaissent comme des attributs complémentaires d'un processus unitaire, la domination de l'un ou de l'autre dépendant des changements de niveau des commandes.

8.7. La conscience apparaît comme une qualité émergente dans la phylogénèse et l'ontogénèse qui depuis ses débuts, évolue vers des états plus complexes et plus précis. C'est la plus haute manifestation de la tendance intégrative à extraire l'ordre du désordre et l'information du bruit.

8.8. Le moi n'est jamais complètement représenté dans sa conscience, et ses actes ne seront jamais complètement prédits par quelque procédé d'information que l'on puisse concevoir. Dans les deux cas l'effort de connaissance mène à une régression à l'infini.

9. *Équilibre et désordre*

9.1. On dit qu'un organisme ou une société est en équilibre si les tendances assertives et intégratives de ses holons se font contrepoids.

9.2. Le terme d' « équilibre », dans un système hiérarchique, ne se rapporte pas aux relations entre les parties situées au même niveau, mais à la relation de la partie et du tout (le tout étant représenté par l'agent qui, du niveau immédiatement supérieur, dirige la partie).

9.3. Les organismes vivent d'échanges avec leur environnement. Dans des conditions normales, les tensions provoquées dans les holons concernés par l'échange sont transitoires, et l'équilibre est restauré quand l'échange s'accomplit.

9.4. Si le défi lancé à l'organisme dépasse un seuil critique, l'équilibre peut être rompu, le holon hyperexcité peut tendre à s'émanciper et à s'affirmer au détriment de l'ensemble, dont il peut même monopoliser les fonctions — que le holon soit un organe, une structure cognitive (idée fixe) un individu ou un groupe social. Il peut en aller de même si les forces de coordination de l'ensemble sont trop affaiblies pour pouvoir encore contrôler les parties (Child).

9.5. Le désordre contraire se produit quand le pouvoir du tout sur les parties abolit l'autonomie de celles-ci, érode leur individualité. Cela peut amener les tendances intégratives à reculer des formes adultes d'intégration sociale à des formes primitives d'identification pour descendre jusqu'aux phénomènes quasi hypnotiques de la psychologie des groupes.

9.6. Le processus d'identification peut soulever des émotions agressives de seconde main.

9.7. Les règles de conduite d'un holon social ne sont pas réductibles aux règles de conduite de ses membres.

9.8. L'égotisme du holon social se nourrit de l'altruisme des membres de ce holon.

10. Régénération

10.1. Les défis critiques que doit affronter un organisme ou une société peuvent produire soit des effets de dégénérescence soit des effets régénérateurs.

10.2. Le potentiel régénérateur des organismes et des sociétés se manifeste dans des fluctuations qui vont du plus haut niveau d'intégration jusqu'à des niveaux plus anciens et primitifs, pour remonter vers des structures nouvelles. Il semble que de tels processus jouent un grand rôle dans l'évolution biologique et dans l'évolution intellectuelle : les mythes universels de la mort et de la résurrection en sont les symboles.

ANNEXE II

EXPÉRIENCE SUR LA PERCEPTION *
Arthur Koestler et James J. Jenkins

Les auteurs expriment leur reconnaissance à Donald Foss, qui a rassemblé et codé les données. Ils remercient également les professeurs Douglas Lawrence et Ernest Hilgard (université Stanford), Arnold Mechanic et Joanne d'Andrea (collège de Californie, Hayward) pour l'aide qu'ils ont apportée à cette étude.

RÉSUMÉ

L'expérience indique qu'une erreur courante dans la perception de séquences visuelles est l'inversion ou la transposition de deux éléments adjacents ou plus. Ce phénomène fait penser que l'information concernant l'identité des éléments et leurs positions peut être partiellement séparable. Une expérience de perception a été réalisée par exposition tachistoscopique de séquences de 5, 6 et 7 chiffres. Un grand nombre de cas d'erreurs de transposition a été constaté. De plus, ces erreurs se répartissent sur une courbe sérielle de position très semblable à ce qui apparaît pour des erreurs de chiffre.

* Cf. chapitre premier (13). Reproduit avec l'autorisation de *Psychon. Sci.,* 1965, 3, 75-6.

PROBLÈME

Alors que le conditionnement de l'information dans la perception visuelle a été souvent étudié au cours des dernières années[1] un phénomène courant de conditionnement fautif, qui peut avoir une certaine importance théorique, semble avoir été laissé de côté. Nous voulons parler de l'inversion (ou transposition) de chiffres adjacents dans une série d'unités montrée au tachistoscope. Bien que de telles erreurs soient assez fréquentes en comptabilité et qu'elles soient notées par un signe spécial de correction d'épreuves, il n'en est pas fait mention dans l'examen de la perception visuelle et de la mémoire dans les ouvrages courants comme ceux d'Osgood[2] et celui de Woodworth et Schlosberg[3].

L'appréhension d'une série de chiffres et leur répétition subséquente dans la séquence correcte doit comporter soit le stockage *ordonné* des éléments, soit le stockage d'une information relative à cette ordonnance. L'information qui identifie un élément et celle qui définit sa place dans la séquence doivent être l'une et l'autre disponibles pour que le sujet réussisse le test.

Il n'est pas facile de démontrer que ces deux sortes d'information sont potentiellement séparables. Si un sujet fait une terreur d'identité, en donnant un chiffre incorrect ou une réponse nulle, cela peut indiquer qu'il a seulement perdu une information d'identité. Mais cet argument n'est pas concluant, car si le sujet n'avait acquis aucune information sur le chiffre en question, et avait une information complète sur les autres chiffres, le résultat serait le même. En revanche, l'inversion de deux chiffres ou la permutation de trois chiffres ou plus, fournit un argument convaincant puisque c'est une preuve *prima facie* que l'information d'identité est juste tandis que l'information positionnelle est incomplète ou déformée.

Les buts de la présente étude étaient de démontrer que le phénomène de transposition peut être observé en laboratoire et de décrire la position de ses occurrences probables dans une séquence donnée.

MÉTHODE

Les matériaux de stimulus étaient 80 cartes 4 × 6 sur lesquelles étaient dactylographiées en caractères élite des séquences de chiffres. Les 80 séquences étaient divisées en quatre séries de 20 cartes chacune. La première portait des séquences longues de 5 chiffres; la seconde et la troisième de 6 chiffres; la quatrième de 7. Les séquences donnaient les chiffres de 1 à 9, chaque chiffre n'étant répété qu'une seule fois par carte, et la répétition n'étant jamais consécutive. Les séries étaient présentées dans l'ordre indiqué ci-dessus, et rangées chaque fois au hasard, le rangement étant utilisé dans un sens pour la moitié des sujets et dans l'autre pour la seconde moitié. Les matériaux étaient présentés à l'aide d'un tachistoscope du type miroir.

Les sujets étaient 14 étudiants en première année de psychologie. L'expérimentateur donnant un signal quand la carte était en place, le sujet activait le tachistoscope dès qu'il était prêt en abaissant un commutateur. Il lui était demandé de dire à haute voix la séquence de chiffres immédiatement après l'apparition de l'image, et de deviner s'il n'était pas sûr d'un ou deux chiffres. Il savait toujours le nombre des chiffres. Les réponses étaient enregistrées sur bande. Chaque séquence n'était exposée qu'une seule fois, le sujet ne recevant aucun renseignement sur la correction de sa réponse.

Après deux séquences d'entraînement destinées à habituer le sujet à l'appareil et à procurer à l'expérimentateur une certaine information sur le seuil de perception, les tests étaient présentés, avec un repos d'une minute entre chaque série.

La durée d'exposition était adaptée individuellement à chaque sujet. Les essais préliminaires avaient indiqué que les transpositions se produisaient surtout au moment où le sujet commençait à manquer un ou deux chiffres. L'expérimentateur essayait donc d'avoir un intervalle d'exposition assez long pour que les sujets donnent le bon nombre de chiffres, assez court pour qu'ils ne donnent pas toujours les chiffres avec exactitude. Après cinq cartes, l'expérimentateur décidait de conserver le temps d'exposition ou de le modifier. L'exercice entraînant des effets de fatigue et devenant plus difficile, l'expérimentateur continuait de modifier le temps d'exposition au cours de l'expérience. En général les changements se sont faits par degrés de 10 microsecondes, mais quelquefois les durées ont été plus longues pour des sujets réussissant nettement moins bien que la moyenne.

RÉSULTATS ET DISCUSSION

Les réponses ont été transcrites, puis notées d'après les catégories suivantes :
C = correct
E = erreur grossière
I = un chiffre faux, ou une « non réponse » pour un chiffre
T = transposition de deux chiffres adjacents, le reste de la séquence étant juste
T^1 = transposition de trois chiffres ou plus, le reste étant correct
IT = transposition de deux chiffres ou plus, et un chiffre faux.
O = autres erreurs, ordinairement erreurs d'expérimentation ou d'équipement.

Les résultats sont donnés d'après ces catégories au tableau I. L'examen de ce tableau montre que la transposition fournit une importante source d'erreurs. Il est difficile cependant de trouver un modèle statistique qui procure une évaluation précise de la signification statistique de ces erreurs. Comme le soulignent Woodworth et Schlosberg[4] à propos de la notation du temps de mémoire, tout système de notation qui prétend faire une distinction entre exactitude et ordre est arbitraire. C'est ainsi que tout modèle statistique doit tenir compte d'une part des stratégies du sujet (a-t-il remarqué que les chiffres peuvent se répéter à l'intérieur d'une séquence, et dans ce cas a-t-il modifié en conséquence sa manière de deviner?) et d'autre part des interrelations de types d'erreur (que nous ne connaissons pas encore). Heureusement la question n'est pas cruciale dans le présent contexte. La seule question à se poser est de savoir s'il y a davantage de transpositions que ce qu'on aurait dû attendre du fait du hasard (quelle que soit la définition du hasard).

TABLEAU I

Répartition des réponses par catégories pour chaque série de stimuli
(280 éléments)

Code de notation	5 chiffres	6 chiffres	6 chiffres	7 chiffres
C	130	60	65	12
E	21	67	47	122
I	30	43	50	21
T	23	23	32	12
T^i	2	14	5	9
IT	44	64	73	96
O	10	9	8	8

Nous pensons que la réponse est claire. Sur 140 erreurs dans les séquences de 5 chiffres, 69 comportent des transpositions; sur les 211 et 207 erreurs faites dans les séquences de 6 chiffres, respectivement 101 et 110 contiennent des transpositions; sur les 260 erreurs faites dans la série de 7 chiffres, 117 contiennent une transposition. Il est évident que jusqu'au moment où l'exercice devient trop difficile (et la réponse impossible à noter) la moitié des erreurs approximativement comporte des transpositions. Aucun des modèles de « devinette » ou de hasard que nous avons imaginés ne peut expliquer ce résultat. Il semble beaucoup plus simple de conclure que dans une grande proportion des erreurs le sujet possède l'information juste sur l'identité de certains chiffres et qu'il a perdu l'information sur leur emplacement exact.

Dans une première étape de description du phénomène la répartition des erreurs de position a été obtenue pour les plus simples erreurs de deux sortes. Le tableau II localise l'erreur pour chacun des cas où un chiffre est faux (erreur I). Le tableau III donne la position des deux chiffres transposés en cas de transposition unique (erreur T). On voit que les deux séries de répartition pour toutes les longueurs de séquences manifestent le même effet de position sériel, ce qui laisse penser que les deux sortes d'erreurs sont susceptibles de la même forme d'interférence. Si l'on retient tous les chiffres, il est très peu probable qu'on aura une information précise sur leurs positions dans la dernière moitié de la séquence. Inversement, si l'on fait une erreur d'identité sur un chiffre, il est très probable que ce sera un chiffre situé dans la dernière moitié de la liste. La transposition la plus probable pour toute longueur de séquence semble comporter l'inversion d'ordre du chiffre placé dans la position la plus difficile dans la séquence et du chiffre qui le précède immédiatement.

La nature psychologique de chaque sorte d'erreur n'est pas claire, mais il semble vraisemblable que des travaux futurs permettront de diminuer le champ des alternatives. Il serait particulièrement intéressant de savoir, par exemple, si la transposition est aussi fréquente lorsque l'expérience est menée selon la procédure de Sperling et lorsqu'on utilise une procédure de séquences rapides comme dans les recherches sur les souvenirs à court terme.

Sans pouvoir maintenant décider de la nature profonde du phénomène de transposition, nous croyons que ce test s'accorde avec l'expérience ordinaire pour signaler une déformation pénétrante dans la perception visuelle et dans le système d'énoncé dont il y a lieu de tenir compte dans les théories du traitement de l'information.

TABLEAU II

Position des erreurs dans les cas d'un chiffre faux

	Position						
Séquence	*1*	*2*	*3*	*4*	*5*	*6*	*7*
5 chiffres	1	1	4	34	10	—	—
6 chiffres	0	2	1	4	31	6	—
6 chiffres	0	1	3	11	25	10	—
7 chiffres	0	0	2	0	7	8	4

TABLEAU III

Position des chiffres transposés dans les erreurs
comportant une seule transposition

Séquence	Positions transposées					
	1-2	2-3	3-4	4-5	5-6	6-7
5 chiffres	0	2	18	3	—	—
6 chiffres	0	2	1	17	3	—
6 chiffres	0	5	1	21	5	—
7 chiffres	0	0	0	3	7	2

NOTES
SUR LE SYSTÈME NERVEUX AUTONOME *

En général (mais il y a des exceptions importantes, nous l'avons vu) les deux divisions exercent une action mutuellement antagoniste : elles s'équilibrent. La division sympathique prépare l'animal à des réactions immédiates aux pressions de la faim, de la douleur, de la colère, de la peur. Elle accélère le pouls, augmente la pression sanguine, ajoute du sucre dans le sang pour renforcer l'énergie. A presque tous égards la division parasympathique fait le contraire : elle abaisse la pression sanguine, ralentit le cœur, neutralise l'excès de sucre, facilite la digestion et l'excrétion, et active les glandes lacrymales : elle est généralement calmante et cathartique.

Les deux divisions du système nerveux autonome sont régies par le cerveau limbique (hypothalamus et structures adjacentes). Leurs fonctions sont diversement décrites selon les auteurs. Allport[1] met les émotions agréables en relation avec le parasympathique, les désagréables avec le sympathique. Olds[2] distingue un système émotif « positif » et un « négatif », activés respectivement par les centres parasympathique et sympathique de l'hypothalamus. En partant d'un point de vue théorique tout différent Hebb arrive aussi à la conclusion qu'il y a lieu de distinguer deux catégories d'émotions, « celles dans lesquelles la tendance est de maintenir ou d'accroître les conditions stimulantes originelles (émotions agréables ou intégratives) » et « celles dans lesquelles la tendance est d'abolir ou de diminuer le stimulus (colère, peur, dégoût)[3] ». Pribram établit une dis-

* Cf. chapitre VIII (2).

tinction analogue entre émotions « préparatoires » (de défense) et « participatoires »[4]. Hess et Gellhorn distinguent un système ergotropique (consommateur d'énergie) opérant au travers de la division sympathique pour repousser des stimuli menaçants, et un système trophotropique (conservateur d'énergie) qui passe par le parasympathique pour répondre à des stimuli paisibles ou attrayants[5]. Gellhorn a résumé les effets affectifs de deux types de produits pharmaceutiques : les excitants comme la benzédrine d'une part, les tranquillisants comme la chlorpromazine d'autre part. Les premiers agissent sur le système sympathique, les seconds sur le parasympathique. Administrés par petites doses, les tranquillisants « font légèrement pencher l'équilibre hypothalamique du côté parasympathique, ce qui aboutit à un calme, une satisfaction, apparemment analogues à l'état qui précède immédiatement le sommeil, alors que des altérations plus prononcées peuvent provoquer un état dépressif[6] ». En revanche, les excitants activent la division sympathique, augmentent l'agressivité chez les animaux, et chez l'homme causent, en petites doses, vivacité et euphorie, en grosses doses hyperexcitation et comportement maniaque. Enfin Cobb pour exprimer en quelques mots le contraste implicite fait de « la colère la réaction la plus adrénergique, et de l'amour la plus cholinergique, typiquement parasympathique[7]. »

On constate ainsi chez les spécialistes une tendance générale à distinguer *deux catégories fondamentales d'émotions,* encore que les définitions en soient différentes. On voit aussi que ces auteurs s'accordent généralement à établir une certaine corrélation avec les deux divisions du système nerveux autonome.

ANNEXE IV

LES OVNI
FESTIVAL DE L'ABSURDE *

Il y a dans l'esprit du public une liaison, compréhensible mais contestable, entre communication avec des intelligences extra-terrestres et objets volants non identifiés (OVNI). A la conférence de 1971 sur les communications extra-terrestres ** les OVNI n'ont été mentionnés qu'en passant, et aucun participant n'a émis l'hypothèse qu'ils fussent d'origine extra-terrestre. L'astrophysicien Carl Sagan a résumé les principales raisons de ce scepticisme :

> Ces civilisations [extra-terrestres avancées] doivent être immensément en avance sur la nôtre. Il suffit de penser aux changements qui se sont produits dans l'humanité au cours des 10^4 dernières années et aux difficultés qu'auraient nos ancêtres du pléistocène à s'adapter à notre société actuelle pour comprendre quel abîme insondable représentent 10^8 ou 10^{10} années, même à un taux de progrès intellectuel très faible. De telles sociétés doivent avoir découvert des lois naturelles et inventé des technologies dont les applications nous paraîtraient indiscernables de la magie. On peut se demander sérieusement si ces sociétés s'intéressent plus à communiquer avec nous que nous ne nous intéressons à communiquer avec nos ancêtres protozoaires ou bactériens. Nous pouvons étudier les micro-organismes, mais d'ordinaire nous ne communiquons pas avec eux. J'envisage donc la possibilité qu'il existe un horizon d'intérêt de communication dans l'évolution des sociétés technologiques et qu'une civilisation beaucoup plus avancée que la nôtre s'affairerait surtout à communiquer avec ses égales, et non pas avec nous, et *non pas au moyen de techniques*

* Cf. chapitre XIV.
** Cf. chapitre XIV, (3) note.

qui nous seraient accessibles. Nous ressemblons peut-être aux habitants des vallées de la Nouvelle-Guinée qui peuvent communiquer par courriers ou tam-tam, mais qui ignorent l'immense réseau international de câbles et de radio qui leur passe dessus, autour et même à travers [1].

Les mots que j'ai mis en italiques font allusion (comme l'indique le contexte) à l'hypothèse selon laquelle les OVNI seraient des véhicules spatiaux ou des sondes automatiques larguées par de grands vaisseaux spatiaux (comme les engins d'atterrissage des fusées orbitales). En dépit de ce que l'on raconte sur leurs acrobaties aériennes, les OVNI ont une apparence et un comportement trop proches de « techniques qui nous seraient accessibles » pour convenir à des magiciens. Quant à l'argument qui nous présente comme trop primitifs pour être dignes d'étude on peut évidemment répondre que nos éthologistes et nos anthropologues ne se montrent pas si arrogants à l'égard des formes inférieures de vie et de culture. Mais l'argument va plus loin : si notre galaxie est aussi animée que le prétendent les astrophysiciens il doit y avoir un ordre de priorités dans les programmes d'exploration des magiciens, et même parmi les civilisations les plus humbles il se peut que nous n'ayons pas grand intérêt. D'un autre côté, si nous sommes aussi intéressants que le chauvinisme terrestre nous le laisse croire, pourquoi les OVNI évitent-ils si soigneusement tout contact avec nous par radio, par lasers, par holographes — sans parler de techniques avancées de perception extra-sensorielle? L'évitement du contact est bien la caractéristique principale et l'élément commun des multiples cocasseries des soucoupes volantes. Quant aux rares cas où des gens auraient eu des contacts avec des passagers « humanoïdes » d'OVNI, ils représentent, selon le mot d'un éminent spécialiste, « un véritable festival de l'absurde [2]. »

Dans ces conditions, pourquoi aborder ce sujet peu recommandable? D'abord parce qu'il y aurait, à mon sens, quelque lâcheté, après avoir parlé de civilisations extra-terrestres, à passer les OVNI sous silence — même s'il n'y a pas de rapport entre les deux questions. Ensuite, il semble bien qu'en fait, les OVNI (objets volants non identifiés ou inexpliqués, par opposition à objets volants identifiés) existent, quelle que soit leur origine. C'est ce que pensent apparemment près de la moitié des astronomes américains. Je cite quelques passages d'un article du *New Scientist :*

Les objets volants non identifiés (OVNI) méritent « certainement », « probablement » ou au moins « peut-être » une étude scientifique, déclarent 80 % des personnes ayant rempli un questionnaire envoyé aux membres de la prestigieuse Société astronomique américaine. Sur 2 611 membres, 1 356 ont répondu, dont 20 % seulement jugent que l'étude serait inutile.

En d'autres termes environ 40 % des membres de la Société sont en faveur d'investigations sur les OVNI. D'après un rapport de l'université Stanford de Californie, qui a mené l'enquête, 62 correspondants prétendent même avoir vu un OVNI...

Dans cinq cas les objets ont été vus au télescope, dans trois cas aux binoculaires. Dans sept cas il y a eu des photographies; l'organisateur de l'enquête,

Peter Sturrock, professeur d'astrophysique à Stanford, considère que pour deux d'entre elles il ne peut trouver aucune explication en dehors des OVNI.

Sturrock est nettement partisan d'une reprise des investigations sur les OVNI. Il condamne le Rapport Condon de 1969 qui a écarté les phénomènes d'OVNI et mis fin au « Projet Livre Bleu » (liste établie par l'armée de l'air des États-Unis des cas de perceptions d'« objets » par son personnel). « Il est essentiel que les hommes de science entreprennent des échanges d'informations pertinentes s'ils veulent contribuer à résoudre le problème des OVNI », déclare Sturrock [3].

Particulièrement impressionnants, ces soixante-deux astronomes — soit 5 % des personnes ayant répondu à l'enquête — qui affirment avoir vu eux-mêmes un OVNI. C'est beaucoup plus remarquable que le sondage Gallup de 1973, le dernier dans ce domaine, selon lequel 15 millions d'Américains prétendaient avoir vu des OVNI, et 51 % de la population croyaient à l'existence du phénomène OVNI [4]. Quand il s'agit du grand public on peut toujours expliquer ou écarter des chiffres de ce genre en parlant d'hystérie collective et d'illusions d'optique. Mais on suppose que des astronomes professionnels sont vaccinés contre pareilles erreurs.

En 1946, le maréchal sir Victor Goddard représentait la Royal Air Force au comité consultatif des chefs d'état-major à Washington. Il jugeait que les OVNI étaient le produit d'un canular, et fut de ceux qui persuadèrent le président Truman d'arrêter les recherches d'OVNI dans lesquelles l'aviation des États-Unis s'était engagée pour vérifier les rumeurs d'intrusion dans l'espace aérien américain. Or quelques années plus tard Goddard devait changer d'avis, et on lit dans le livre qu'il a publié *(Flight Towards Reality)* :

> En une trentaine d'années il y a eu probablement 200 000 récits d'apparitions d'OVNI enregistrés dans cent pays au moins. C'est à peu près la base des statistiques actuellement disponibles en Amérique du Nord et du Sud. Les rapports sur 10 000 vérifications complètes ont fourni des données qui aboutissent à deux conclusions : la première est qu'il ne reste que 6 % des prétendues apparitions d'OVNI qui soient inexpliquées; la seconde est que dans ce résidu sans solution (12 000 objets non identifiés à l'heure actuelle) il y en a sûrement que l'on a eu tout à fait raison de prendre pour ce qu'on prétendait, à savoir des objets réels, mais d'origine et de technicité inconnues... C'étaient effectivement des OVNI, rien d'autre, et les sceptiques les plus endurcis ne pourront pas le nier [5].

Dans plusieurs pays d'Europe et d'Amérique il existe aujourd'hui des groupes de recherche sur les OVNI, dirigés pour la plupart par des astronomes ou d'autres hommes de science qui en font leur passe-temps. Aux États-Unis le Centre d'étude des OVNI a classé sur ordinateur environ 80 000 rapports. Il a pour directeur-fondateur le professeur J. Allen Hynek, président du département d'astronomie à la North-Western University, ancien directeur-adjoint de l'observatoire d'astrophysique Smithsonian et astronome consultant du projet « Livre Bleu » de l'armée de l'air des États-Unis.

Mais alors pourquoi l'étude des OVNI a-t-elle encore mauvaise réputation? Une amusante analogie historique répond partiellement à cette question. Le passage suivant est extrait des *Principes de météoritique* de E. L. Krinov :

A l'époque des vigoureux progrès scientifiques qui eurent lieu au XVIIIe siècle, les savants parvinrent à la conclusion que la chute de météorites sur la terre est impossible; tout ce qu'on relatait à ce sujet fut traité de fable absurde. Par exemple, le minéralogiste suisse J. A. Deluc déclarait que « s'il voyait de ses yeux tomber une météorite il n'en croirait pas ses yeux ». Le plus étonnant est que même le célèbre chimiste Lavoisier signa en 1772 un mémoire de l'Académie des sciences qui concluait que « la chute de pierres tombant du ciel est physiquement impossible ». Enfin en 1790 quand la météorite Barbotan tomba sur le territoire d'une commune française et que le maire et son conseil se portèrent témoins de l'événement, le savant Berthollet écrivit : « Quelle tristesse que toute la municipalité enregistre officiellement des contes en les présentant comme des faits, alors qu'on ne peut les expliquer ni par la physique ni par quoi que ce soit de raisonnable [6]. »

Quand on y songe, au XVIIIe siècle les météorites n'étaient pas plus faciles à admettre que les OVNI aujourd'hui. D'où la même réaction de rejet. C'est ce qu'on a bien vu à l'occasion du scandale du « Rapport Condon », qui a pris les proportions d'un Watergate universitaire. Un des meilleurs résumés de cette affaire compliquée (qui aboutit à la mise en sommeil du Projet Livre Bleu de l'armée de l'air des États-Unis et au tabou jeté officiellement sur les OVNI) a été écrit par l'éminent historien de l'aviation Charles H. Gibbs-Smith. Je cite une version abrégée de son article (les italiques sont dans l'original) [7] :

Aux fins de cet article je ne m'occupe pas de savoir si les OVNI sont des véhicules venus des lointains espaces, des hamburgers lancés par des aéronautes en ballon, ou des taches devant les yeux de chats névrosés. Je m'occupe du statut et de la valeur d'un rapport scientifique, le « Rapport Condon sur l'étude scientifique d'Objets volants non identifiés », achevé en 1968 et communiqué à la presse en janvier 1969.

Le 9 août 1966 un mémorandum confidentiel a été adressé par un certain Robert J. Low à des responsables de l'université du Colorado à propos d'un projet de contrat entre cette université et l'armée de l'air des États-Unis, contrat aux termes duquel celle-là mènerait des recherches sur les OVNI et serait payée sur les fonds publics la bagatelle de quelque 500 000 dollars. Le projet devait être dirigé par le professeur Edward U. Condon, avec l'aide de M. Low (membre du personnel de l'université) en qualité de coordinateur et « homme clef des opérations ». Le mémorandun en question a été rédigé *avant* que le contrat fût signé par l'université et l'armée de l'air.

Le mémorandum Low s'intitulait *Réflexions sur le Projet OVNI* et contenait les passages suivants (les italiques sont de moi) :

« ... Notre étude serait menée presque exclusivement par des non-croyants qui, sans pouvoir évidemment *prouver* un résultat négatif, pourraient accumuler et accumuleraient probablement un ensemble impressionnant de données montrant qu'il n'y a aucune réalité dans les observations. *A mon sens le tour consisterait à décrire le projet de manière qu'il apparaisse au public comme une étude parfaitement objective mais qu'à la communauté scientifique il évoque un groupe de non-croyants faisant de leur mieux pour être objectifs mais dans* l'expectative presque nulle de découvrir une soucoupe. Un bon moyen serait de pousser l'investigation non pas des phénomènes physiques, mais plutôt des gens qui en font l'observation : psychologie et sociologie des personnes et des groupes qui disent avoir vu des OVNI. *Si on insistait là-dessus plutôt que sur l'examen de la vieille question de la réalité physique de la soucoupe, je crois que la communauté scientifique saisirait vite le message...* J'incline à penser, à ce stade préliminaire, que si nous organisons bien la chose, si nous prenons bien soin d'engager dans l'entreprise les gens qu'il faut et si nous réussissons à *présenter à la communauté scientifique l'image que nous voulons, nous pouvons réussir l'affaire à notre profit...* »

Ce mémorandum a été découvert par un chercheur à la fin de 1967 par hasard, et révélé au public dans le magazine *Look* en mai 1968...

On est obligé de considérer le mémorandum Low comme un acte délibérément calculé pour tromper; pour tromper d'abord la communauté scientifique et à travers elle le public. Je ne connais aucun parallèle à notre époque à un acte de duplicité aussi cynique de la part d'un fonctionnaire d'université... Du fait de pareil document, l'honnêteté de tout le projet était compromise d'avance. Les paroles de M. Low dévoilent que tous les éléments du rapport (à l'insu du lecteur, homme de science ou profane) pouvaient finalement servir à présenter le biais grâce auquel « la communauté scientifique saisirait vite le message ». En langage clair cela signifie qu'on méditait une distorsion délibérée de la vérité *avant* que le contrat fût signé avec l'armée de l'air; ce qui d'ailleurs indique qu'il y avait *accord* avec quelqu'un ou quelque organisme sur ce que serait le sens du fameux « message ». L'idée de distorsion a donc inévitablement dû envahir toute la texture du rapport et conditionné ce qui a été inclus, ce qui a été exclu; ce qui a été mis en vedette et ce qui a été mis en sourdine; ce qui a été dit d'une certaine façon et ce qui n'a pas été dit; ce qui a été sous-entendu, ce qui n'a pas été sous-entendu...

Le mémorandum donne aussi l'impression d'un mépris implicite pour le problème des OVNI que l'université était grassement payée pour étudier... Ce qui montre bien la malhonnêteté qui environne tout le projet c'est qu'*à aucun moment les parties concernées n'ont répudié ni même déploré le mémorandum Low.* Ni l'université du Colorado ni l'armée de l'air n'ont trouvé un seul mot pour expliquer un comportement qui attaque les fondements même de l'intégrité scientifique.

On devine assez aisément les raisons de cette conspiration — puisqu'il semble qu'on ne puisse appeler cela autrement. Des scientifiques du comité ont eu tout bonnement horreur d'être mêlés à des histoires de Vénusiens et autres petits hommes verts, et ils ont refusé de faire une distinction entre des études sérieuses sur les OVNI et des récits d'illuminés ou de mystificateurs. Cette attitude a eu de nombreux précédents dans l'histoire des sciences; bien avant le refus des météores certains astronomes nièrent l'existence des lunes de Jupiter que Galilée venait de découvrir; ils refusaient même de regarder dans le télescope de Galilée parce qu'ils étaient absolument sûrs que ces lunes n'étaient qu'illusions d'optique *.

---

* Voir *Les Somnambules*, chapitre VIII (6).

Quant à l'armée de l'air et autres institutions officielles, elles se rappelaient trop bien la panique provoquée en 1938 par l'émission radiophonique d'Orson Welles sur une invasion de Martiens, elles tenaient à éviter une répétition de cette hystérie collective. De plus, les gouvernements n'aiment guère admettre qu'il se passe dans le ciel national des choses qu'ils sont incapables d'expliquer. En tout cas aux États-Unis le résultat fut qu'en décembre 1969 le secrétaire d'État à l'aviation annonça officiellement que les recherches n'étaient plus « justifiées pour des raisons de sécurité nationale ni d'intérêt scientifique », et mit fin au « Projet Livre bleu ».

En France l'attitude est toute différente : les institutions nationales concernées admettent franchement qu'elles s'intéressent aux OVNI, encouragent la population à déclarer les apparitions à la gendarmerie la plus proche et demandent aux gendarmes de faire des rapports d'enquête par la voie hiérarchique. Mieux encore : en 1975 dans une remarquable interview à la radio le ministre de la défense Robert Galley a exposé les méthodes employées pour rassembler les données sur les OVNI, a insisté sur la nécessité de « garder l'esprit ouvert », en affirmant qu'à son avis les phénomènes en question sont « à l'heure actuelle inexpliqués ou mal expliqués ». Il a également appuyé la proposition du directeur de la recherche à l'Agence nationale de Recherches spatiales, Claude Poher, de construire des postes d'observation automatiques pour établir des corrélations entre les passages d'OVNI et les variations du champ magnétique terrestre. Et on dit que les Français sont sceptiques.

Que conclure? Face à des données qui paraissent signaler des phénomènes inexplicables, des hommes de science sans préjugés continuent à rassembler les faits dans l'espoir que l'on trouvera un jour une explication. Un tel espoir est peut-être vain, c'est peut-être un produit de l'illusion rationaliste, mais il n'existe pas d'autre stratégie scientifique — sauf celle de l'autruche qui suit la maxime : « Je ne comprends pas, donc ça n'existe pas. » En admettant que les cas d'apparitions d'OVNI même les mieux documentés font penser à un « festival de l'absurde », rappelons-nous qu'en approchant des frontières de la science, qu'il s'agisse de perception extra-sensorielle, de physique quantique ou d'OVNI, il faut s'attendre à rencontrer des phénomènes qui nous paraissent paradoxaux ou absurdes. Citons Aimé Michel pour finir [8] :

> Il ne faut jamais oublier que dans toute manifestation d'une nature suprahumaine c'est à des choses apparemment absurdes que l'on doit s'attendre. « Pourquoi te donner tant de mal pour tes repas et pour ta maison? m'a demandé un jour un de mes chats. Quelle agitation absurde, quand on trouve tout ce qu'on veut dans les poubelles, et qu'on s'abrite si bien sous les voitures! »

Références

PROLOGUE. — *Le nouveau calendrier* (page 13)
1. *Time,* New York, 29 janvier 1965.
2. VAIHINGER (1911).
3. VON BERTALANFFY (1956).
4. MACLEAN (1962).
5. MACLEAN (1973).
6. MACLEAN (1958).
7. GASKELL (1908), pp. 65-67.
8. WOOD Jones et PORTEUS (1969), pp. 27-28.
9. LORENZ (1966).
10. RUSSELL (1950), p. 141.

PREMIÈRE PARTIE. — ESQUISSE D'UN SYSTÈME

CHAPITRE PREMIER. — *La holarchie* (page 35)
1. FRANKL (1969), pp. 397-398.
2. MORRIS (1967).
3. *Cité* par FRANKL (1969).
4. SMUTS (1926).
5. PATTEE (1970).
6. WEISS (1969), p. 193.
7. NEEDHAM, J. (1936).
8. NEEDHAM, J. (1945).
9. KOESTLER (1964, 1967).
10. KOESTLER (1967).
11. JEVONS (1972), p. 64.
12. RUYER (1974).
13. GÉRARD (1957).
14. GÉRARD (1969), p. 228.
15. THORPE (1974), p. 35.
16. BONNER (1965), p. 136.
17. WADDINGTON (1957).
18. DE SAINT-HILAIRE (1818).
19. SIMON (1962).
20. MILLER (1964).
21. KOESTLER (1969a).
22. JAENSCH (1930).
23. KLUEVER (1933).
24. PENFIELD et ROBERTS (1959).
25. FRANKL (1969).

CHAPITRE II. — *Au-delà d'Éros et Thanatos* (page 67)
1. FREUD (1920), p. 63.
2. *Ibid.,* pp. 3-5.
3. JONES (1953), vol. I, p. 142.
4. HORNEY (1939).

5. PEARL in *Enc. Brit.*, 14ᵉ éd.
6. *Ibid.*
7. THOMAS (1974), p. 28.

8. *Ibid.*
9. *Ibid.*, pp. 28-30.

CHAPITRE IV. — *Ad Majorem Gloriam* (page 87)
1. HAYEK (1966).
2. MILGRAM (1975), p. 18.
3. *Ibid.*
4. MILGRAM (1974), p. 166.
5. *Ibid.*, p. 71.
6. *Ibid.*, p. 167.
7. *Ibid.*
8. *Ibid.*, p. 131.
9. *Ibid.*, p. 132.
10. *Ibid.*
11. *Ibid.*, p. 8.
12. *Ibid.*, p. 9.
13. *Ibid.*, p. 148.
14. MILGRAM (1975), p. 20.
15. MILGRAM (1974), p. 188.
16. CALDER (1976), pp. 124-127.
17. CALDER (1976).
18. CALDER (1976a), p. 127.
19. PRESCOTT (1964), p. 62.
20. *The Times*, Londres 27 juillet, 1966.

CHAPITRE V. — *Ou le désespoir ou une autre solution* (page 107)
1. HYDEN (1961).
2. KOESTLER (1967).

DEUXIÈME PARTIE. — L'INTELLIGENCE CRÉATRICE

CHAPITRE VI. — *Humour et esprit* (page 119)
1. KOESTLER (1948, 1959, 1964 et 1967).
2. KOESTLER (1974).
3. DE BOULOGNE (1862).
4. FOSS (1961).
5. FREUD (1940), vol. VI.
6. HUXLEY, A. (1961).

CHAPITRE VIII. — *Les découvertes de l'art* (page 145)
1. JONES (1957), vol. III, p. 364.
2. PRIBRAM *et al.* (1960), p. 9.
3. GELLHORN (1957).
4. Voir KOESTLER (1964), livre I, chapitres V-XI.
5. HADAMARD (1949).
6. POPPER (1975).
7. HADAMARD (1949).
8. KOESTLER (1964, 1968, etc.).
9. SZENT-GYÖRGYI (1957).
10. GOMBRICH (1962), pp. 9, 120.

TROISIÈME PARTIE. — L'ÉVOLUTION CRÉATRICE

CHAPITRE IX. — *Citadelles croulantes* (page 171)
1. SKINNER (1953), pp. 30-31.
2. JAYNES (1976), p. 20.
3. WATSON (1928), pp. 198-199.
4. SKINNER (1953), p. 252.
5. *Ibid.*, pp. 108-109.
6. SKINNER (1957), p. 163.
7. *Ibid.*, p. 438.
8. *Ibid.*, p. 439.
9. *Ibid.*, p. 150.
10. *Ibid.*, p. 206.
11. KOESTLER (1967), p. 124.
12. CHOMSKY (1959).
13. Cf., e.g., MACBETH (1971).
14. HUXLEY, J. (1957) cité par Eisley (1961), p. 336.
15. WADDINGTON (1957), pp. 64-65.
16. VON BERTALANFFY (1969), p. 65.
17. *Ibid.*
18. HARDY (1965), p. 207.
19. VON BERTALANFFY (1969), p. 65.
20. HUXLEY, J. (1954), p. 14.
21. WADDINGTON (1952).

22. Monod (1971), p. 138.
23. *Ibid.*, p. 127.
24. *Ibid.*
25. *Ibid.*, p. 161.
26. Darwin, cité par Macbeth (1971), p. 101.
27. Koestler (1967), pp. 128-129.
28. Grassé (1973).
29. Tinbergen (1951), p. 189.
30. *Ibid.*, p. 9.
31. Macbeth (1971), pp. 71-72.
32. Von Bertalanffy (1969), p. 66.
33. Jenkins (1867).
34. Hardy (1965), p. 80.
35. Darwin, F., cité par Hardy (1965), p. 81.
36. Bateson (1902).
37. Grassé (1973), p. 21.
38. *Ibid.*, p. 351.
39. *Ibid.*
40. *Ibid.*

41. Bateson, G., communication privée, 2 juillet 1970.
42. Bateson, W. (1913), p. 248.
43. Johannsen (1923), p. 140.
44. Butler (1951), p. 167. Cité par Himmelfarb (1959), p. 362.
45. Monod (1971), p. 135.
46. Beadle (1963).
47. Grassé (1973), p. 369.
48. Simpson, Pittendrigh et Tiffany (1957), p. 330.
49. Grassé (1973).
50. Gorini (1966).
51. Koestler (1967), s'appuyant sur de Beer (1940), p. 148 et Hardy (1965), p. 212.
52. Cannon (1958), p. 118.
53. Monod (1971), p. 22.
54. *Ibid.*, pp. 32-33.
55. Grassé (1973), p. 277.

CHAPITRE X. — *Retour à Lamarck* (page 197)

1. Kammerer in *New York Evening Post*, 23 février 1924.
2. Simpson (1950), cité par Hardy (1965), p. 14.
3. Thomson (1908), cité par Wood Jones (1943), p. 9.
4. Darlington dans la préface de *On the Origin of Species* (1950).
5. Spencer (1893), vol. I, p. 621.
6. Haldane (1940), p. 39.
7. Huxley, J. (1954), p. 14.
8. McConnell (1965).

9. *The Times*, Londres, 26 juin 1970.
10. Grassé (1973), p. 336.
11. *Ibid.*, p. 367.
12. Koestler (1971), p. 182.
13. Koestler (1967), pp. 158-159.
14. Waddington (1957), p. 182.
15. *Ibid.*
16. Koestler et Smythies (1969), pp. 382.
17. Wood Jones (1943), p. 22.
18. Cité par Smith (1975), pp. 162-163.

CHAPITRE XI. — *Stratégies et projets dans l'évolution* (page 209)

1. Simpson, Pittendrigh et Tiffany (1957), p. 472.
2. Simpson (1949), p. 180.
3. Spurway (1949).
4. Whyte (1965).
5. Waddington (1957), p. 79.
6. Hardy (1965), p. 211.
7. Koestler (1967), pp. 148-149.
8. Simpson (1950), cité par Hardy (1965), p. 14.
9. Sinnott (1961), p. 45.
10. Muller (1943), cité par Sinnott (1961), p. 45.
11. Coghill (1929).
12. Hardy (1965), p. 176.
13. *Ibid.*, pp. 172, 192-193.

14. Huxley, J. (1964), p. 13.
15. Hardy (1965), de Beer (1940), Takhtajan (1972) et Koltsov (1936).
16. Koestler (1967), pp. 163-164.
17. Young (1950), p. 74.
18. De Beer (1940), p. 118.
19. Cité par Takhtajan (1972).
20. *Ibid.*
21. Koestler (1967), p. 166.
22. Hamburger (1973).
23. Herrick (1961).
24. Schrödinger (1944), p. 72.
25. Szent-Györgyi (1974).
26. *Ibid.*
27. Grassé (1973), p. 401.
28. Waddington (1961).

QUATRIÈME PARTIE. — NOUVEAUX HORIZONS

CHAPITRE XII. — *Le libre arbitre dans un contexte hiérarchique* (page 233)

1. HARDY (1965), p. 229.
2. THORPE (1966a).
3. HEISENBERG (1969), p. 113.
4. PAULI (1952), p. 164.
5. POPPER (1950).
6. POLANYI (1966).
7. MACKAY (1966).

CHAPITRE XIII. — *Physique et métaphysique* (page 245)

1. *New Scientist*, 25 janvier 1973, p. 209.
2. CAPRA (1975), p. 52.
3. NEWTON, cité par CAPRA (1975), p. 57.
4. RUSSEL (1927), p. 163.
5. CAPRA (1975), p. 77.
6. KOESTLER (1972, 1973 et 1976).
7. HEISENBERG, cité par BURT (1967), p. 80.
8. HEISENBERG (1969), pp. 63-64.
9. KOESTLER (1972), p. 51.
10. ECCLES (1953), pp. 276-277.
11. *Ibid.*, p. 279.
12. FIRSOFF (1967), pp. 102-103.
13. DOBBS (1967).
14. WALKER (1973).
15. HEISENBERG (1958), pp. 48-49.
16. JEANS (1937).
17. HOYLE (1966).
18. WHEELER cité par CHASE (1972).
19. WHEELER (1967), p. 246.
20. MARGENAU (1967), p. 218.
21. BOHM et HILEY (1974).
22. MARGENAU (1967), p. 218.
23. JUNG (1960), p. 318.
24. *Ibid.*, p. 435.
25. *Ibid.*, p. 420.
26. KAMMERER (1919), p. 93.
27. *Ibid.*, p. 165.
28. *Ibid.*, p. 456.
29. Cité par PRZIBRAM (1926).
30. KOESTLER (1973), pp. 191-193.
31. PAULI (1952).
32. *Ibid.*, p. 164.
33. JUNG (1960), p. 514.
34. SCHOPENHAUER (1859).
35. DELLA MIRANDOLA (1557), p. 40.
36. WEAVER (1963).
37. BOHM (1951).
38. SCHRÖDINGER (1944), p. 83.
39. HARVIE (1973), p. 133.
40. PRICE cité par DOBBS (1967), p. 239.
41. DOBBS (1967), p. 239.
42. BURT (1968), pp. 50, 58-59.
43. GRASSÉ (1973), p. 401.

CHAPITRE XIV. — *Par le trou de la serrure* (page 275)

1. WALLACE cité par MACBETH (1971), p. 103.
2. Cité par MACBETH (1971), p. 103.
3. HERRICK (1961), pp. 398-399.
4. WALLACE cité par MACBETH (1971), p. 103.
5. KOESTLER (1967), pp. 297 F.
6. KOESTLER (1959), p. 55 et (1964), p. 342.
7. BUTTERFIELD (1924), p. 104.
8. HUXLEY, J. (1954), p. 12.
9. MARGENAU (1967), pp. 223-224.
10. PRICE (1949), pp. 105-113.
11. *New Scientist*, 21 avril 1977.
12. *Ibid.*
13. *Ibid.*
14. KOESTLER (1937 et 1954).

ANNEXES

ANNEXE I. — *Au-delà de l'atomisme et du holisme — le concept de Holon* (page 289)

1. VON BERTALANFFY (1952).
2. KOESTLER (1967).
3. KOESTLER et SMYTHIES, eds. (1969).
4. CHOMSKY (1965).

5. TINBERGEN (1951); THORPE (1956).
6. HERRICK; WEISS, éd. (1950), etc.
7. SIMON (1962).
8. THOMPSON (1942).
9. KOESTLER (1967).
10. VON BERTALANFFY (1952).
11. WADDINGTON (1957).
12. *Ibid.*
13. TINBERGEN (1951).

14. KOESTLER et JENKINS (1965).
15. PENFIELD et ROBERTS (1969).
16. MACLEAN (1958).
17. WEISS in Jeffress, éd. (1951).
18. HEBB (1958).
19. BARTETT (1958).
20. VON BERTALANFFY (1952).
21. CHILD (1925).
22. MILLER et al. (1960).

ANNEXE II. — *Expérience sur la perception* (page 310)

1. e.g. SPERLING (1960); AVERBACH (1963); BROADBENT (1963).
2. OSGOOD (1953).

3. WOODWORTH et SCHLOSBERG (1954).
4. *Ibid.*, p. 697.

ANNEXE III. — *Notes sur le système nerveux autonome* (page 316)

1. ALLPORT (1924).
2. OLDS (1960).
3. HEBB (1949).
4. PRIBRAM (1966).

5. GELLHORN (1963).
6. *Ibid.*
7. COBB (1950).

ANNEXE IV. — *Les OVNI : Festival de l'absurde* (page 318)

1. SAGAN (1973), pp. 366-367.
2. MICHEL (1974).
3. *New Scientist*, 31 mars 1977.
4. *International Herald Tribune*, 22 avril 1977.

5. GODDARD (1975), pp. 106-107.
6. KRINOV (1960), p. 9.
7. GIBBS-SMITH (1970).
8. MICHEL (1974), p. 225.

Bibliographie

ALLPORT, F. H., *Social Psychology* (New York, 1924).
ATKINSON (Voir HILGARD et ATKINSON, éds., 1967).
AVERBACH, E., in *J. Verb. Learn. Verb. Behav.*, vol. II, pp. 60-64 (1963).

BARTLETT, F. C., *Thinking* (Londres, 1958).
BATESON, W., *Mendel's Principles of Heredity : A Defence* (Cambridge, 1902).
—, *Problems of Genetics* (Londres, 1913).
BEADLE, G. W., *Genetics and Modern Biology* (Philadelphie, 1963).
BEER, G. de, *Embryos and Ancestors* (Oxford, 1940).
BERGSON, H. L., *Le Rire* (15ᵉ éd. Paris, 1916).
BERTALANFFY, L. von, *Problems of Life* (New York, 1952).
—, in *Scientific Monthly* (janvier 1956).
—, in *Beyond Reductionism* (Voir KOESTLER et SMYTHIES, éds., 1969).
—, *Festschrift* (Voir GRAY et RIZZO, éds, 1973).
BOAG, T. J., et CAMPBELL, D., éds., *A Triune Concept of the Brain and Behaviour* (Toronto, 1973).
BOHM, D., *Quantum Theory* (Londres, 1951).
—, et HILEY, B., « On the Intuitive Understanding of Non-Locality as Implied by Quantum Theory » (Birkbeck College, université de Londres, 1974).
BOLK, J., *Das Problem der Menschwerdung* (Iena, 1926).
BONNER, J., *The Molecular Biology of Development* (Oxford, 1965).
BOWEN, C., *The Humanoids* (Londres, Futura éd., 1974).

BOULOGNE, D. de, *Le Mécanisme de la Physionomie humaine* (Paris, 1862).

BROADBENT, D. E., in *J. Verb. Learn. Verb. Behav.*, vol. II, pp. 34-39 (1963).

BURT, sir C., in *Science and ESP* (Voir SMYTHIES, éd., 1967).

—, *Psychology and Psychical Research. The Seventeenth Frederick W. H. Myers Memorial Lecture* (Londres, 1968).

BUTLER, S., *Evolution Old and New* (1879).

—, *Notebooks*, éd. G. Keynes et B. Hill (New York, 1951).

BUTTERFIELD, sir H., *The Origins of Modern Science* (Londres, 1924).

CALDER, N., *The Human Conspiracy* (Londres, 1976).

—, in *The Times*, Londres, 25 février 1976a.

CAMPBELL, D. (Voir BOAG et CAMPBELL, éds., 1973).

CANNON, H. GRAHAM, *The Evolution of Living Things* (Manchester, 1958).

CAPRA, F., *The Tao of Physics* (Londres, 1975).

CHASE, L. B., in *University, A Princeton Quarterly* (été, 1972).

CHILD, C. M., *Physiological Foundations of Behaviour* (New York, 1925).

CHOMSKY, N., in *Language*, vol. 35, n° 1, pp. 26-58 (1959).

—, *Aspects de la théorie syntaxique* (Paris, 1971).

COBB, S., *Emotions and Clinical Medicine* (New York, 1950).

COGHILL, G. E., *Anatomy and the Problem of Behaviour* (Cambridge, 1929).

DARLINGTON, C. D., dans la préface de *On the Origin of Species* (réimpression de la première édition, Londres, 1950).

DARWIN, C., *The Variation of Animals and Plants under Domestication*, 2 vols. (Londres, 1868).

—, *On the Origin of Species* (réimpression de la première édition, Londres 1950).

DOBBS, A., in *Science and ESP* (Voir SMYTHIES, éd., 1967).

EASTMAN, M., *The Enjoyment of Laughter* (New York, 1936).

ECCLES, sir J., *The Neurophysiological Basis of Mind* (Oxford, 1953).

—, éd., *Brain and Conscious Experience* (New York, 1966a).

EISLEY, L., *The Immense Journey* (New York, 1958).

—, *Darwin's Century* (New York, 1961).

FARBER, S. M., et WILSON, R. H. L., éds., *Control of the Mind* (New York, 1961).

FIELD, J., éd., *Handbook of Physiology : Neurophysiology*, vol. III (Washington D. C., 1961).

FIRSOFF, V. A., *Life, Mind and Galaxies* (Edimbourg et Londres, 1967).

FORD, E. B. (Voir HUXLEY, HARDY et FORD, éds., 1954).

FOSS, B., in *New Scientist*, 6 juillet 1961.

FRANKL, V. E., in *Beyond Reductionism* (Voir KOESTLER et SMYTHIES, éds., 1969).
FREUD, S., *Jenseits des Lustprinzips* (1920).
—, *Gesammelte Werke,* vols. I-XVIII (Londres, 1940-1952).

GALANTER, E. (Voir MILLER, GALANTER et PRIBRAM, 1960).
GARSTANG, W., in *J. Linnean Soc. London, Zoology,* 35, 81 (1922).
—, in *Quarterly J. Microscopical Sci.,* 72, 51 (1928).
GASKELL, W. H., *The Origin of Vertebrates* (1908).
GELLHORN, E., *Autonomic Imbalance* (New York, 1957).
—, et LOOFBOURROW, G. N., *Emotions and Emotional Disorders* (New York, 1963).
GERARD, R. W., in *Science,* vol. 125, pp. 429-433 (1957).
—, in *Hierarchical Structures* (Voir WHYTE, WILSON et WILSON, éds., 1969).
GIBBS-SMITH, C. H., in *Flying Saucer Review* (juillet/août 1970).
GODDARD, sir V., *Flight Towards Reality* (Londres, 1975).
GOLDING, W., *Les héritiers* (Paris, 1968).
GOMBRICH, sir E., *L'art et l'illusion* (Paris, 1971).
GORINI, L., in *Scientific American* (avril 1966).
GRASSÉ, P., *L'Évolution du Vivant* (Paris, 1973).
GRAY, W., et RIZZO, N. D., éds., *Unity through Diversity — A Festschrift for Ludwig von Bertalanffy* (New York, Londres, Paris, 1973).

HADAMARD, J., *The Psychology of Invention in the Mathematical Field* (Princeton, 1949).
HAECKEL, E., *Die Welträtsel* (1899).
HALDANE, J. B. S., *Possible Worlds* (1940).
HAMBURGER, V., in *Encyclopaedia Britannica,* vol. XIX, 78c (1973).
HARDY, sir A. (Voir HUXLEY, HARDY et FORDS, éds., 1954).
—, *Le fleuve de la vie* (Paris, 1969).
—, *La flamme divine* (Paris, 1970).
—, HARVIE, R., et KOESTLER, A., *The Challenge of Chance* (Londres, 1973).
—, *The Biology of God* (Londres, 1975).
HARRE, R., éd., *Problems of Scientific Revolution* (Oxford, 1975).
HARRIS, H., éd., *Astride the Two Cultures* (Londres, 1975).
HARVIE, R. (Voir HARDY, HARVIE et KOESTLER 1973).
HAYEK, F. A. von, in *Studies in Philosophy, Politics and Economics* (Londres, 1966).
HEBB, D. O., *Organization of Behaviour* (New York, 1949).
—, *A Textbook of Psychology* (Philadelphie et Londres, 1958).
HEISENBERG, W., *La nature dans la physique contemporaine* (Paris, 1962).
—, *La partie et le tout* (Paris, 1972).
HERRICK, C. J., *The Evolution of Human Nature* (New York, 1961).

HILEY, B. (Voir BOHM et HILEY, 1974).
HILGARD, E. R., et ATKINSON, *Introduction to Psychology* (4ᵉ éd., 1967).
HIMMELFARB, G., *Darwin and the Darwinian Revolution* (Londres, 1959).
HORNEY, K., *New Ways in Psychoanalysis* (Londres, 1939).
HOYLR, sir F., *October the First is Too Late* (Londres, 1966).
HUXLEY, A., in *Control of the Mind* (Voir FARBER et WILSON, éds., 1961).
HUXLEY, sir J., HARDY, sir A., et FORD, E. B., éds., *Evolution as a Process* (New York, 1954).
—, *Évolution en action* (Paris, 1956).
—, *Man in the Modern World* (New York, 1964).
HYDEN, H., in *Control of the Mind* (Voir FABER et WILSON, éds., 1961).
HYNEK, J. A., *Les objets volants non identifiés. Mythe ou réalité* (Paris, 1976).

JAENSCH, E. R., *Eidetic Imagery* (Londres, 1930).
JAMES, W., *Expérience religieuse* (Alcan, 1906).
JAYNES, J., *The Origin of Consciousness in the Breakdown of the Bicameral Mind* (Boston, 1976).
JEANS, sir J., *The Mysterious Universe* (Cambridge, 1937).
JEFFRESS, L. A., éd., *Cerebral Mechanisms in Behaviour — The Hixon Symposium* (New York, 1951).
JENKIN, Fleeming, in *North British Review* (juin 1867).
JENKINS, J. J. (Voir KOESTLER et JENKINS 1965).
JEVONS, F. R., in *The Rules of the Game* (Voir SHANIN, éd., 1972).
JOHANNSEN, W., in *Hereditas*, vol. IV, p. 140 (1923).
JOKEL, V., « Epidemic : Torture » (Amnesty International, Londres, s.d., c. 1975).
JONES, E., *Sigmund Freud*, vols. I et III (Londres, 1953-1957).
JUNG, C. G., et PAULI, W., *Naturerklärung und Psyche. Studien aus dem C. G. Jung-Institut, Zürich, IV* (1952).
—, *The Structure and Dynamics of the Psyche, Collected Works*, vol. VIII, trad. R. F. C. Hull (Londres, 1960).

KAMMERER, P., *Das Gesetz der Serie* (Stuttgart, 1919).
KLUEVER, O., in *A Handbook of Child Psychology* (Voir MURCHISON, éd., 1933).
KOESTLER, A., *Twilight Bar* (Londres, 1945).
—, *Insight and Outlook* (Londres, 1948).
—, *Un testament espagnol* (Paris, 1939).
—, *Hiéroglyphes* (Paris, 1955).
—, *Les Somnambules* (Paris, 1960).
—, in *Control of the Mind* (Voir FARBER et WILSON, éds., 1961).
—, *Le Cri d'Archimède* (Paris, 1965).
—, et JENKINS, J. J., in *Psychon. Sci.*, vol. III (1965) [Constitue l'annexe II de ce volume].
—, *Le Cheval dans la Locomotive* (Paris, 1968).

—, *Le démon de Socrate* (Paris, 1970).
—, et SMYTHIES, J. R., éds., *Beyond Reductionism — Le Colloque de Alpbach* (Londres, 1969).
—, in *The Pathology of Memory* (Voir TALLAND et WAUGH, 1969a).
—, *L'Étreinte du Crapaud* (Paris, 1972).
—, *Les Racines du Hasard* (Paris, 1972).
—, in *The Challenge of Chance* (Voir HARDY, HARVIE et KOESTLER, 1973).
—, 'Humour and Wit' in *Encyclopaedia Britannica* (15ᵉ éd., 1974).
—, *Face au néant* (Paris, 1975).
—, in *Life After Death* (Voir TOYNBEE, KOESTLER *et al.*, 1976).
KOHLER, W., *The Mentaly of Apes* (Londres, 1925).
KOLTSOV, N., *The Organisation of the Cell* (en russe) (Moscou, 1936).
KRETSCHMER, E. A., *A Textbook of Medical Psychology* (Londres, 1934).
KRINOV, E. L., *Principles of Meteoritics,* trad. I. Vidziunas (Oxford, Londres, New York, Paris, 1960).
KUHN, T., *The Structure of Scientific Revolutions* (Chicago, 1962).

LAMARCK, J. P., *Philosophie zoologique,* 2 vols., éd. C. Martins (2ᵉ éd., Paris, 1873).
LASHLEY, K. S., *The Neuro-Psychology of Lashley,* Selected Papers (New York, 1960).
LOOFBOURROW, G. N. (Voir GELLHORN et LOOFBOURROW, 1963).
LORENZ, K., *L'agression* (Paris, 1969).

MACBETH, N., *Darwin Retried* (Londres et Boston, 1971).
MCCONNELL, J. V., *The Worm Re-turns* (Englewood Cliffs, N. J., 1965).
MACKAY, D. M., in *Brain and Conscious Experience* (Voir ECCLES, 1966).
MACLEAN, P. D., in *Psychosom. Med.,* vol. II, pp. 338-352 (1949).
—, in *Am. J. of Medicine,* vol. XXV, n° 4, pp. 611-626 (octobre 1958).
—, in *Handbook of Physiology : Neurophysiology,* vol. III (Voir FIELD, éd., 1961).
—, in *J. of Nervous and Mental Disease,* vol. 135, n° 4 (octobre 1962).
—, in *A Triune Concept of the Brain and Behaviour* (Voir BOAG et CAMPBELL, éds., 1973).
MARGENAU, H., in *Science and ESP* (Voir SMYTHIES, éd., 1967).
MAYR, E., *Animal Species and Evolution* (Harvard, 1963).
MENDEL, G., in *Proc. of the Natural History Society of Brüm* (1865).
MICHEL, A., in *The Humanoids* (Voir BOWEN, éd., 1974).
MILGRAM, S., *Soumission à l'autorité* (Paris, 1974).
—, in *Dialogue,* vol. VIII, n° 3/4 (Washington, 1975).
MILLER, G. A., GALANTER, E., et PRIBRAM, K. H., *Plans and the Structure of Behaviour* (New York, 1960).
DELLA MIRANDOLA, PICO, *Opera Omnia* (Bâle, 1557).
MONOD, J., *Le Hasard et la Nécessité* (Paris, 1970).

MORRIS, D., *The Naked Ape* (Londres, 1967).
—, *Le Singe nu* (Paris, 1968).
MULLER, H. J., *Science and Criticism* (New Haven, Conn. 1943).
MURCHINSON, C., éd., *A Handbook of Child Psychology* (Worcester, Mass., 1933).

NEEDHAM, J., *Order and Life* (New Haven, Conn., 1936).
—, *Time, the Refreshing River* (Londres, 1941).

OLDS, J., in *Psychiatric Research Reports of the American Psychiatric Association* (janvier, 1960).
OSGOOD, C. E., *Method and Theory in Experimental Psychology* (Londres et New York, 1953).

PATTEE, H. H., in *Towards a Theoretical Biology* (Voir WADDINGTON, éd., 1970).
PAULI, W. (Voir JUNG et PAULI, 1952).
PEARL, in *Encyclopaedia Britannica,* 14ᵉ éd., Vol. VIII, pp. 110 f.
PENFIELD, W., et ROBERTS, L., *Speech and Brain Mechanisms* (Princeton, 1959).
PITTENDRIGH, G. S. (Voir SIMPSON, PITTENDRIGH et TIFFANY 1957).
POLANYI, M., *The Tacit Dimension* (New York, 1966).
POPPER, sir K., in *Br. J. Phil. Sci.,* Partie I et II (1950).
—, in *Problems of Scientific Revolution* (Voir HARRÉ, éd., 1975).
PORTEUS, S. D. (Voir WOOD JONES et PORTEUS 1929).
PRESCOTT, O., *The Conquest of Mexico* (New York, 1964).
PRIBRAM, K. H. (Voir MILLER, GALANTER et PRIBRAM, 1960).
PRICE, H. H., in *Hibbert J.,* vol. XLVII (1949).
PRZIBRAM, H., in *Monistische Monatshefte* (Novembre 1926).

RIZZO, N. D. (Voir GRAY et RIZZO, éds., 1973).
ROBERTS, L. (Voir PENFIELD et ROBERTS 1959).
RUSSELL, B., *An Outline of Philosophy* (Londres, 1927).
—, *Unpopular Essays* (1950).
RUYER, R., *La Gnose de Princeton* (Paris, 1974).

SAGAN, C., éd., *Communication with Extraterrestrial Intelligence* (CETI) (Cambridge, Mass. et Londres, 1973).
SAINT-HILAIRE, G. de, *Philosophie Anatomique* (Paris, 1818).
SCHLOSBERG, H. (Voir WOODWORTH et SCHLOSBERG 1954).
SCHOPENHAUER, A., *Sämtliche Werke,* Vol. VIII (Stuttgart, 1859).
SCHRÖDINGER, E., *What is Life?* (Cambridge, 1944).
SHANIN, T., éd., *The Rules of the Game* (Londres, 1972).
SIMON, H. J., In *Proc. Am. Philos. Soc.,* Vol. 106, n° 6 (décembre 1962).
SIMPSON, G. G., *The Meaning of Evolution* (New Haven, Conn., 1949 et Oxford, 1950).

—, PITTENDRIGH, C. S., et TIFFANY, L. H., *Life : An Introduction to Biology* (New York, 1957).
— *This View of Life* (New York, 1964).
SINNOT, E. W., *Cell and Psyche* — *The Biology of Purpose* (New York, 1961).
SKINNER, B. F., *The Behaviour of Organisms* (New York, 1938).
—, *Science and Human Behaviour* (New York, 1953).
—, *Verbal Behaviour* (New York, 1957).
—, *Par delà la dignité et la liberté* (Paris, 1972).
SMITH, E. LESTER, éd., *Intelligence Came First* (Wheaton, III., 1975).
SMUTS, J. C., *Holism and Evolution* (Londres, 1926).
SMYTHIES, J. R., éd., *Science and ESP* (Londres, 1967).
— (Voir KOESTLER et SMYTHIES, éd., 1969).
SPENCER, H., *Principles of Biology* (1893).
—, in *Essays on Education and Kindred Subjects* (Londres, 1911).
SPERLING, G., in *Psychol. Monogr.*, 74 (11, n° 498 en entier), 1960.
SPURWAY, H., in *Supplemento. La Ricerca Scientifica (Colloque de Pallanza) 18* (Rome, 1949).
SZENT-GYÖRGYI, A., *Bioenergetics* (New York, 1957).
—, in *Synthesis* (printemps 1974).

TALLAND, G. A., et WAUGH, N. C., éds., *The Pathology of Memory* (New York et Londres, 1969).
TAKHTAJAN, A., in *Phytomorphology*, Vol. XXII, n° 2 (juin 1972).
THOMAS, L., *Le bal des cellules* (Paris, 1977).
THOMPSON, D. W., *On Growth and Form* (Cambridge, 1942).
THOMSON, sir J. A., *Heredity* (Londres, 1908).
THORPE, W. H., *Learning and Instinct in Animals* (Londres, 1956).
—, in *Nature*, 14 mai 1966.
—, in *Brain and Conscious Experience* (Voir ECCLES, éd., 1966a).
—, in *Beyond Reductionism* (Voir KOESTLER et SMYTHIES, éds., 1969.
—, *Animal Nature and Human Nature* (Cambridge, 1974).
TIFFANY, L. H., (Voir SIMPSON, PITTENDRIGH et TIFFANY 1957).
TINBERGEN, N., *L'étude de l'instinct* (Paris, 1953).
TOYNBEE, A., KOESTLER, A., et al., *Life After Death* (Londres, 1976).

VAIHINGER, H., *Die Philosophie des Als Ob*, 1911 (Trad. anglaise C. K. Ogden, Londres, 1924).

WADDINGTON, C. H., in *The Listener* (13 février 1952).
—, *The Strategy of the Genes* (Londres, 1957).
—, *The Nature of Life* (Londres, 1961).
—, in *Beyond Reductionism* (Voir KOESTLER et SMYTHIES, éds., 1969).
—, éd., *Towards a Theoretical Biology* (Edimbourg, 1970).
WALKER, E. HARRIS, in *J. for the Study of Consciousness* (1973).

WALTER, W. GREY, *Observations on Man, his Frame, his Duty and his Expectations* (Cambridge, 1969).

WATSON, J. B., *Behaviourism* (Londres, 1928).

WAUGH, N. C. (Voir TALLAND et WAUGH, éds., 1969a).

WEAVER, W., *Lady Luck and the Theory of Probability* (New York, 1963).

WEISS, P. A., éd., *Genetic Neurology* (Chicago, 1950).

—, in *Cerebral Mechanisms in Behaviour* (Voir JEFFRESS, éd., 1951).

—, in *Beyond Reductionism* (Voir KOESTLER et SMYTHIES, éds., 1969).

WHEELER, J. A., *Geometrodynamics* (1962).

—, in *Batelle Recontres* (1967).

WHYTE, L. L., *Internal Factors in Evolution* (New York, 1965).

—, WILSON, A. G., et WILSON, éds., *Hierarchical Structures* (New York, 1969).

WILSON, A. G. (Voir WHYTE, WILSON et WILSON, éds., 1969).

WILSON, D. (Voir WHYTE, WILSON et WILSON, éds., 1969).

WILSON, R. H. L. (Voir FARBER et WILSON, éds., 1961).

WOLSKY, A. (Voir WOLSKY et WOLSKY, 1976).

WOLSKY, M. DE I., et WOLSKY, A., *The Mechanism of Evolution* (Bâle, Munich, Paris, Londres, New York, 1976).

WOOD JONNES, F., et PORTEUS, S. D., *The Matrix of the Mind* (Londres 1929).

—, *Habit and Heritage* (Londres, 1943).

WOODGER, J. H., *Biological Principles* (Londres, 1929).

WOODWORTH, R. S., et SCHLOSBERG, H., *Experimental Psychology* (éd. revue, New York, 1954).

YOUNG, J. Z., *La vie des vertébrés* (Paris, 1954).

Index

Table des matières

TROISIÈME PARTIE
L'ÉVOLUTION CRÉATIVE

QUATRIÈME PARTIE
NOUVEAUX HORIZONS

ANNEXES

ACHEVÉ D'IMPRIMER SUR LES
PRESSES DE L'IMPRIMERIE FLOCH
À MAYENNE LE 23 AVRIL 1979
N° 17008
CALMANN-LÉVY, 3, RUE AUBER
PARIS-9e — N° 10690
Dépôt légal : 2e trimestre 1979